Au plaisir des mots 5ᵉ

lectures et langage

Michel Collot
Ancien élève de l'École Normale Supérieure
Agrégé des Lettres

Sylvie Collot
Professeur au lycée Talma
Brunoy

Élisabeth Deneuchatel
Professeur au collège Louise-Michel
Corbeil-Essonnes

Jacques Delforge
Professeur au collège H.G. Adam
Antony

Classiques Hachette

sommaire

© Hachette, 1987.
79 boulevard Saint-Germain, 75006 Paris.
ISBN n° 2.01.012679.3

littéralement...

6/ Sacré Charlemagne

7/ Le corps en fête

8/ Farces et extravagances

9/ Tout feu, tout flamme

... et dans tous les sens

sommaire

5

d'hier...

Esope
Fabuliste grec (VIe siècle av. J.-C.) à la personnalité légendaire, ancien esclave affranchi ; ses fables, très populaires, ont été reprises dans la littérature européenne et arabe, notamment par La Fontaine (voir p. 27).

Sophocle (494-406 av. J.-C.)
Poète grec qui a écrit et fait représenter plusieurs tragédies dont *Antigone* est l'une des plus célèbres (voir p. 106).

Sénèque (4 av. J.-C.-65 ap. J.-C.)
Ce philosophe latin dénonce les vices de la société dans laquelle il vit et montre à ses contemporains ce qui lui semble « la voie à suivre » (voir p. 158).

Virgile (70-19 av. J.-C.)
Ce poète latin est célèbre pour trois œuvres : Les *Bucoliques.* Les *Géorgiques,* L'*Enéide,* qui ont influencé la littérature latine et occidentale (voir p. 202).

Tite-Live (64 ou 59 av. J.-C.-17 ap. J.-C.)
Ecrivain latin, auteur d'une *Histoire romaine* depuis sa fondation en 753 av. J.-C. jusqu'en 9 ap. J.-C. Découvrez la manière d'agir d'un Romain qui entra dans l'histoire à cause de son héroïsme (voir p. 110).

Phèdre
Fabuliste latin (15 av. J.-C.-50 ap. J.-C.), de formation grecque, affranchi d'Auguste, imitateur d'Esope (voir p. 27).

Pline le jeune
Ecrivain latin (61-114 ap. J.-C.), neveu de Pline l'Ancien ; il nous a laissé dix livres de *Lettres* (voir p. 12), où il montre son talent de conteur et d'observateur des mœurs de son temps.

Farid Uddin Attar
Ce poète persan du XIIe siècle a laissé un vaste poème de 4 600 vers, *La Conférence des oiseaux,* d'inspiration religieuse (voir p. 33).

Chrétien de Troyes (1135-1183)
Poète de cour, Chrétien de Troyes évoque la vie héroïque à laquelle est astreint tout jeune chevalier désireux de susciter l'admiration de la dame à laquelle il voue son amour (voir pp. 58 et 113).

François Rabelais (1494-1553)
Abbé, médecin et écrivain, il manifeste, comme son héros Pantagruel, un grand appétit de connaissances, trait caractéristique des hommes de la Renaissance (voir p. 205).

Clément Marot (1496-1544)
Poète français, valet de chambre de François Ier, auteur d'une poésie de cour aux formes traditionnelles, mais pleine de verve et de fantaisie (voir p. 259).

Cervantès (1547-1616)
L'auteur de *Don Quichotte,* écrivain espagnol de la fin du XVIe siècle, met en scène un gentilhomme campagnard qui tente d'imiter les exploits des héros des romans de chevalerie du Moyen Age (voir p. 127).

Jean de La Fontaine (1621-1695)
Ce fabuliste, contemporain de Louis XIV, s'inspire des fables d'Esope et de Phèdre pour critiquer les comportements des courtisans par le biais des animaux qu'il met en scène (voir pp. 26, 43 et 236).

Jean-Baptiste Poquelin, dit Molière (1622-1673)
Devenu comédien après de solides études d'avocat, il fonda en 1643 la troupe de l'Illustre Théâtre ; après de difficiles tournées en province, il vint se fixer à la cour où il obtint la protection de Louis XIV. Molière écrivit alors une trentaine de comédies où il cherche à peindre les ridicules d'un caractère, d'une mode, les travers de la société, tout en divertissant son public par le recours à la farce ou à la légende (voir p. 245).

Mme de Sévigné (1626-1696)
Veuve du marquis de Sévigné, elle partagea sa vie entre son château des Rochers en Bretagne et Paris où elle fréquentait la cour et les salons littéraires. Elle nous a laissé une vaste correspondance qui nous renseigne sur la vie de son temps et sur les sentiments d'une mère séparée de sa fille (voir p. 270).

Jean de La Bruyère (1645-1696)
Moraliste, il est célèbre pour son livre *Les Caractères* (voir p. 230), recueil dans lequel il critique la société de son époque et « croque » quelques savoureux portraits, où il manifeste un sens aigu de l'observation.

Fénelon (1651-1715)
Homme d'Église, devenu précepteur du petit-fils de Louis XIV, il choisit d'instruire son élève dans la joie et à cet effet rédige des contes et des fables pédagogiques (voir p. 220).

Jonathan Swift (1667-1745)
Romancier irlandais, de langue anglaise, observateur ironique de la société de son époque, dont il fait la critique à travers les imaginaires *Voyages de Gulliver* (voir p. 233).

sommaire

... *à aujourd'hui*

sommaire

* *Les mots suivis d'une petite
pastille noire (*) sont à
chercher dans le dictionnaire.*

Tapisserie de l'Apocalypse. Angers. Le dragon remet le sceptre à la bête à sept têtes sortie de la mer (Varga-Artephot).

1/Le bestiaire fabuleux

- *L'Homme et la Bête*
- *Le Roi des animaux*

La ville des animaux

S'ouvre la porte, entre une biche,
Mais cela se passe très loin,
N'approchons pas de ce terrain,
Évitons un sol évasif[1]!

5 C'est la ville des animaux !
Ici les humains n'entrent guère.
Griffes de tigre, soies[2] de porc
Brillent dans l'ombre, délibèrent.

N'essayons pas d'y pénétrer
10 Nous qui cachons plus d'une bête,
Poissons, iguanes, éperviers,
Qui voudraient tous montrer la tête.

Nous en sortirions en traînant
Un air tigré, une nageoire,
15 Ou la trompe d'un éléphant
Qui nous demanderait à boire.

Notre âme nous serait ravie[3]
Et la douceur de notre corps.
Il faudrait, toute notre vie,
20 Pleurer en nous un homme mort.

Jules SUPERVIELLE, *Les Amis inconnus*
(Gallimard)

1. qui se dérobe

2. on appelle ainsi les poils du porc

3. enlevée

Le givre

Mon Dieu ! Comme ils sont beaux
Les tremblants animaux
Que le givre a fait naître
La nuit sur ma fenêtre !

5 Ils broutent des fougères
Dans un bois plein d'étoiles,
Et l'on voit la lumière
A travers leurs corps pâles.

Il y a un chevreuil
10 Qui me connaît déjà.
Il soulève pour moi
Son front d'entre les feuilles

Et quand il me regarde,
Ses grands yeux sont si doux
15 Que je sens mon cœur battre
Et trembler mes genoux.

Laissez-moi, ô décembre !
Ce chevreuil merveilleux.
Je resterai sans feu
20 Dans ma petite chambre.

Maurice CARÊME, *La Lanterne magique*

La chauve-souris

A mi-carême, en carnaval,
On met un masque de velours.

Où va le masque après le bal ?
Il vole à la tombée du jour.

5   Oiseau de poils, oiseau sans plumes,
Il sort, quand l'étoile s'allume,
De son repaire de décombres.
Chauve-souris, masque de l'ombre.

Robert DESNOS,
Chantefables et Chantefleurs

Le paon

Il va sûrement se marier aujourd'hui.

Ce devait être pour hier. En habit de gala˙, il était prêt. Il n'attendait que sa fiancée. Elle n'est pas venue. Elle ne peut tarder.

5   Glorieux, il se promène avec une allure de prince indien et porte sur lui les riches présents d'usage[1]. L'amour avive l'éclat de ses couleurs et son aigrette[2] tremble comme une lyre[3].

La fiancée n'arrive pas.

Il monte au haut du toit et regarde du côté du soleil. Il jette son
10   cri diabolique :

Léon[4] ! Léon !

C'est ainsi qu'il appelle sa fiancée. Il ne voit rien venir et personne ne répond. Les volailles habituées ne lèvent même point la tête. Elles sont lasses de l'admirer. Il redescend dans la cour, si
15   sûr d'être beau qu'il est incapable de rancune.

Son mariage sera pour demain.

Et, ne sachant que faire du reste de la journée, il se dirige vers le perron. Il gravit les marches, comme des marches de temple, d'un pas officiel[5].

20   Il relève sa robe à queue toute lourde des yeux qui n'ont pu se détacher d'elle.

Il répète encore une fois la cérémonie.

Jules RENARD, *Histoires naturelles*
(Casterman)

1. que l'on a coutume d'offrir lors des mariages
2. bouquet de plumes surmontant la tête du paon
3. instrument de musique antique à cordes pincées

4. transcription humoristique du cri de l'animal

5. semblable à celui qu'on adopte dans les cérémonies officielles

Histoire d'un dauphin

L'écrivain latin Pline le Jeune relate à son ami le poète Caninius une aventure digne de lui inspirer un prochain poème...

C.[1] Pline à son cher Caninius, salut.

J'ai trouvé par hasard un sujet de poème qui a le mérite d'être une histoire vraie, tout en ressemblant fort à une fable : c'est ce qui convient à un génie aussi fertile, aussi élevé et aussi poétique que le tien ; je l'ai trouvé au cours d'un repas où furent évoqués divers prodiges[2], chaque convive racontant le sien. L'auteur du récit est parfaitement crédible[3]. On dira qu'un poète ne se soucie pas de la crédibilité[4]. Il n'en est pas moins vrai que même un historien ferait confiance à celui qui a raconté l'anecdote.

En Afrique la colonie d'Hippone[5] se trouve près de la mer. Elle est située au bord d'une lagune[6] navigable, d'où sort un canal qui ressemble à un fleuve ; tour à tour, selon le flux et le reflux de la mer, le courant se dirige vers le large ou bien il retourne à la lagune. A cet endroit les plaisirs de la pêche, du canotage et de la baignade attirent des gens de tout âge, et surtout les enfants qui cherchent des jeux pour occuper leurs loisirs. Ils font valoir leur courage en s'avançant le plus possible vers la haute mer ; le vainqueur est celui qui s'est éloigné le plus du rivage et a ainsi distancé ses camarades. Dans cette compétition un enfant plus hardi que les autres s'aventurait fort loin. Un dauphin nage à sa rencontre : tantôt il le précède, tantôt il le suit, tantôt il tourne autour de lui, enfin il le soulève par en dessous, le laisse, le soulève à nouveau et l'emporte tout tremblant vers la haute mer, puis il reprend la direction du rivage et le rend à la terre ferme et à ses camarades.

La nouvelle se répand dans la colonie ; tout le monde accourt, on regarde l'enfant lui-même comme un prodige, on l'interroge, on écoute son récit, on le colporte[7]. Le lendemain, le rivage est assiégé ; les regards sont tournés vers la mer et l'estuaire. Les enfants nagent et, parmi eux, celui dont j'ai parlé, mais il est moins hardi qu'avant. Le dauphin revient à la même heure, et s'approche du même enfant. Celui-ci s'enfuit avec les autres. Le dauphin, comme pour l'attirer et le rappeler, saute hors de l'eau, plonge, enroule et déroule toutes sortes de cercles.

Cela se reproduit le lendemain, puis le surlendemain, puis les jours suivants jusqu'à ce que les nageurs, qui étaient des marins de naissance, rougissent de leur crainte. On s'approche, on joue avec l'animal, on l'appelle, et même on le touche et le caresse : il se laisse faire. En voyant cela on s'enhardit. L'enfant qui avait été le premier à faire connaissance du dauphin a plus d'audace que les autres ; il nage à côté de lui, saute sur son dos, il se fait transporter dans un sens et dans l'autre ; il se croit reconnu, aimé,

1. initiale de Caius, prénom de Pline

2. êtres ou événements extraordinaires, voire surnaturels
3. on peut le croire, avoir confiance en lui
4. qualité de ce qui est crédible
5. ville proche de Carthage, actuellement Bizerte, en Tunisie
6. étendue d'eau de mer, comprise entre la terre ferme et un cordon littoral qui la sépare de la mer

7. on le rapporte aux uns et aux autres, si bien qu'il se répand partout

il aime à son tour l'animal ; la crainte a disparu d'un côté comme
de l'autre ; la confiance du premier augmente, et la douceur du
45 second. Et d'autres enfants aussi, à droite et à gauche, les
accompagnent et leur crient des encouragements. Autre sujet
d'émerveillement : à côté nageait un deuxième dauphin qui se
contentait de regarder et d'escorter. Il ne se livrait ni ne se prêtait
aux mêmes jeux que son compagnon, mais conduisait et ramenait
50 celui-ci, comme les autres enfants faisaient avec leur camarade.

Détail incroyable, mais pourtant aussi vrai que ce qui précède :
le dauphin qui servait de monture et de compagnon de jeu aux
enfants se traînait même sur la grève[8], il se séchait sur le sable et
quand il sentait la chaleur, il roulait sur lui-même pour retourner
55 à la mer. Il est certain qu'Octavius Avitus, légat du proconsul[9],
profita de ce que l'animal avait été amené sur le rivage pour
verser sur lui du parfum, obéissant ainsi à une sotte supersti-
tion[10] ; l'odeur inconnue chassa le dauphin vers la pleine mer, et
on ne le revit pas pendant plusieurs jours ; quand il réapparut il se
60 montra d'abord languissant et triste, puis il retrouva ses forces, il
reprit sa gaieté passée et ses services habituels. Tous les magistrats[11] accouraient pour voir le spectacle. Leur accueil et leur
séjour épuisaient la petite ville de dépenses imprévues. Enfin, le
site lui-même perdait son caractère de retraite tranquille et
65 isolée ; on décida de faire périr en cachette l'animal qui provo-
quait une telle affluence de visiteurs.

Voilà le sujet que je te propose. Avec quelle tendresse, avec
quelle aisance tu vas le mettre en valeur par tes pleurs et tes
ornements[12] ! Et pourtant il n'est pas nécessaire d'inventer ou
70 d'ajouter ; il suffit de ne rien ôter à la vérité. Porte-toi bien.

Pline le Jeune, *Lettres* (trad. Hachette)

8. rivage

9. officier de rang élevé, adjoint du gouverneur de l'Afrique

10. il pensait honorer ainsi la divinité qui pouvait s'être incarnée dans cet animal

11. hauts fonctionnaires chargés de l'administration et de la justice

12. figures de style destinées à enjoliver le récit

Terre cuite de Théra, XVIᵉ siècle av. J.-C.
(Athènes, musée national, G. Goldner/Edimage)

L'Homme et la Bête

rassemblons nos idées

1. Le récit

a/ Quelles sont les deux caractéristiques de cette histoire, sur lesquelles Pline insiste dans la première phrase de sa lettre : sont-elles habituellement réunies ? Cherchez une autre phrase où elles sont également associées.

b/ Faites le *plan* de cette lettre, en distinguant les différentes étapes du récit, et en soulignant les enchaînements logiques (rapports de cause à effet).

c/ Par quels procédés Pline rend-il ce récit vivant ? Observez par exemple, dans la phrase commençant par « Un dauphin nage à sa rencontre » (l. 20 à 25), le temps et le nombre des verbes, le rôle des adverbes.

2. Le dauphin, les enfants et les hommes

a/ Comment qualifieriez-vous l'attitude du dauphin à l'égard des enfants ? Correspond-elle à ce que vous savez du comportement de cet animal ?

b/ Étudiez l'évolution des réactions et des sentiments de l'enfant qui a le premier rencontré le dauphin. Relevez la phrase qui marque l'aboutissement de cette évolution.

c/ Quel rôle les magistrats romains jouent-ils dans la destinée du dauphin ?

d/ Ce récit vous a-t-il ému ? Est-il nécessaire, selon vous, de lui ajouter de la « tendresse », des « pleurs » et des « ornements », comme Pline semble y inviter son ami poète ?

chercher

1. Rassemblez des photos et des documents concernant les mœurs des dauphins.

2. De quand date la colonisation de l'Afrique par les Romains ? Quelles régions ont-ils conquises ? Quelles villes ont-ils fondées ? Quels grands écrivains latins sont-ils issus de cette province ?

du latin au français

1. Au lieu de s'adresser directement à son correspondant comme nous le faisons (par une formule comme : cher ami), un Latin commençait toujours sa lettre par une phrase de salutation, où il se nommait lui-même en troisième personne. Cet en-tête était écrit en capitales, et comportait des abréviations :

C. PLINIUS	CANINIO SUO	S. (D).
Caius Pline	à son (cher) Caninius	donne le salut
		S. (D). : abréviation pour : salutem dat

Amusez-vous à rédiger en latin l'en-tête d'une lettre adressée à un(e) camarade de votre choix, en adaptant les noms propres français en latin, à l'aide des terminaisons usuelles :

le nom de l'expéditeur sera au nominatif (**-us** pour le masculin, **-a** pour le féminin)

le nom du destinataire sera au datif (**-o** pour le masculin, **-ae** pour le féminin).

2. La lettre se terminait en général par : « vale » (porte-toi bien), impératif du verbe **valeo** (être en bonne santé).

Cherchez quelques mots français formés à partir du radical de ce verbe.

s'exprimer

1. En vous inspirant des indications de Pline et de la reproduction page 13, essayez de représenter les jeux du dauphin, en recourant notamment aux lignes courbes.

2. Récrivez cette histoire du point de vue du dauphin, en imaginant par exemple qu'il la raconte à ses congénères.

3. Racontez l'amitié d'un enfant et d'un animal, de manière à illustrer la phrase de Pline : « il se croit reconnu, aimé, il aime à son tour l'animal ».

Rencontre avec la licorne

Foulques, premier comte d'Anjou, surnommé le Roux, avait perdu sa femme Ermenge, un an auparavant. Il arrivait à ce veuf inconsolable, pour cacher sa peine, de quitter brusquement la compagnie de ses hôtes et d'aller se promener à cheval. C'est ainsi qu'il « rencontra la licorne le deuxième vendredi de juin de l'année 929 », alors qu'il s'enfonçait dans les futaies…

Ce jour-là un vent d'orage le suivait, arrachait les feuilles jaunies et rouillées, et les jetait derrière lui en traîne déchirée. Quand il traversa la clairière, brusquement, le soleil perça les nuages, et le cheval et le vent s'arrêtèrent. Foulques leva son
5   visage vers le ciel comme pour y trouver un espoir ou une réponse. Le soleil fit flamber ses cheveux, et les feuilles devenues oiseaux d'or et de flamme tournèrent doucement autour de lui. Les arbres tendaient vers le soleil leurs branches dépouillées où s'accrochaient encore des lambeaux• de splendeur[1]. Toute la clairière•
10   était comme un grand feu de joie et de regret, dont le soleil avait allumé la beauté, et qui la lui offrait.

    Au centre de toutes les flammes, le Roux sur son cheval roux, immobile dans sa blouse de cuir, gardait son visage tourné vers le ciel. Et dans ses yeux brillaient des larmes.
15   La licorne[2] le vit ainsi, dans sa douleur et sa fidélité[3], et dans la gloire du soleil. Elle était tournée vers lui, debout au pied du seul arbre qui n'eût pas été touché par l'automne, un cèdre[4] qui poussait depuis deux cents ans. Sa tête dominait la forêt et les saisons. A l'abri de ses branches basses, dans son amitié, la
20   licorne rayonnait de blancheur pure. Sa robe blanche sans mélange ne recevait ni l'ombre ni les reflets.

    Quand Foulques se remit en mouvement, il passa près d'elle sans la voir. Il vit sous le cèdre un grand buisson d'aubépine[5] couvert de fleurs, et n'y prêta aucune attention. Il savait pourtant que rien ne pousse sous le cèdre, et que l'épine[5] fleurit en mai.
25   C'est ainsi que les hommes passent près de la licorne sans la reconnaître, même si des signes évidents la leur désignent. Ils marchent enfermés dans leurs soucis futiles[6] comme dans une tour sans fenêtres. Ils ne voient rien autour d'eux ni en eux.
30   La licorne trouva qu'il était superbe et pur. Elle fut percée jusqu'au cœur par l'image de son visage tourné vers la lumière. C'était pour une telle rencontre qu'elle vivait depuis si longtemps. Mais il fallait que le Roux vînt de nouveau vers elle et qu'il n'eût pas changé.

1. éclat de lumière

2. animal fabuleux qu'on représente avec un corps de cheval, une tête de cheval (ou de cerf) et une corne unique au milieu du front ; symbole de virginité et de pureté au Moyen Âge

3. à sa femme morte

4. arbre de la famille des conifères, à branches presque horizontales, qui peut devenir très vieux

5. arbuste à fleurs odorantes blanches ou roses (appelé aussi « épine »)

6. insignifiants, sans importance

35　　La famille et les alliés• de Foulques le pressèrent de se remarier. Il résista pendant des mois, puis se laissa persuader d'épouser la fille d'un baron qui lui apportait en dot[7] de quoi arrondir son comté• du côté du Maine[8]. Elle avait douze ans et elle louchait de l'œil gauche, que sa mère lui dissimulait avec une
40　　mèche. Foulques n'en savait rien, il ne l'avait jamais vue.

　　　La cérémonie fut fixée au deuxième samedi de juin. La fiancée, accompagnée de ses parents et de quelques valets, arriva le vendredi après-midi au château du comte. Mais celui-ci n'était pas là pour l'accueillir. Une fois de plus, il était parti à travers ses
45　　terres, essayant, au bout d'un galop interminable, de rejoindre celle qui ne pouvait plus être retrouvée.

　　　La lune en son entier se leva alors que le soleil venait de se coucher et les deux lumières mêlèrent l'or et l'argent au-dessus des champs et des bois. Foulques se retrouva dans la clairière
50　　qu'il n'avait plus traversée depuis l'automne. Son cheval de nouveau s'arrêta. Foulques le sentit trembler entre ses cuisses. Il sut que ce n'était pas de fatigue. Il regarda devant lui, et cette fois vit la licorne. Elle était debout sous le cèdre et le regardait, brillante de toute la blancheur de la lune. Sa longue corne
55　　désignait le ciel par-dessus les arbres, et ses yeux bleus regardaient Foulques comme les yeux d'une femme, d'une biche, et d'un enfant.

　　　Les oiseaux qui chantaient leur bonheur du soir se turent par curiosité, et se mirent à écouter. Dans le silence, Foulques
60　　entendit le cœur de la licorne qui battait avec un bruit de soie.

　　　Il pressa doucement son cheval qui fit un pas en avant. Sa peine avait d'un seul coup disparu, non par infidélité, mais au contraire par certitude qu'il n'y avait plus de séparation et que la mort n'existait pas. Maintenant, il le savait.

65　　Quand la licorne bougea, les feuilles des arbres devinrent blanches et le ciel noir. Un nuage passa devant la lune. Au fond du bois, une renarde poussa un long cri d'inquiétude : la blancheur allait s'éteindre, la liberté allait être enchaînée.

　　　La licorne traversa la clairière d'un bond et s'enfonça au galop
70　　dans la forêt, qui s'ouvrit devant elle. Le cheval et l'homme roux s'élancèrent à sa poursuite. La licorne fuyait maintenant devant ce qu'elle avait voulu, elle essayait de rendre impossible l'inévitable•. Entre l'espoir et le regret, son galop déchirait en deux sa vie comme une étoffe. Cette nuit serait sa dernière nuit dans le
75　　monde libre, elle ne voulait pas en perdre un instant. A son passage, tout ce qui était blanc dans la forêt s'illuminait, les fleurs minuscules dans la mousse, les duvets[9] des oiseaux neufs et les colombes endormies. Au lever du jour elle parvint à la lisière de la forêt. Au-delà se trouvait une courte prairie qu'elle traversa
80　　au pas, sachant que le moment était venu. Tout autour de la prairie, face à la forêt, se dressait une énorme muraille de

7. biens qu'une femme apporte en se mariant (ici, des terres)

8. région de l'Ouest de la France

9. petites plumes

16

Enluminure du Livre des Merveilles de Marco Polo, 1410 (Bibl. Nat. Paris/Hachette)

genêts[10], bouillonnante de fleurs. Le soleil surgit et en fit éclater la gloire. La licorne s'arrêta et se retourna. Le Roux sur son cheval, immobile, la regardait. Le soleil flambait à travers ses cheveux. Il vit les yeux bleus de la licorne pâlir et tout son corps devenir clair comme le croissant de lune qu'on devine au milieu des jours d'été dans le ciel. Puis elle s'effaça entièrement, et Foulques ne vit plus devant lui que la montagne d'or des genêts.

A côté de lui, à le toucher, se tenait, sur un cheval couleur de miel, une fille de même couleur. Ses cheveux lisses tombaient jusqu'à sa taille sur sa robe de lin[11]. Ses yeux étaient bleus pailletés* de roux. Elle lui souriait.

Il la conduisit à son château qui n'était pas loin, droit à la chapelle où attendait l'archevêque[12], et l'épousa. La fiancée de douze ans rentra chez elle avec ses parents et des cadeaux. Elle était très contente. Son père l'était moins mais il n'avait pas assez d'hommes d'armes pour se permettre d'être vraiment mécontent.

85

90

95

10. arbrisseaux à fleurs odorantes de couleur jaune d'or

11. tissu blanc tiré de la plante du même nom

12. évêque placé à la tête d'une province

17

Foulques avait trouvé ce jour-là, en cette femme si différente, non seulement la femme qu'il avait perdue et toutes celles qu'il
100 aurait pu perdre, mais aussi la réponse à des questions qu'il ne s'était jamais posées, et qui maintenant lui emplissaient la tête comme le grand bruit de la mer maintenue dans ses rivages.

Sept ans jour pour jour après leur mariage, il fit célébrer dans la chapelle du château une messe de gratitude[13], avec des chan-
105 teurs venus de Rome, et tout un clergé[14] superbe en robes rouges, roses, pourpres•, blanches, et l'archevêque doré fil à fil[15].

Tous les gens du château et quelques grands voisins s'entas-saient dans la petite nef[16] ronde comme la moitié d'une pomme, qu'éclairaient d'étroites fenêtres percées sur tout le pourtour de
110 sa coupole[17]. Des cierges accrochés partout palpitaient[18] de leurs mille flammes et répandaient un parfum d'abeilles.

Les deux époux écoutèrent la messe à genoux sur un tapis de martre[19], avec le sourire du bonheur tranquille. Lui était vêtu de renard et de cuir roux, elle de soie blonde venue du bout du
115 monde, ses cheveux relevés en une couronne de nattes surmontée d'un chapeau mince et pointu, en dentelle de lin raidie au fer, un peu, très peu, incliné vers l'avant...

Quand la messe s'acheva, Foulques se releva et tendit une main à son épouse pour qu'elle se levât à son tour. Elle s'y appuya
120 du bout des doigts, mais quand elle fut debout elle continua de s'élever, quittant le sol de ses pieds, lâchant son époux et montant droit au-dessus de l'assistance•, tandis que l'odeur sauvage de la forêt mouillée emplissait tout à coup la chapelle. Après un instant de stupeur[20], les personnes les plus proches saisirent le bas de son
125 manteau, mais il leur resta dans les mains et elle continua de monter, de plus en plus vite, parmi les cris d'effroi[21], et jaillit au-dehors par une fenêtre dix fois trop petite pour la laisser passer.

Les quatre sabots d'une cavale[22] frappèrent le pavé de la cour
130 du château et s'éloignèrent au galop tandis que retentissait, venant du bois, le long rire de la renarde. Dans la fenêtre, on voyait la lune, au premier tiers de sa grosseur.

On ne sait rien de ce que fit l'archevêque sur le moment, mais quelque temps après il devint pape.
135 Foulques ne parut pas surpris ni chagriné par l'événement. A l'endroit de la rencontre il fit planter cent fois plus de genêts qu'il n'y en avait déjà. Il envoya des émissaires dans les monts d'Auvergne[23] et des Cévennes[24] et jusqu'au mont Ventoux[25] et en petite Bretagne[26] pour y arracher les plus énormes plants•. Des
140 caravanes de chariots les apportèrent en Anjou[27]. Une forêt d'or surgit à côté de la forêt verte.

13. reconnaissance

14. ensemble de gens d'Église

15. dont le vêtement est fait de fils d'or

16. partie de l'église située entre le portail et le chœur, dans le sens longitudinal
17. toit en forme de coupe renversée
18. frémissaient

19. fait de la fourrure de ce petit mammifère

20. étonnement profond qui paralyse

21. épouvante, terreur

22. jument de race

23. région de France située au cœur du Massif central
24. région de France située au sud du Massif central
25. massif de haute Provence, au nord du département du Vaucluse
26. la Bretagne (dite « petite » par opposition à la Grande-Bretagne)
27. région de l'ouest de la France

René BARJAVEL et Olenka de VEER, *Les Dames à la licorne* (Presses de la Cité)

L'Homme et la Bête

rassemblons nos idées

1. Les circonstances

a/ En quel lieu très précis se déroule l'événement ?
b/ À quelle période de l'année ? (relevez les mots ou expressions significatifs).

2. Le Comte d'Anjou

a/ Pourquoi Foulques est-il désigné souvent par son surnom « le Roux » ?
b/ Faites le portrait physique et moral du Comte. Résumez chacun des aspects d'un adjectif.
c/ Pourquoi ne prête-t-il pas, tout d'abord, attention à la licorne ?

3. Un éventuel remariage

a/ Pour quelles raisons son entourage le presse-t-il de se remarier ?
b/ Quel est le sentiment de Foulques à cet égard ?
c/ Pourquoi se laisse-t-il persuader ?
d/ Quel remariage décide-t-il de lui-même ? Que symbolise-t-il ? Quelle transformation opère-t-il en lui ?

4. La licorne

a/ Relevez les mots ou expressions qui précisent son physique.
b/ Qualifiez son comportement à l'aide d'expressions tirées du texte.
c/ Que souhaite-t-elle du Roux ? Que redoute-t-elle, au contraire ?

5. Le fabuleux

a/ Montrez comment la nature se trouve en harmonie avec cette rencontre extraordinaire et avec la licorne en fuite.

b/ Pourquoi la licorne se transforme-t-elle à deux reprises ? Quel rôle symbolique joue-t-elle ? Relevez les indices qui permettent de deviner sa métamorphose.
c/ Comment comprenez-vous le vœu du Comte de planter des genêts en grand nombre ?

chercher

des renseignements sur :

1. la licorne, animal légendaire, à travers écrits et représentations artistiques.

2. la dynastie des Comtes d'Anjou, connue sous le nom de Plantagenêt ; l'origine du surnom de Foulques est-elle conforme à l'explication donnée par R. Barjavel et O. de Veer ?

du latin au français

Le mot « licorne » est une transformation du mot latin « unicornis » : que signifiait-il ?

s'exprimer

a/ Imaginez le dialogue entre Foulques le Roux et la jeune femme avant leur entrée à l'église...
b/ Une des personnes qui assistaient à ce « mariage » raconte la brusque transformation de la jeune femme, à la fin de la cérémonie.

Les grandes bêtes

Dans ce récit autobiographique, l'écrivain danois Karen Blixen raconte comment elle dirigea une ferme en Afrique, au Kenya, de 1914 à 1931, et dut renoncer aux grandes expéditions de chasse qu'elle avait menées jusqu'alors.

Nous éprouvions toujours à la ferme un plaisir particulier à évoquer le souvenir des safaris[1] passés. Les lieux où l'on a campé se fixent dans la mémoire comme si on les avait habités long-temps et l'on se rappelle parfois la courbe de l'ornière[2] laissée
5 dans l'herbe par la voiture, comme si cette courbe avait compté dans votre vie. Au cours de mes safaris j'ai vu un troupeau de buffles de cent vingt-deux bêtes surgir du brouillard matinal sur un horizon cuivré comme si ces bêtes massives et grises, aux cornes horizontales et compliquées, étaient sorties du néant dans
10 le but désintéressé[3] d'enchanter mes yeux. J'ai vu toute une troupe d'éléphants en marche dans la forêt vierge, une forêt si épaisse, qu'il n'y filtrait[4] que des éclaboussures[5] de lumière. Les grandes bêtes avançaient comme si un rendez-vous les eût appe-lées[6] au bout du monde. On eût dit la bordure gigantesque[7] d'un
15 vieux tapis persan, infiniment précieux, dans des tons d'or, de vert et de brun. J'ai regardé à plusieurs reprises des girafes se déplacer dans la plaine avec leur grâce particulière et inimitable, une grâce en quelque sorte végétale[8]. Ce n'était pas à des bêtes que l'on pensait en les voyant, mais à des plantes rares et tachetées, à
20 des fleurs géantes aux longues tiges. J'ai suivi certain jour deux rhinocéros dans leur promenade à l'aube, ils reniflaient l'air matinal, et soufflaient bruyamment ; on eût dit de grands blocs mal équarris[9] qui se seraient animés soudainement pour jouer dans l'herbe haute de la vallée. Un matin, avant que le soleil se
25 levât, j'ai vu un lion, bête royale et magnifique. Il traversait la plaine grise pour gagner sa tanière, traînant encore après lui une proie à demi dévorée qui se détachait comme un sillage sombre sur l'herbe argentée par la lune ; il avait la gueule toute barbouil-lée de sang jusqu'aux oreilles. Je l'ai surpris encore à l'heure de la
30 sieste, il reposait sur l'herbe rase entouré de sa famille à l'ombre printanière des acacias, dans son parc africain. [...]

1. expédition de chasse en Afrique noire, terme africain signifiant bon voyage.
2. trace que les roues des voitures creusent dans les chemins
3. généreux, gratuit
4. pénétrait
5. la lumière est comparée à de l'eau qui éclabousserait la forêt opaque
6. avait appelées
7. géante
8. de plantes
9. mal dégrossis, mal taillés

(F. Boissière)

L'Homme et la Bête

Dans ce pays primitif[10], j'avais appris à refréner[11] tout mouvement brusque. Les êtres qui vivent dans une nature encore sauvage sont timides et craintifs, ils disparaissent et fuient au moment où vous vous y attendez le moins.

Aucun animal domestique ne peut être aussi silencieux qu'un animal sauvage.

Nous, gens civilisés, ne savons plus être silencieux ; il nous faut prendre des leçons auprès des animaux sauvages si nous voulons qu'ils nous acceptent.

L'art de marcher lentement, sans mouvement brusque, sans bruit, est un art que le chasseur, autant que le chasseur d'images, doit acquérir.

Karen BLIXEN, *La Ferme africaine* (Folio, Gallimard)

10. proche de ses origines, simple, peu évolué
11. retenir, mettre un frein à

---

observer pour mieux comprendre

1. Le regard de la narratrice

a/ A quels temps le récit est-il fait ? Pourquoi ?
b/ Relevez les verbes qui reviennent comme un refrain.
c/ Quelles bêtes la narratrice a-t-elle aperçues ? Dites pour chaque espèce combien, où et à quel moment.

2. « Les grandes bêtes »

Elles sont l'objet de *comparaisons* et de *métaphores*.
a/ Relevez deux subordonnées introduites par « comme si » qui montrent leur aspect fabuleux et leurs mouvements.
b/ Relevez une comparaison concernant les éléphants : quelle impression donne-t-elle ?
c/ A quoi ressemblent les girafes et les rhinocéros ? Sont-ils encore considérés comme des animaux ?

3. Sensations et sentiments

a/ Quels sentiments ces visions ont-elles provoqués chez la narratrice ?
b/ Relevez dans le texte les mots qui les expriment ?
c/ Quelles couleurs du paysage et des animaux soulignent la beauté de ces souvenirs ?

4. La leçon

a/ Qu'est-ce que les grandes bêtes ont appris à la narratrice ? Relevez à ce propos quatre adjectifs qualifiant les bêtes et la nature et deux adjectifs qualifiant les humains.
b/ Quelle qualité principale ces safaris développent-ils selon la narratrice ? Dans quel but ?

s'exprimer

a/ Vous avez été émerveillé(e) par un animal surpris dans son intimité. Décrivez et racontez.
b/ Que pensez-vous des rapports que les chasseurs et les chasseurs d'images entretiennent avec la nature ? Organisez un débat à ce sujet dans votre classe.
c/ Décrivez un paysage naturel qui vous a paru encore vierge et sauvage.

du latin au français

Faites correspondre les noms latins suivants désignant des animaux avec leurs définitions (elles sont données dans le désordre) ; pour vous aider, trouvez les noms qu'ils ont donnés en français :

a/ animal, animalis
b/ fera, ferae
c/ bestia, bestiae
d/ bellua, belluae
e/ bestiola, bestiolae
f/ jumentum, jumenti
g/ grex, gregis

1. animal par opposition à l'homme
2. animal de grande taille bête fauve à dompter
3. animal tout petit
4. tout être animé, organisé, sensible
5. bête sauvage
6. troupeau
7. bête de somme ou de trait

lire

Le Dé en or, Virginia Woolf (Nathan).

Le K

Depuis son plus jeune âge, Stefano Roi navigue sur les mers. Son père, marin lui aussi, lui a appris l'existence du K. Cette sorte de requin « choisit une victime » et « la poursuit durant des années jusqu'au moment où il réussit à la dévorer ». Toute sa vie, Stefano a la conviction d'être guetté et attendu par le K. Il est anéanti par cette idée qui gâche sa vie, mais il ne peut cesser de naviguer…

Jusqu'au jour où, soudain, Stefano prit conscience qu'il était devenu vieux, très vieux ; et personne de son entourage ne pouvait s'expliquer pourquoi, riche comme il l'était, il n'abandonnait pas enfin cette damnée[1] existence de marin. Vieux et amèrement malheureux, parce qu'il avait usé son existence entière dans cette fuite insensée à travers les mers pour fuir son ennemi. Mais la tentation de l'abîme[2] avait été plus forte pour lui que les joies d'une vie aisée et tranquille.

Et un soir, tandis que son magnifique navire était ancré au large du port où il était né, il sentit sa fin[3] prochaine. Alors il appela le capitaine, en qui il avait une totale confiance, et lui enjoignit[4] de ne pas s'opposer à ce qu'il allait tenter. L'autre, sur l'honneur, promit.

Ayant obtenu cette assurance, Stefano révéla alors au capitaine qui l'écoutait bouche bée[5], l'histoire du K qui avait continué de le suivre pendant presque cinquante ans, inutilement.

« Il m'a escorté d'un bout à l'autre du monde, dit-il, avec une fidélité que même le plus noble ami n'aurait pas témoignée. Maintenant je suis sur le point de mourir. Lui aussi doit être terriblement vieux et fatigué. Je ne peux pas tromper son attente.[6] »

Ayant dit, il prit congé, fit descendre une chaloupe à la mer et s'y installa après s'être fait remettre un harpon.

« Maintenant, je vais aller à sa rencontre, annonça-t-il. Il est juste que je ne le déçoive pas. Mais je lutterai de toutes mes dernières forces. »

A coups de rames il s'éloigna. Les officiers et les matelots le virent disparaître là-bas, sur la mer placide[7], dans les ombres de la nuit. Au ciel il y avait un croissant de lune.

Il n'eut pas à ramer longtemps. Tout à coup le mufle hideux[8] du K émergea contre la barque.

« Je me suis décidé à venir à toi, dit Stefano. Et maintenant, à nous deux ! »

Alors, rassemblant ses dernières forces, il brandit le harpon pour frapper.

« Bouhouhou ! mugit d'une voix suppliante le K. Quel long chemin j'ai dû parcourir pour te trouver ! Moi aussi je suis recru[9] de fatigue… Ce que tu as pu me faire nager ! Et toi qui fuyais,

1. sa vie gâchée et condamnée

2. il s'agit ici de la mer et de ses dangers

3. sa mort

4. lui demanda avec insistance

5. la bouche ouverte d'étonnement

6. le décevoir

7. calme, paisible

8. museau d'une laideur repoussante

9. épuisé

40 fuyais... dire que tu n'as jamais rien compris !

— Compris quoi ? fit Stefano piqué[10].

— Compris que je ne te pourchassais pas autour de la terre pour te dévorer comme tu le pensais. Le roi des mers m'avait seulement chargé de te remettre ceci. »

45 Et le squale[11] tira la langue, présentant au vieux marin une petite sphère phosphorescente[12].

Stefano la prit entre ses doigts et l'examina. C'était une perle d'une taille phénoménale[13]. Et il reconnut alors la fameuse Perle de la Mer qui donne à celui qui la possède fortune, puissance, amour, et paix de l'âme. Mais il était trop tard désormais.

50

« Hélas ! dit-il en hochant la tête tristement. Quelle pitié ! J'ai seulement réussi à gâcher mon existence et la tienne...

— Adieu, mon pauvre homme », répondit le K.

Et il plongea à jamais dans les eaux noires.

55 Deux mois plus tard, poussée par le ressac[14], une petite chaloupe s'échoua sur un écueil abrupt. Elle fut aperçue par quelques pêcheurs qui, intrigués, s'en approchèrent. Dans la barque, un squelette blanchi était assis : entre ses phalanges minces il serrait un petit galet arrondi.

60 Le K est un poisson de très grande taille, affreux à voir et extrêmement rare. Selon les mers et les riverains[15], il est indifféremment appelé kolomber, kahloubrha, kalongra, kalu, balu, chalung-gra. Les naturalistes[16], fait étrange, l'ignorent. Quelques-uns, même, soutiennent qu'il n'existe pas...

Dino BUZZATI. *Le K* (Laffont)

10. vexé, blessé

11. ici, requin

12. luisante, qui émet de la lumière

13. extraordinaire, surprenante

14. agitation des vagues due au déferlement

15. ceux qui habitent les rives, les côtes

16. savants qui s'occupent de sciences naturelles

observer pour mieux comprendre

1. Stefano (l. 1 à 21)

a/ Pourquoi n'a-t-il jamais renoncé à naviguer ?
b/ Pourquoi et de quelle façon décide-t-il, à ce moment du récit, d'affronter le K ?

2. Une chaloupe à la mer (l. 22 à 30)

a/ Relevez tous les éléments du décor de cette scène.
b/ A quelle ligne apparaît le K ? Comment est-il défini ?

3. Le K (l. 30 à 53)

a/ Pourquoi, selon vous, avoir choisi ce nom ?
b/ Quel mot introduit une rupture dans le ton sérieux du récit ? Pourquoi l'auteur crée-t-il cette rupture de ton ?
c/ Montrez que la relation entre Stefano et le K repose sur un malentendu.

4. Épilogue (l. 53 à la fin)

Cet épilogue comporte deux étapes. Donnez-leur un titre.

vocabulaire

1. Les *onomatopées* : dans le texte, « Bouhou-hou » illustre les supplications et les pleurs du K.
Quels sentiments ou quelles situations évoquent les onomatopées suivantes :

slurp !	boum !	klang !
gloup !	vraoum !	tchac !
glup !	paf !	beurk !

2. Dans le dernier paragraphe, Buzzati invente d'autres noms du K.

a/ A votre tour, créez-en cinq qui ne commenceront pas nécessairement par la lettre K.

b/ Le dernier paragraphe vous paraît-il vraisemblable ? Pourquoi ? Montrez que cette conclusion comence comme un exposé scientifique.

s'exprimer

Le K raconte à un ami requin sa rencontre avec Stefano et déplore la mauvaise réputation que lui ont faite les hommes.

Le baiser de paix

Le Roman de Renard nous raconte les divers épisodes de la lutte entre Renard et Ysengrin, le loup. Seul Noble, le lion, roi des animaux, semble capable de les réconcilier.

A quelque temps de là, Renard rencontra Monseigneur Noble, le Roi Lion, qui allait par chemin. Ysengrin, son connétable[1], l'accompagnait.

Renard, d'abord, eut envie de fuir, puis il se dit qu'en présence
5   du Roi il n'avait rien à craindre d'Ysengrin, et il vint tranquillement au-devant de Sa Majesté. Il la salua.

« Bienvenu soyez-vous, Sire ! Vous et votre compagnie. »

Le Roi ne put s'empêcher de rire en le voyant, sachant quels bons tours – et quels mauvais ! – il avait joués à Ysengrin.

10   Ysengrin, lui, ne riait pas; et plus volontiers en riait le Roi.

« Bonjour, Renard ! dit-il, quelle malice as-tu en train[2] pour aujourd'hui?

— Aucune, Sire. Je cherche honnêtement ma vie et celle de ma femme. Depuis ce matin je n'ai rien attrapé. J'aurais grand
15   besoin que vous m'apprissiez quelque ruse.

— Par la mort ! dit Noble, tu sais bien te tirer d'affaire sans moi.

— Sire, vous n'aimeriez guère qu'un homme de rien, comme je suis, allât en votre compagnie. Ceux qui ont place auprès de
20   vous, ce sont les grands barons de votre Cour, Brun l'ours, Baucent le sanglier, le seigneur Ysengrin, et tant d'autres ! Mais les pauvres gens comme moi !...

— Beau Renard ! fit Monseigneur le Roi, je crois que tu te moques de moi. Tu vas venir avec nous, s'il te plaît, et tous trois
25   nous chercherons de quoi déjeuner.

— Sire, bien volontiers j'irais avec vous et je m'en tiendrais très honoré, mais je n'ose pas, à cause de messire Ysengrin que voici. Il m'a pris en haine, je ne sais pourquoi, jamais je ne l'ai offensé.

30   — Renard ! dit le Roi, tout cela n'est que plaisanterie; je veux que tu fasses la paix avec Ysengrin.

— Que Dieu vous bénisse, Sire ! Je n'ai pas de plus cher désir.

— Ysengrin ! dit le Roi, Ysengrin, mon ami, je connais Renard, je me porte garant[3] que, pour tout l'or du monde,
35   il ne voudrait pas vous tromper, ni mentir en aucune façon.

— Sire ! dit Ysengrin, du moment que vous vous en portez garant, je le crois.

1. premier officier de l'armée française, au Moyen Age

2. quelle ruse prépares-tu?

3. je garantis

Miniature extraite du Roman de Renard (Bibl. Nat. Paris/Hachette)

— Or donc ! vite pardonnez-lui ! et de bon cœur !

— Je lui pardonne. Je ne suis plus courroucé[4] contre lui, je le
40 jure et je veux être son ami jusqu'à la mort.

— Embrassez-vous ! » dit le Roi.

Alors Renard et Ysengrin se donnèrent le baiser de la paix,
devant le Roi. Ils ne s'en aimèrent pas davantage. Ils peuvent
s'embrasser, rien ne fera qu'ils ne se haïssent. Cette paix, c'est la
45 paix Renard !

4. courroucé : en colère

> *Le Roman de Renard* (Adaptation de Chauveau.
> Coll. « 1 000 Épisodes », La Farandole)

rassemblons nos idées

1. Les repères de temps et de lieu

a/ Relevez les indications de temps (il y en a trois).
Sont-elles précises ? Pourquoi ?
b/ Relevez l'unique indication de lieu.

2. Les personnages

a/ Relevez leurs noms, leurs titres et les termes
employés pour leur parler.
b/ Cherchez dans votre dictionnaire les mots : Sire
— Seigneur — Majesté — Monseigneur.
Quelle semble être la qualité principale de Renard?
c/ Quel est d'après ce texte le rôle du roi?
d/ A-t-il le pouvoir de faire régner la paix?
Pourquoi?

3. « Rien ne fera qu'ils ne se haïssent »

a/ Expliquez cette phrase en tenant compte du fait
que, dans une même phrase, deux négations se
détruisent et équivalent à une affirmation.
Exemple : je ne peux pas penser qu'il ne viendra pas
= je pense qu'il viendra.
b/ Expliquez également la formule : « c'est la paix
Renard ».

chercher

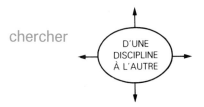

D'UNE
DISCIPLINE
À L'AUTRE

Demandez à votre professeur d'histoire et géographie de vous expliquer les rapports hiérarchiques
entre le roi, les barons, les bourgeois et les vilains
au Moyen Age. Puis relisez votre texte en tenant
compte de ces informations.

La Génisse, la Chèvre et la Brebis en société avec le Lion

La génisse, la chèvre, et leur sœur la brebis,
Avec un fier[1] lion, seigneur du voisinage,
Firent société, dit-on, au temps jadis,
Et mirent en commun le gain[2] et le dommage[3].
5   Dans les lacs[4] de la chèvre un cerf se trouve pris.
Vers ses associés aussitôt elle envoie[5].
Eux venus, le lion par ses ongles[6] compta,
Et dit : « Nous sommes quatre à partager la proie ».
Puis en autant de parts le cerf[7] il dépeça
10 Prit pour lui la première en qualité de sire[8] :
« Elle doit être à moi, dit-il; et la raison,
        C'est que je m'appelle lion :
        A cela l'on n'a rien à dire.
La seconde, par droit, me doit échoir[9] encor :
15 Ce droit, vous le savez, c'est le droit du plus fort.
Comme le plus vaillant, je prétends[10] la troisième.
Si quelqu'une de vous touche à la quatrième,
        Je l'étranglerai tout d'abord[11]. »

Jean de LA FONTAINE, Fables.

1. ici : cruel

2. les profits
3. les pertes
4. corde passée dans un nœud coulant et servant à attraper du gibier. On écrit « lacs » au singulier comme au pluriel, et on prononce « la ».
5. sous-entendu : un messager
6. comme on dirait compter sur ses doigts
7. COD inversé de dépeça
8. titre donné à un roi

9. revenir

10. je réclame, je revendique (transitif direct au XVIIe siècle)
11. tout de suite, immédiatement.

rassemblons nos idées

1. Le plan

Relisez plusieurs fois le texte et dégagez-en les trois moments principaux. Donnez-leur un titre :
 — du vers 1 au vers 4;
 — du vers 5 au vers 7;
 — du vers 8 à la fin du poème.

2. En société

Quelle est la nature du contrat passé entre la génisse, ses compagnes et le lion? A quoi les associés se sont-ils engagés? La chèvre respecte-t-elle ce contrat?

3. Le lion

a/ Dans quelle mesure le lion respecte-t-il, lui aussi, le contrat?
b/ Quels arguments énonce-t-il pour justifier sa distribution des parts?
c/ En quoi le dernier argument résume-t-il à lui seul tous les autres?

4. La versification

a/ Tous les vers ont-ils le même nombre de *pieds* ?
Combien de *mètres* peut-on distinguer ?
Comparez entre eux les vers les plus courts.
Quelle idée servent-ils à mettre en valeur?
Combien y en a-t-il? Qui les prononce?
b/ Combien de *rimes* différentes sont utilisées dans cette fable?
Comment sont-elles disposées?

Pour vous aider à répondre à la question, voici quelques informations indispensables :

— On appelle *rimes plates* ou *suivies,* des rimes qui unissent des vers qui se suivent selon le schéma : *a-a; b-b,* etc :
exemple : le début de *La Cigale et la Fourmi* :

« La cigale, ayant chan*té*	a
Tout l'é*té*	a
Se trouva fort dépour*vue*	b
Quand la bise fut ven*ue...* »	b

— On appelle rimes *embrassées,* des rimes disposées selon le schéma : *a-b-b-a* :
exemple :

« La fourmi n'est pas prê*teuse* :	a
C'est là son moindre déf*aut.*	b
« Que faisiez-vous au temps ch*aud?*	b
Dit-elle à cette emprun*teuse.* »	a

— On appelle rimes *alternées* ou *croisées,* des rimes disposées selon le schéma : *a-b-a-b* :
exemple : le début de *Le Corbeau et le Renard* :

« Maître corbeau, sur un arbre per*ché,*	a
Tenait en son bec un from*age.*	b
Maître renard, par l'odeur allé*ché,*	a
Lui tint à peu près ce lang*age...* »	b

Dans *La Génisse, la Chèvre et la Brebis, en société avec le Lion,* La Fontaine utilise les trois types de disposition. Pour vous en rendre compte, étudiez séparément les vers 1 à 5; 6 à 9; 10 à 13; 14 et 15; 15 à 18.

chercher

— La génisse, la chèvre et la brebis ont-elles l'habitude de manger du cerf? L'intention du fabuliste est-elle de nous informer sur le mode de vie réel de ces animaux?

comparer

Pour écrire cette fable (comme pour de nombreuses autres) La Fontaine s'est inspiré des fabulistes de l'Antiquité, Ésope et Phèdre.
Voici les deux fables qui lui ont servi de modèle.
Vous les comparerez avec la sienne, de manière à faire ressortir les ressemblances et les différences.

Le Lion, l'Ane et le Renard

Le lion, l'âne et le renard, ayant lié société ensemble, partirent pour la chasse. Quand ils eurent pris du gibier en abondance, le lion exigea que l'âne fasse le partage. L'âne fit trois parts égales et dit au lion de choisir. Le lion indigne bondit sur lui et le dévora. Puis il exigea que le renard fasse le partage. Celui-ci entassa tout sur un seul lot, ne se réservant que quelques bribes; après quoi il pria le lion de choisir. Celui-ci demanda qui lui avait appris à partager ainsi : « Le malheur de l'âne », répliqua-t-il.
Cette fable montre qu'on s'instruit en voyant le malheur de son prochain.

ÉSOPE, *Fables* (Trad. E. Chambry, Les Belles Lettres)

Pour vous initier au latin, nous vous donnons le texte original de la fable de Phèdre, avec une traduction mot à mot.

Vacca et Capella, Ovis et Leo
La Vache, la Chèvre, la Brebis et le Lion

Numquam est *fidelis* cum potenti *societas* :
Il n'y a jamais d'association sûre avec le puissant :
testatur haec fabella propositum meum.
atteste cette fable mon propos.
(cette fable prouve que je dis vrai)
Vacca et capella
La vache et la chèvre
et *patiens* ovis *injuriae*
et la brebis patiente face à l'injustice
socii fuere cum leone in saltibus.
furent associées avec le lion dans les bois.
Hi cum cepissent cervum vasti corporis,
Comme ils avaient pris un cerf de grande taille
sic est locutus partibus factis leo :
ainsi s'est exprimé, (une fois) les parts faites, le lion :
« Ego primam tollo; quia nominor rex,
« Moi je prends la première; puisque je me nomme le roi,
mea est;
elle est mienne;
secundam, quia sum socius,
la seconde, puisque je suis (votre) associé,
tribuetis mihi;
vous me l'attribuerez;
tum, quia plus valeo,
ensuite, puisque je vaux plus (que vous),
me sequetur tertia;
me reviendra la troisième;
malo adficietur
sera frappé de malheur
si quis quartam tetigerit.
celui qui à la quatrième aura touché. »
Sic totam praedam sola improbitas
Ainsi, la proie tout entière, c'est la malhonnêteté seule
abstulit.
qui l'emporta.

PHÈDRE, *Fables.*

Le chacal bleu

Le chacal n'a jamais eu bonne réputation, ni parmi les hommes, ni parmi les animaux. On ne s'attendrait guère à le trouver à la tête de la société animale. C'est pourtant ce qui lui arrive dans cette fable indienne…

Un chacal nommé Tchandarava vivait dans un coin de la forêt. Un jour qu'il était poussé par la faim, il s'aventura, jusqu'au centre de la ville. Mais quand les chiens le virent qui rôdait, ils se mirent à le mordre du bout de leurs dents acérées[1]. Déchiré et
5 sanglant, le chacal qui craignait pour sa vie alla se réfugier dans la boutique voisine d'un teinturier. Poursuivi par les chiens, il trébucha dans un bain de teinture d'indigo[2], et lorsqu'il en ressortit il était tout bleu. Les chiens qui n'avaient jamais vu de chacal bleu et qui ne savaient pas d'où il sortait, prirent la fuite.
10 Tchandarava, cependant, décida de mettre cet accident à profit•, et il regagna les bois. Il ne devait jamais perdre sa couleur indigo.

Lorsque les autres animaux de la forêt – lions, tigres, panthères – virent cet étrange animal au pelage sombre et lustré[3], ils
15 furent pris de panique et s'enfuirent dans toutes les directions en s'écriant : « D'où vient cet animal? Qui sait s'il est fort? Fuyons à toutes jambes ! »

Voyant l'effroi• de tous les animaux, Tchandarava leur dit : « Hé, les animaux ! Où courez-vous si vite? Ne craignez rien !
20 Brahma[4] m'a fait appeler aujourd'hui et m'a dit : « Puisque les animaux n'ont pas de maître, je te sacre• roi sous le nom de Kakudruma. Descends sur terre et règne sur eux. » Voilà pourquoi je suis ici. Dorénavant, tous les animaux doivent vivre sous ma protection. C'est moi, Kakudruma, qui suis le roi des ani-
25 maux des trois règnes. »

Lorsqu'ils eurent entendu cette harangue[5], tous les animaux, le lion en tête, entourèrent le chacal et lui dirent : « Seigneur et maître, ordonne et nous t'obéirons. »

Le chacal nomma alors le lion premier ministre, le tigre aide
30 de camp, l'éléphant huissier•; la panthère fut chargée de l'approvisionnement en bétel[6] et le singe de porter l'ombrelle royale. Mais à ceux de sa propre race il ne dit rien : tous les chacals furent saisis par la peau du cou et jetés dehors.

Sous le règne du chacal, le lion et les autres fauves déposaient
35 leurs proies à ses pieds et le roi se chargeait du partage.

Un jour qu'il siégeait au conseil, il entendit au loin le cri du chacal. Ses poils se hérissèrent de joie, ses yeux se remplirent de larmes et il se dressa en poussant un hurlement aigu. Quand le

1. dures et tranchantes

2. d'un bleu foncé

3. poli, brillant

4. divinité hindoue

5. discours solennel prononcé devant une assemblée

6. plante originaire de Malaisie, dont on a coutume de mâcher les feuilles dans les pays tropicaux

Enluminure persane du XIVᵉ siècle (Bibl. Nat. Paris/Hachette)

lion et les autres animaux l'entendirent, ils pensèrent : « C'est un
chacal ! » et, confus[7], ils baissèrent la tête. Puis ils dirent : « Nous
nous sommes laissé gouverner par ce misérable chacal. A mort !
A mort ! » Le chacal essaya bien de s'enfuir, mais les autres
animaux le mirent en pièces et le tuèrent.

    C'est pourquoi je dis : celui qui reniera[8] ses proches pour s'al-
lier à des étrangers sera frappé de mort, ainsi qu'il advint[9] au roi
Kakudruma.

7. honteux

8. rejettera, abandonnera

9. arriva

PANCHATANTRA (Extrait de *Les Plus Belles Fables d'animaux*,
Flammarion)

29

Le Roi des animaux

rassemblons nos idées

1. La progression du récit

a/ Distinguez les différentes parties de ce texte en donnant à chacune d'elles un *titre* qui la résume.

b/ Précisez dans un tableau semblable à celui ci-dessous :
— les circonstances : en quel endroit? A quel moment?
— l'attitude du chacal : sentiments, actions...
— les réactions des autres animaux.

n° de la partie	découpage	titre	circonstances	attitude du chacal	réaction des autres
1ʳᵉ partie	l. ... à ...				
2ᵉ partie	l. ... à ...				

2. Le fabuleux

a/ Comment le chacal est-il présent dans ce texte? D'ordinaire, en est-il de même?

b/ Le lion est ici « premier ministre ». Dans la société animale, est-ce sa fonction habituelle? (Voir p. 31.)

c/ Les animaux agissent-ils comme des animaux réels ?

s'exprimer

1. Imaginez que les animaux trompés par le chacal décident de le faire passer devant la justice.

2. A la manière d'un journaliste, faites le compte rendu de la séance au tribunal en relatant le dialogue entre accusé, accusateurs, avocats, etc., sans oublier de préciser les circonstances de ce procès (salle, public, réactions diverses, etc.).

chercher

1. Quels sont les trois règnes animaux dont il est fait mention à la ligne 25?

2. Dans quel continent, ou mieux, dans quel pays se déroule cette histoire? Quels sont les indices du texte qui nous permettent de répondre à cette question?

Le Roi Lion
et le Scarabée

Le Roi Lion se regardait dans la glace.

« Quelle superbe et noble créature je suis, dit-il. Je vais sortir pour montrer à mes dévoués sujets que leur chef est vraiment tout à fait royal. Royal de la crinière à la queue ! »

Le Roi enfila son costume d'apparat[1], mit sa couronne de pierreries et toutes ses médailles d'or et d'argent. Tandis qu'il marchait sur les routes de son royaume, tous ceux qui le voyaient se courbaient jusqu'à terre.

« Oui, oui, disait le Roi Lion, je mérite le respect de mon peuple, car je suis vraiment tout à fait royal. Royal de la crinière à la queue ! »

Au bord de la route, il rencontra un minuscule Scarabée.

Quand le Roi le vit, il s'écria : « Scarabée, je t'ordonne de te prosterner[2] devant moi !

– Votre majesté, dit le Scarabée, je sais que je suis petit, mais, si vous regardez de près, vous verrez que je fais la révérence. »

Le Roi se pencha vers lui.

« Scarabée, dit-il, tu es si difficile à voir, là, tout en bas. Je ne suis toujours pas sûr que tu t'agenouilles.

– Majesté, dit le Scarabée, s'il vous plaît, regardez d'encore un peu plus près. Je vous assure que je suis prosterné. »

Le Roi se pencha encore un peu plus.

Et alors, le costume d'apparat, la couronne de pierreries et toutes les médailles d'or et d'argent firent perdre l'équilibre au Roi Lion. Tout à coup, il tomba la tête la première et, avec un terrible rugissement, roula dans le fossé le long de la route.

Le Scarabée détala[3] à toute vitesse. De la crinière à la queue, chaque centimètre du Roi était couvert de boue humide.

1. solennel

2. s'incliner en avant et très bas dans une attitude de profond respect

3. s'enfuit

Plus on tombe de haut, plus dure est la chute.

Arnold LOBEL, *Fables* (L'École des Loisirs)

Le Roi des animaux

observer pour mieux comprendre

1. Le plan

Quels sont les trois moments du texte ? Relevez les compléments circonstanciels qui marquent les débuts du deuxième et du troisième moments.

2. Le roi

a/ Quel adjectif et quel signe de ponctuation, dans les propos du roi, expriment sa vanité?
b/ Quels détails vestimentaires montrent la puissance du roi? Qu'est-ce qui provoque sa perte?

3. Les sujets

a/ Quelles qualités leur sont demandées? Relevez les mots qui traduisent leur respect.
b/ Le scarabée fait-il preuve du même respect? Est-il responsable de la chute du roi?

4. La chute

Dans les dernières phrases quelles expressions renforcent le ridicule de la situation (l'une d'elles apparaissait déjà à la ligne 4) ? Comparez-les avec les adjectifs et les noms qui concernaient le lion au début du texte en recopiant ce tableau :

	avant la chute	après la chute
adjectifs		
noms		

5. La morale

a/ Quel mot lui accorde une valeur générale?
b/ Quels signes d'imprimerie la distinguent du reste du texte?
c/ Inventez une autre phrase qui pourrait servir de morale à cette fable.

chercher

1. Quel est le rôle du miroir dans cette fable? Connaissez-vous des contes où il joue un rôle comparable?
2. Cherchez d'autres récits où un petit animal triomphe d'un gros. Comparez ce texte, par exemple, avec la fable de La Fontaine *Le Lion et le Moucheron*.

s'exprimer

A votre tour, imaginez une fable dans laquelle le vaniteux ne soit pas puni, contrairement à ce qui lui arrive dans *Le Roi Lion et le Scarabée*.

Bijou égyptien en forme de scarabée (Giraudon)

La conférence des oiseaux

Un poème persan du XIIe siècle raconte qu'un jour, les oiseaux se rassemblèrent pour élire leur roi. Mais plutôt que de choisir un des leurs, ils décidèrent de faire appel au Simorg, un dieu, habitant une contrée lointaine.

Le texte que nous vous proposons est une adaptation théâtrale du poème : c'est donc sur scène qu'apparaît la Huppe qui encourage les oiseaux à partir à la recherche du Simorg.

La Huppe s'avance seule, et dit :

HUPPE. – Un jour tous les oiseaux du monde, ceux qui sont connus et ceux qui sont inconnus, se réunirent en une grande conférence.

5 *Les oiseaux se rassemblent pour la conférence.*

HUPPE. – Quand ils furent réunis, la Huppe, tout émue et pleine d'espérance, arriva et se plaça au milieu d'eux.

La Huppe se place au milieu des oiseaux. Elle prend la parole.

HUPPE. – Chers oiseaux, je passe mes jours dans l'anxiété•. Je ne
10 vois parmi nous que querelles et batailles, pour une parcelle• de territoire, pour quelques grains de blé. Cet état de choses ne peut pas durer. Pendant des années j'ai traversé le ciel et la terre. J'ai parcouru un espace immense et je sais beaucoup de secrets. Écoutez-moi. Nous avons un roi. Il nous faut partir à sa recher-
15 che. Sinon nous sommes perdus.

OISEAUX. – Un roi ! Nous avons eu beaucoup de rois ! Qu'avons-nous à faire d'un autre roi ?

HUPPE. – Oiseaux négligents, attendez ! Celui dont je parle est notre roi légitime[1]. Il réside derrière le mont Câf[2]. Son nom est
20 Simorg. Il est le vrai roi des oiseaux. Il est près de nous, et nous en sommes éloignés. Le chemin pour parvenir jusqu'à lui est inconnu. Il faut un cœur de lion pour le suivre. Toute seule, je ne peux pas. Mais ce serait pour moi une honte que de vivre sans y parvenir.

25 HÉRON. – Est-on bien sûr que le Simorg existe ?

HUPPE. – Oui. Une de ses plumes tomba en Chine au milieu de la nuit, et sa réputation remplit le monde entier. Cette trace de son existence est un gage de sa gloire[3]. On a fait un dessin de cette plume. Tous les cœurs portent la trace de ce dessin.
30 Regardez.

Elle déplie un morceau de soie sur lequel est dessinée une plume.

1. celui qui, grâce à ses qualités, a le droit d'être considéré comme notre vrai roi
2. montagne

3. un témoignage de sa gloire

Le Roi des animaux

Les oiseaux s'approchent pour regarder le dessin. A côté de la plume, il y a quelques caractères chinois. Un des oiseaux demande :

35 COLOMBE. – Qu'y a-t-il d'écrit?

HUPPE. – « Partez à ma recherche – serait-ce en Chine. »

Agité, excité, le Moineau s'écrie :

MOINEAU. – Oui ! Partons ! Je suis très impatient de connaître mon souverain ! [...] Partons !

40 *Fier, dur, militairement équipé, le Faucon intervient :*

FAUCON. – Moi le Faucon, je me repose sur la main du roi. Ma vie est sévère et disciplinée, pour que je puisse remplir très exactement mon service. Pourquoi voudrais-je voir le Simorg, même en songe? Je ne me sens pas appelé au voyage. Je suis assez

45 honoré par la main du roi. Je ne désire que rester auprès de lui ma vie entière.

Des frémissements parcourent les oiseaux. La Huppe s'adresse aux spectateurs :

HUPPE. – Pour échapper au voyage, les oiseaux trouvèrent mille

50 excuses. Pour les convaincre de partir, la Huppe leur raconta mille histoires. Mais leur crainte était souvent la plus forte.

Le Canard s'écarte des autres oiseaux et s'écrie :

CANARD. – Non, non et non ! Partez si vous voulez, moi, le Canard, je ne partirai pas. Moi qui suis la pureté même, moi qui

55 passe ma vie dans l'eau. Qui se tient sur l'eau comme moi? J'ai très certainement un pouvoir merveilleux. Non, non, je ne partirai pas !

La Perdrix vient rejoindre le Canard et dit :

PERDRIX. – Et moi non plus ! Moi, la Perdrix, ma vie c'est les

60 pierres précieuses. L'amour des joyaux[4] a allumé un feu dans mon cœur. Cet amour m'attache à la montagne où je trouve ces pierres. Impossible de la quitter.

CANARD. – Ma nourriture et ma demeure sont dans l'eau. Dès que j'ai un chagrin, je le lave dans l'eau. Je n'aime pas la terre

65 sèche. Comment quitterais-je mon eau?

PERDRIX. – Je mange des pierres et je dors sur la pierre. J'aime les pierres car les pierres sont éternelles. Ou je trouve des pierres, ou je meurs.

HUPPE. – Adieu Canard, adieu Perdrix ! [...]

70 PERRUCHE. – Une minute ! Une minute !

HUPPE. – Que veux-tu, Perruche?

PERRUCHE. – Des méchants m'ont enfermée dans une cage de fer, toute charmante que je suis.

HUPPE. – Eh bien?

4. bijoux faits de matériaux précieux (or, argent, pierreries...)

Le Roi des animaux

75 PERRUCHE. – Eh bien, moi qui voudrais tant m'élever jusqu'à l'aile du Simorg, je ne peux pas. Je suis dans ma cage.

La Huppe ouvre la cage. La Perruche sort et découvre la liberté. Elle chante un instant. Puis elle rencontre le Paon, prend peur et rentre dans sa cage.

80 PERRUCHE. – On me nourrit de sucre dès le matin. Je porte un collier d'or. Ma cage me suffit. J'aime ma cage.

HUPPE. – Tu n'as aucune idée du bonheur. Tu n'as pas l'amande, tu n'as que l'écorce de l'amande.

Le Paon, qui vient d'apparaître, a déployé sa roue. La Huppe lui
85 *demande :*

HUPPE. – Et toi?

PAON. – Quoi, moi?

HUPPE. – Tu veux partir?

PAON. – Non pas. Je ne suis pas un oiseau comme les autres
90 oiseaux. J'ai été chassé de mon royaume et j'attends, dans mon exil[5] le cœur généreux qui me rendra mon trône. Peu m'importe le Simorg ! Voyez mes cent mille couleurs !

HUPPE. – Je vois tes cent mille couleurs, et je vois aussi tes deux vilains pieds.

95 *Honteux de ses pieds, le Paon veut les cacher. Tous les oiseaux éclatent de rire. Il sort, courbé, sous les risées*. La Huppe lui dit encore quand il sort :*

HUPPE. – Comparé à l'océan, ton royaume est à peine une goutte. Pourquoi se soucier de la goutte, quand on peut avoir
100 l'océan?

Voyant le Moineau qui essaye de s'en aller discrètement, elle l'arrête :

HUPPE. – Où vas-tu, Moineau?

MOINEAU. – Moi?

105 HUPPE. – Oui, toi, qui étais si impatient de partir !

MOINEAU. – Oh, moi, je suis si faible. Je suis frêle comme un cheveu. Je n'ai pas la force d'une fourmi. J'ai une grande envie de voir le Simorg, mais dans ma faiblesse comment parvenir jusqu'à lui? Je mourrais en route.

5. depuis que j'ai été chassé de mon royaume

La Conférence des oiseaux
(Récit théâtral de Jean-Claude CARRIÈRE,
inspiré par le poème de Farid Uddin Attar, *Mantic Uttaïr.*
Centre International de Créations Théâtrales)

rassemblons nos idées

1. Les oiseaux

a/ Récapitulez les différentes espèces d'oiseaux mentionnées dans ce texte et rassemblez des images les représentant.

b/ Relevez les détails montrant que les oiseaux sont personnifiés.

2. Le Simorg

a/ « Nous avons un roi »

Quelles sont les caractéristiques du Simorg? Est-ce un roi comme les autres?

b/ « Est-on bien sûr que le Simorg existe? »

Quelles preuves la Huppe donne-t-elle de l'existence du Simorg? Qu'en pensez-vous?

3. La recherche

a/ Pourquoi est-il important, selon la Huppe, de chercher le roi (l. 9 à 15)?

b/ « Tu n'as aucune idée du bonheur. Tu n'as pas l'amande, tu n'as que l'écorce de l'amande. »

« Pourquoi se soucier de la goutte, quand on peut avoir l'océan? »

Expliquez ce que veut dire la Huppe.

4. Les réticences des oiseaux

a/ Résumez-les en quelques lignes :

le Faucon	le Canard	la Perdrix
la Perruche	le Paon	le Moineau

b/ Quels sentiments empêchent ces oiseaux de partir? Essayez d'attribuer à chaque oiseau le sentiment qui vous paraît le mieux convenir :
— la paresse
— la vanité
— l'orgueil
— la fierté
— la suffisance
— la peur
— le goût de la facilité
— l'absence d'imagination
— la résignation à son sort.

s'exprimer

1. Comment mettriez-vous en scène cet extrait :
— comment faire se mouvoir les oiseaux?
— quelle œuvre musicale utiliser comme fond sonore?
— quel décor proposer?

2. Comment imaginez-vous le Simorg? Faites son portrait en quelques lignes, puis dessinez-le.

La Conférence des oiseaux : mise en scène de Peter Brook de la pièce de Jean-Claude Carrière, adaptée du poème de Farrid Uddin Attar (M. et B. Enguerand)

la fable

histoire

Vous avez pu lire dans ce chapitre plusieurs **fables** (voir pp. 26, 27, 28, 31). La fable est un genre littéraire qui remonte à la plus haute antiquité. On pense qu'il est né en Orient (peut-être en liaison avec la religion bouddhiste, selon laquelle l'âme des hommes peut se « réincarner », après la mort, dans le corps d'un animal). Le plus ancien recueil de fables qui nous soit parvenu a été écrit en Inde au VIe siècle avant Jésus-Christ : il s'agit du *Panchatantra* (mot sanscrit signifiant : les cinq livres), dont faisait partie *Le chacal bleu* (voir p. 28). Ce recueil a été traduit en arabe, puis dans de nombreuses langues; il a été connu en France sous le nom de *Livre des Lumières*, et attribué à un certain Pilpay. La Fontaine s'en est inspiré, mais il connaissait surtout les fabulistes grecs et romains : Ésope, qui écrivit au VIe siècle avant Jésus-Christ plus de cinq cents fables, et Phèdre qui les a adaptées en latin (voir p. 27).

La fable est restée très populaire en Europe au Moyen Age. A partir du XVIe siècle, les savants commencent à traduire les fables de l'Antiquité, et les hommes de lettres les adaptent librement et en inventent de nouvelles. C'est La Fontaine qui porte le genre à sa perfection avec ses douze livres de *Fables,* publiés de 1668 à 1694. Aujourd'hui encore, cette tradition littéraire se poursuit. (voir les *Fables* d'Arnold Lobel, p. 31).

définition

La fable est un bref récit illustrant une idée morale. **Remarque :** on parle aussi d'**apologue,** surtout quand le récit est très court.

La fable peut être écrite en prose (Ésope, A. Lobel) ou en vers (Phèdre, La Fontaine).

composition

On peut, en général, distinguer facilement deux parties principales dans une fable :
— le récit;
— la moralité, qui tire la leçon de l'histoire racontée.

Ces parties peuvent être disposées de différentes façons :
a/ la moralité est le plus souvent placée à la suite du récit;
b/ mais elle peut aussi précéder le récit;
c/ ou même être incluse dans le récit.

■ *Relisez les quatre fables du chapitre (pp. 26, 27, 28, 31) ; à quel type de disposition correspond chacune d'entre elles ?*

fable	a	b	c
1. La Génisse, la Chèvre et la Brebis en société avec le Lion			
2. La Vache, la Chèvre et la Brebis en société avec le Lion			
3. Le Lion, l'Ane et le Renard			
4. Le chacal bleu			
5. Le Roi Lion et le Scarabée			

■ *Quel type de disposition préférez-vous? Pourquoi?*

■ *Dans les fables 4 et 5, quels procédés typographiques permettent de distinguer la moralité du reste de la fable?*

■ *Voici une moralité empruntée à une fable de La Fontaine; faites-la suivre d'un bref récit destiné à l'illustrer.*
« En ce monde il se faut l'un l'autre secourir. »
Puis vous comparerez votre récit avec celui de La Fontaine, Le Cheval et l'Ane : aviez-vous interprété la moralité de la même façon?

■ *Voici un récit emprunté à une fable de La Fontaine; faites-le suivre d'une moralité de votre choix.*

« Pour un âne enlevé deux voleurs se battaient :
L'un voulait le garder, l'autre le voulait vendre.
    Tandis que coups de poings trottaient,
Et que nos champions songeaient à se défendre,
        Arrive un troisième larron
        Qui saisit maître Aliboron. »

(*Les Voleurs et l'Ane*)

On pourra comparer entre elles les différentes moralités proposées par la classe. Vont-elles toutes dans le même sens?

En général, le fabuliste fait en sorte qu'on ne puisse tirer qu'une leçon de l'histoire. Mais on peut la formuler de façon différente, ou insister sur un autre aspect.

Par exemple, on pourrait proposer une autre moralité pour la fable *Le Roi Lion et le Scarabée*, notamment celle-ci, empruntée à La Fontaine :
« Les plus à craindre sont souvent les plus petits. »

■ *Proposez pour Le chacal bleu une autre moralité.*

la morale des fables

La morale des fables peut ne pas vous plaire. Elle est souvent empruntée à ce qu'on appelle la « sagesse des nations », ensemble de réflexions morales qui se transmettent de génération en génération, et qu'on peut contester (comme l'a fait par exemple Jean-Jacques Rousseau, qui trouvait les fables de La Fontaine immorales).

On peut s'amuser à renverser certaines moralités, pour leur faire dire le contraire de ce qui est couramment admis; par exemple :

« La raison du plus fort est toujours la meilleure. » deviendra :

« La raison du plus faible est toujours la meilleure. »

■ *Transformez une des moralités ci-dessous, de façon à en inverser la signification. Puis rédigez un bref récit illustrant cette moralité inhabituelle.*

« On hasarde de perdre en voulant trop gagner. »

« Plutôt souffrir que mourir. »

« Rien n'est si dangereux qu'un ignorant ami. »

le style

Le style est souvent très différent dans le récit et dans la moralité : on s'en aperçoit par exemple en relisant *Le Lion, l'Ane, le Renard* et *Le chacal bleu.*

■ *Rédigez une fable sur un thème de votre choix, en vous conformant aux caractéristiques habituelles de la fable.*

1. Le récit raconte **au passé** un événement qui ne s'est produit qu'**une fois**	« Le Roi Lion se regardait » « il rencontra un minuscule Scarabée »	« Un chacal vivait... » « il s'aventura »
dans des circonstances **précises.**	« au bord de la route »	« jusqu'au centre de la ville » « un jour qu'il était poussé par la faim »
Il fait intervenir des personnages **bien déterminés.**	« Le Roi Lion » « un minuscule Scarabée »	« Un chacal nommé Tchandarava » « Le lion », « le tigre », « l'éléphant », « la panthère », « le singe »
Il peut comporter plusieurs **péripéties**		« il trébucha dans un bain de teinture » « ils furent pris de panique » « il entendit au loin le cri du chacal »
de nombreux détails **concrets.**	« son costume d'apparat, » « sa couronne de pierreries » « ses médailles d'or et d'argent »	« approvisionnement en bétel » « porter l'ombrelle »
L'auteur s'abstient en général de donner son avis en cours de récit; il laisse le lecteur seul juge.		
2. La moralité expose **au présent** ou au **futur** une vérité **générale,** valable pour tous les temps et pour n'importe qui. C'est le moment où l'auteur exprime son avis, et donne des conseils au lecteur.	« Plus on tombe de haut, plus dure est la chute » « on »	« celui qui reniera ses proches... sera frappé de mort » « celui qui... » « je dis : ... »

la fable

les personnages

Un des charmes de la fable, c'est que les personnages en sont souvent des **animaux,** auxquels l'auteur prête des paroles, des sentiments, un caractère semblables à ceux des hommes.

Ce procédé permet au fabuliste de critiquer les défauts des hommes et de leurs sociétés.
Il peut aussi faire allusion, de façon déguisée, aux événements de l'actualité.

Voici par exemple la moralité de la fable citée ci-dessus, *Les Voleurs et l'Ane,* où La Fontaine évoque les conflits perpétuels qui opposaient la Transylvanie, la Hongrie, et la Turquie, et qui tournèrent au profit de l'Autriche, qui s'empara finalement de la Transylvanie et de la Hongrie.

> « L'âne, c'est quelquefois une pauvre province :
>   Les voleurs sont tel ou tel prince,
> Comme le Transylvain, le Turc et le Hongrois.
>   Au lieu de deux, j'en ai rencontré trois :
>   Il est assez de cette marchandise.
> De nul d'eux n'est souvent la province
>   [conquise :
> Un quart voleur survient, qui les accorde net
> En se saisissant du baudet. »

Vous savez par ailleurs que la cour du roi Lion chez La Fontaine est souvent l'image de la cour de Louis XIV.

■ *Ce procédé est parfois employé par les caricaturistes qui représentent certains hommes politiques avec des têtes d'animaux. Cherchez-en des exemples dans les journaux ou dans les livres d'histoire. Amusez-vous à rédiger le portrait d'une personnalité célèbre que vous aurez transformée en un animal de votre choix.*

Dans la fable, chaque espèce animale est chargée de représenter tel ou tel défaut ou qualité humaine. Le fabuliste n'hésite pas à lui prêter un mode de vie tout à fait différent de la réalité (voyez l'alimentation de la génisse, de la chèvre, et de la brebis).
Il décrit rarement l'aspect physique de l'animal; en revanche, il insiste sur ce **trait de caractère** qui lui est traditionnellement attribué.

■ *Relevez dans **La Génisse, la Chèvre et la Brebis, en société avec le Lion,** l'adjectif épithète qui caractérise le lion.*

■ *Faites correspondre un des défauts ou une des qualités de la liste de gauche à chacun des animaux de la liste de droite :*

malice	renard
vanité	oie
entêtement	singe
fidélité	chacal
lâcheté	âne
ruse	chien
stupidité	paon

Remarque : ces traits de caractère sont tout à fait conventionnels et ne correspondent pas toujours à la réalité.

■ *Rédigez une fable en attribuant aux animaux, que vous ferez intervenir, un caractère opposé à celui qu'on leur attribue traditionnellement; par exemple, en faisant dialoguer une fourmi paresseuse avec une cigale économe...*

L'art du fabuliste consiste à exprimer le caractère de l'animal par sa façon de parler, ou par son attitude.

■ *Dans **La Génisse, la Chèvre et la Brebis en société avec le Lion,** pourquoi les vers 12, 13, et 18 sont-ils plus courts que les autres? Sur quel ton doivent-ils être prononcés?*

■ *Rédigez une fable dans laquelle vous ferez dialoguer deux animaux de caractère opposé, en attribuant à chacun une façon de parler différente. (Vous pouvez par exemple utiliser deux niveaux de langage différents, opposer politesse et grossièreté, réserve et bavardage, etc.)*

En résumé : Une fable illustre, par un bref récit, qui met en scène le plus souvent des animaux représentant certains traits de caractère ou comportements humains, une vérité morale résumée dans une moralité.

2/Habiter

Poésies

Celui qui entre par hasard dans la demeure d'un poète
Ne sait pas que les meubles ont pouvoir sur lui
Que chaque nœud du bois renferme davantage
De cris d'oiseaux que tout le cœur de la forêt
5   Il suffit qu'une lampe pose son cou de femme
A la tombée du soir contre un meuble verni
Pour délivrer soudain mille peuples d'abeilles
Et l'odeur de pain frais des cerisiers fleuris
Car tel est le bonheur de cette solitude
10   Qu'une caresse toute plate de la main
Redonne à ces grands meubles noirs et taciturnes
La légèreté d'un arbre dans le matin.

René-Guy CADOU, *Hélène ou le Règne végétal*
(Seghers)

Habiter une chambre, qu'est-ce que c'est ? Habiter un lieu, est-ce se l'approprier[1] ? Qu'est-ce que s'approprier un lieu ? A partir de quand un lieu devient-il vraiment vôtre ? Est-ce quand on a mis tremper ses trois paires de chaussettes dans une bassine
5   de matière plastique rose ? Est-ce quand on s'est fait réchauffer des spaghetti au-dessus d'un camping-gaz ? Est-ce quand on a utilisé tous les cintres dépareillés de l'armoire-penderie ? Est-ce quand on a punaisé au mur une vieille carte postale représentant le Songe de sainte Ursule de Carpaccio[2] ? Est-ce quand on y a
10   éprouvé les affres[3] de l'attente, ou les exaltations[4] de la passion, ou les tourments de la rage de dents ? Est-ce quand on a tendu les fenêtres de rideaux à sa convenance, et posé les papiers peints, et poncé les parquets ?

Georges PEREC, *Espèces d'espaces*
(Gallimard)

1. s'en rendre possesseur, le faire sien, l'adopter

2. peintre vénitien du XVIᵉ siècle, célèbre notamment pour ses huit tableaux représentant la vie de sainte Ursule

3. nom féminin pluriel signifiant les tourments, les tortures

4. les emportements, les délires que procure le sentiment amoureux

Sur chaque ardoise
             qui glissait du toit
                      on
                 avait écrit
                      un poème

La gouttière est bordée de diamants
                 les oiseaux les boivent.

Pierre REVERDY, « Les Ardoises du toit »
dans *Plupart du temps* (Flammarion)

Le Rat de ville
et le Rat des champs

Autrefois le Rat de ville
Invita le Rat des champs,
D'une façon fort civile[1],
A des reliefs[2] d'Ortolans[3].

5   Sur un Tapis de Turquie[4]
Le couvert se trouva mis.
Je laisse à penser la vie[5]
Que firent ces deux amis.

Le régal fut fort honnête,
10   Rien ne manquait au festin ;
Mais quelqu'un troubla la fête
Pendant qu'ils étaient en train.

A la porte de la salle
Ils entendirent du bruit :
15   Le Rat de ville détale ;
Son camarade le suit[6].

Le bruit cesse, on[7] se retire :
Rats en campagne[8] aussitôt ;
Et le citadin de dire :
20   Achevons tout notre rôt[9].

– C'est assez, dit le rustique[10],
Demain vous viendrez chez moi :
Ce n'est pas que je me pique[11]
De tous vos festins de Roi ;

25   Mais rien ne vient m'interrompre :
Je mange tout à loisir[12].
Adieu donc ; fi[13] du plaisir
Que la crainte peut corrompre[14].

1. polie
2. restes
3. petits oiseaux très gras dont la chair est renommée
4. le Rat de ville habite la demeure d'un grand Seigneur
5. le repas
6. les deux rats se cachent
7. la personne qui avait fait du bruit
8. ils ressortent de leur cachette
9. rôti
10. celui qui habite la campagne
11. glorifie
12. en toute tranquillité
13. je me moque
14. gâcher

Jean de LA FONTAINE, *Fables.*

Plaisirs de l'hiver

Dans *Jean Santeuil,* Marcel Proust raconte un séjour qu'il avait fait, adolescent, dans le château d'un de ses amis.

L'hiver était tout à fait venu, apportant avec lui ces plaisirs inconnus au rêveur[1] été : celui[2], quand le matin étincelant et beau riait dans les fenêtres de la cuisine, mais qu'on sentait le vif froid du dehors, de s'approcher du fourneau qui dans la cuisine, au
5 milieu assez obscure, jetait des lueurs rouges, [...] et maintenant, car il n'est encore que huit heures, de faire remplir son bol de café au lait fumant et de le boire à chaudes gorgées, tandis qu'entrent et sortent les domestiques occupés à leur ouvrage et nous saluant d'un « Bonjour, déjà levé? » et d'un sympathique
10 « Il fait bon ici, il fait froid dehors » [...] – et la nuit, quand il fallait se lever pour aller en grelottant dans la tourelle glacée[3] où l'air entre par la fenêtre disjointe, le gai retour dans sa chambre en sentant un sourire de bonheur ruisseler sur sa figure, en ne pouvant pas s'empêcher de sauter de joie à la pensée du grand lit
15 chaud de notre chaleur, du feu brûlant, de la boule[4], des édre-dons et des couvertures de laine qui ont passé leur chaleur au lit dans lequel nous allons nous couler, nous murer, nous fortifier, nous cacher jusqu'à la figure, comme contre [des] ennemis qui frapperaient au-dehors et [dont] nous nous égaierions de penser
20 qu'ils ne nous attraperont pas, ne savent pas où nous sommes tant nous sommes bien tapis[5], riant du grand bruit que fait le vent heurtant au-dehors, montant par toutes les cheminées à tous les étages du château, perquisitionnant[6] à tous les étages, essayant toutes les serrures, et quand nous sentons son froid qui
25 nous arrive, refermant bien nos couvertures, nous glissant encore un peu plus à fond, saisissant notre boule avec nos pieds, la remontant trop haut, pour que, [quand nous la ferons redes-cendre] le lit à cette place-là soit tout brûlant, nous cachant jus-qu'à la figure, nous pelotonnant, nous retournant, nous enfer-
30 mant, nous disant : la vie est bonne [...].

Marcel PROUST, *Jean Santeuil* (Gallimard)

1. l'été est pour l'auteur la saison de la rêverie, de l'insouciance
2. complété deux lignes plus bas par : « de s'approcher », puis, à la ligne 6 par : « de faire remplir son bol »

3. c'est là que se trouvaient les toilettes

4. il s'agit d'une sorte de bouillotte

5. du verbe « se tapir », synonyme de « se blottir »

6. fouillant comme la police au domicile d'un suspect

Claude Monet, Effet de neige près de Honfleur (Hachette/S.P.A.D.E.M., 1987)

rassemblons nos idées

1. Le plan

a/ Combien de phrases ce texte comporte-t-il?

b/ Faites le plan du texte, en faisant correspondre une partie à chacun des « trois plaisirs de l'hiver » évoqués par l'auteur. Quel signe de ponctuation nous avertit que l'on change de partie? Précisez le lieu où se déroule chacune des parties.

	découpage	plaisir évoqué	lieu
1re partie	l. ... à ...		
2e partie ...	l. ... à ...		

2. Le chaud et le froid

Relevez dans le texte tous les mots qui expriment :

a/ la chaleur qui règne à l'intérieur des « refuges »;

b/ le froid qui règne à l'extérieur.

chaud	froid

3. Le refuge

a/ Relevez dans la troisième partie du texte tous les verbes qui décrivent les gestes par lesquels le narrateur s'abrite dans son lit.

b/ A quoi sont comparés le vent et le froid? Relevez les verbes qui montrent que le narrateur les *personnifie*.

vocabulaire

Voici quelques verbes dont le sens est proche de ceux que l'auteur emploie dans la troisième partie. Utilisez celui qui vous semble le mieux convenir pour compléter chacune des phrases proposées ci-dessous :

se barricader   se blottir
se terrer   se recroqueviller
se retrancher   s'embusquer.

1. Jean est trop timide. Il ... dans sa solitude, et n'arrive pas à en sortir.

2. Le chat s'est ... entre deux coussins, pour ronronner tout à son aise.

3. Il ... pour pouvoir se cacher dans le tonneau.

4. Pendant les bombardements, les habitants de l'immeuble ... dans les caves.

5. Les bandits ... derrière les rochers pour attendre le passage de la diligence.

6. L'homme ... dans une maison abandonnée pour tenir tête à la police.

s'exprimer

1. Une maladie vous oblige à rester alité pendant quelques jours. Comment parvenez-vous à vous distraire?

2. Quels sont pour vous les « plaisirs de l'hiver »? Sont-ils du même genre que ceux qu'apprécie l'auteur de ce texte?

« La plus belle habitation du camp »

L'histoire que vous allez lire se déroule non loin de la frontière syrienne, dans un camp de réfugiés palestiniens. Ces hommes et ces femmes qui ont perdu leurs terres et leurs maisons essaient, à force de courage et de volonté, d'améliorer les conditions de vie difficiles qui sont les leurs. Ainsi deux jeunes gens, Sami et Chadia, qui ont décidé de vivre ensemble, entreprennent de construire « leur » maison...

La tradition voulait que les familles demeurent groupées, mais Sami avait préféré construire une maison indépendante.

« Tu n'as pas d'argent ! » avait fait remarquer Abdallah[1].

1. le père de Sami

Et il était exact que la paye de Sami n'était pas à la mesure de
5   son projet, mais avec l'aide de Nour Eddine, de Bahij et de quelques autres amis, ce rêve avait pris forme.

Il avait suffi d'acheter les matériaux indispensables : les planches, les parpaings[2], les tôles. La robinetterie avait été récupérée sur des chantiers en démolition, et chacun s'était mis au tra-
10   vail...; même Nihad qui, après douze années de dévouement et d'amitié, faisait en quelque sorte partie de la famille.

2. blocs de plâtre ou de ciment, de l'épaisseur d'un mur

Chadia s'arrêta devant la demeure qui allait être la sienne dans moins d'un jour et elle pensa avec fierté que c'était la plus belle habitation du camp. La plus confortable aussi.
15   Sami l'avait bâtie dans un endroit assez dégagé, au-delà du bouquet d'eucalyptus[3]. Une palissade de tôle la protégeait sur trois côtés des intempéries• et... des indiscrets. La façade avait été agrémentée• de quelques pots de fleurs.

3. grands arbres aux feuilles odorantes

[...] Cette maison, il la voulait solide, faite pour durer des siè-
20   cles ! Non, il n'avait pas ménagé sa peine !

[...] La jeune fille appela Sami et celui-ci se montra à la fenêtre. Il était vêtu d'une chemise à carreaux et d'un pantalon de toile assez fatigué. Ses cheveux étaient ébouriffés et semés de copeaux[4] de bois.

4. éclats de bois

25   « Viens voir, Chadia ! Tout est prêt, on pourrait s'installer dès ce soir.

– J'ai apporté de quoi faire du café, dit la jeune fille.

– C'est une bonne idée, ils ont bien travaillé. Tu vas voir comme c'est réussi. »
30   Chadia poussa la porte d'entrée, et Sami la prenant par le bras lui fit les honneurs de ce qui n'était, en fait, qu'une baraque bâtie avec un peu d'astuce, du courage et beaucoup d'amour.

Il y avait deux pièces : une chambre avec un lit aux montants de fer, une natte[5] et un poêle de fonte, puis un salon aménagé
35 avec un grand souci d'esthétique[6]. Un divan rouge fait d'un matelas et de coussins posés à même le sol, quatre chaises, une table sur laquelle trônait un poste à transistor, un lustre « Venise » en plastique qui pendait du plafond, et dans un coin, un meuble à étagères où étaient rangés quelques livres.
40 La jeune fille ne cachait pas son émerveillement. Elle avait, présents à l'esprit, les autres logements du camp : des chambres exiguës[7] où s'entassaient parfois six ou sept personnes, et elle eut conscience d'être privilégiée[8].

5. tapis fait de plantes entrelacées (roseau, raphia, etc.) et servant de tapis ou de couchette
6. de beauté

7. minuscules
8. favorisée (par rapport aux autres réfugiés)

Huguette PEROL, *Je rentrerai tard ce soir*
(Coll. « Les Chemins de l'Amitié », Éditions de l'Amitié G.T. Rageot)

rassemblons nos idées

1. Les constructeurs

a/ Qui a décidé la construction de la maison? Pourquoi? Qu'en pense Abdallah?
b/ Existe-t-il d'autres constructeurs? Si oui, lesquels?
Pourquoi participent-ils à la construction?
c/ Quelles sont les qualités dont tous font preuve?

2. Les matériaux

a/ Faites un relevé des termes précisant les différents matériaux utilisés.
b/ Comment les constructeurs sont-ils parvenus à se les procurer?
c/ Ces matériaux sont-ils habituellement utilisés par les maçons?

3. La maison

a/ Relevez les mots qui expriment les qualités de cette maison

à l'intérieur		à l'extérieur	
mots	qualité	mots	qualité

b/ Que pensez-vous du mobilier utilisé?
c/ A quoi cette habitation ressemble-t-elle en réalité? Sami et Chadia la voient-ils de la même façon que le lecteur? (Justifiez votre réponse.)

4. Sami et Chadia

a/ Que représentait la maison pour Sami, avant sa construction?
b/ Une fois construite, comment la « demeure » apparaît-elle à Chadia?
c/ Quel sentiment éprouve Sami lorsque paraît sa fiancée?
d/ Quel mot résume le mieux la réaction de Chadia lors de la visite?
e/ Quelle est la situation de Chadia par rapport aux autres habitants du camp?

vocabulaire

1. Quelle signification a l'adjectif « fatigué » à la ligne 23?
2. Faites une phrase dans laquelle vous emploierez le mot « natte » avec un sens différent de celui qu'il a dans le texte.
3. Même exercice avec le mot « poêle ».

s'exprimer

1. Imaginez la réaction d'Abdallah, une fois la maison construite.
2. Sami et Chadia écrivent à des amis une lettre leur expliquant les péripéties de la construction et leur joie d'habiter dans une maison qu'ils ont bâtie eux-mêmes.

La cachette des Cherokees

« Petit-Arbre » est le nom d'un Indien de la tribu des Cherokees. Le récit de sa vie — et notamment de son enfance — constitue un document intéressant sur la société indienne vue par un de ses membres, Forrest Carter.
Découvrons le lieu privilégié de Petit-Arbre...

C'est en suivant la rivière que j'ai découvert la cachette. Elle était un peu à flanc° de montagne, derrière un rideau de laurier. Il n'était pas très grand, ce monticule[1] couvert d'herbe sur lequel se penchait un vieux liquidambar[2] à l'odeur agréable. Dès que je l'ai vu, j'ai compris que c'était ma cachette à moi et j'y suis retourné souvent.

La vieille Maude[3] avait pris l'habitude de m'accompagner. Elle aussi, elle aimait bien cet endroit et on restait assis ensemble sous le liquidambar à tendre l'oreille et à observer ce qui nous entourait. La vieille Maude ne faisait jamais le moindre bruit quand on était dans la cachette. Elle savait que c'était un endroit secret.

Un après-midi que moi et Maude on observait les alentours, assis par terre et adossés au tronc du liquidambar, on a aperçu quelque chose qui bougeait pas très loin. C'était Grand-mère. Elle était passée tout près. Elle n'avait sans doute pas repéré ma cachette, car elle n'avait rien dit.

Grand-mère savait marcher sur les feuilles des bois sans faire plus de bruit qu'un souffle. Je l'ai suivie et j'ai vu qu'elle cherchait des racines. Je l'ai rattrapée et on s'est assis sur un tronc d'arbre pour l'aider à trier les racines. Je devais sans doute être trop jeune pour garder un secret, car je n'ai pas pu m'empêcher de parler à Grand-mère de ma cachette. Elle n'a pas été surprise – ce qui m'a surpris.

Grand-mère a dit que tous les Cherokees avaient leur cachette. Elle m'a dit qu'elle avait la sienne et que Grand-père, lui aussi, en avait une. Elle a dit qu'elle n'avait jamais demandé, mais qu'à son avis celle de Grand-père était au sommet de la montagne, sur la piste haute. Elle croyait que tout le monde avait sa cachette, mais elle n'en était pas sûre, parce qu'elle n'avait jamais cherché à savoir. Grand-mère a dit que c'était une chose nécessaire et j'ai été très heureux d'en avoir une.

1. petite bosse de terrain
2. variété d'arbre résineux
3. chienne du narrateur

Forrest CARTER, *Petit-Arbre* (Stock)

Refuges

rassemblons nos idées

1. L'environnement
Faites un relevé des mots qui précisent l'endroit où se situe l'histoire.

2. La cachette
a/ De quoi est-elle faite?

b/ Petit-Arbre la décrit-il précisément? (Justifiez votre réponse.)

c/ Montrez que la cachette est un lieu « sacré ».
d/ A quoi sert-elle?

3. Les personnages
a/ Maude
— Quelle est son attitude face à la cachette?
— Comment agit-elle lorsqu'elle se trouve à l'intérieur de la cachette?
— Petit-Arbre parle de la « vieille Maude » : son âge explique-t-il son attitude?

b/ Petit-Arbre
— Quel rôle joue-t-il par rapport à la cachette?
— Pourquoi en parle-t-il à Grand-mère?
— Quelle est sa réaction après l'avoir écoutée?

c/ Grand-mère
— Comment accueille-t-elle le secret de Petit-Arbre?
— Lignes 25 à 32 : que pensez-vous des paroles de Grand-mère? De quelles qualités fait-elle preuve?
— De quelle façon marche-t-elle?
Cette manière s'accorde-t-elle avec son respect des cachettes?

s'exprimer

1. Grand-père, à son tour, révèle à Petit-Arbre son secret : lui aussi possède une cachette. Il lui explique les raisons de son choix. L'enfant la compare avec la sienne.
2. Avez-vous une cachette préférée? Si oui, décrivez-la.
3. Imaginez les réactions d'une tribu de Cherokees à l'arrivée des « Visages Pâles ».

chercher

1. Ce texte a été écrit par un Indien. Trouvez les indices qui nous le confirment (expressions, attitudes, etc.).
2. Quelles sont les grandes tribus indiennes d'Amérique du Nord? Quels étaient leurs territoires? Quelle est la situation actuelle des Indiens en Amérique?
3. Faites correspondre les mots français et indiens (qui désignent une même réalité) à l'aide d'une... flèche.

pipe	squaw
femme	tipi
maison	calumet
hache	tomahawk

Première femme chef chez les Cherokees, 1986 (T. Campion/Sygma)

Une demeure héroïque

Pour nous présenter Tartarin de Tarascon (Tarascon est une petite ville du Midi de la France), Alphonse Daudet nous décrit d'abord la maison de son héros qui semble être à l'image de son propriétaire...

Ma première visite à Tartarin de Tarascon est restée dans ma vie comme une date inoubliable; il y a douze ou quinze ans de cela, mais je m'en souviens mieux que d'hier. L'intrépide Tartarin habitait alors, à l'entrée de la ville, la troisième maison à
5   main gauche sur le chemin d'Avignon. Jolie petite villa tarasconnaise avec jardin devant, balcon derrière, des murs très blancs, des persiennes vertes, et sur le pas de la porte, une nichée de petits Savoyards[1] jouant à la marelle ou dormant au bon soleil, la tête sur leurs boîtes à cirage.
10   De dehors, la maison n'avait l'air de rien.
Jamais on ne se serait cru devant la demeure d'un héros. Mais quand on entrait, coquin de sort[2]...
De la cave au grenier, tout le bâtiment avait l'air héroïque, même le jardin !...
15   Ô le jardin de Tartarin, il n'y en avait pas deux comme celui-là en Europe. Pas un arbre du pays, pas une fleur de France; rien que des plantes exotiques, des gommiers•, des calebassiers•, des cotonniers•, des cocotiers•, des manguiers•, des bananiers, des palmiers, un baobab•, des nopals•, des cactus, des figuiers de
20   Barbarie, à se croire en pleine Afrique centrale[3], à dix mille lieues• de Tarascon. Tout cela, bien entendu, n'était pas de grandeur naturelle; ainsi les cocotiers n'étaient guère plus gros que des betteraves et le baobab (*arbre géant, arbor gigantea*[4]) tenait à l'aise dans un pot de réséda[5], mais, c'est égal ! pour Tarascon,
25   c'était déjà bien joli, et les personnes de la ville, admises le dimanche à l'honneur de contempler le baobab de Tartarin, s'en retournaient pleines d'admiration.
Pensez quelle émotion je dus éprouver, ce jour-là, en traversant ce jardin mirifique[6] !... Ce fut bien autre chose quand on
30   m'introduisit dans le cabinet du héros.
Ce cabinet, une des curiosités de la ville, était au fond du jardin, ouvrant de plain-pied[7] sur le baobab par une porte vitrée.
Imaginez-vous une grande salle tapissée de fusils et de sabres, depuis en haut jusqu'en bas; toutes les armes de tous les pays du
35   monde : carabines, rifles[8], tromblons[9], couteaux corses, couteaux catalans[10], couteaux-revolvers, couteaux-poignards, krish[11] malais, flèches caraïbes[12], flèches de silex, coups-de-poing, casse-tête, massues hottentotes[13], lazzos• mexicains, est-ce que je sais?
40   Par là-dessus, un grand soleil féroce qui faisait luire l'acier des glaives et les crosses des armes à feu, comme pour vous donner

1. les Savoyards, même les enfants, quittaient leur région pour trouver du travail dans d'autres régions moins pauvres que la leur. (Ils étaient ramoneurs, déménageurs ou comme dans le texte cireurs de chaussures.)
2. juron familier du Midi qui traduit l'étonnement

3. Afrique tropicale plutôt

4. ce nom latin est l'appellation savante du baobab, arbre des régions tropicales dont le tronc est énorme
5. plante méditerranéenne à fleurs blanches

6. merveilleux

7. directement, au même niveau
8. carabines d'origine anglaise, à long canon rayé
9. fusils courts à canon évasé
10. fabriqués en Catalogne
11. poignards à lame ondulée
12. fabriquées par les indiens de certaines îles des petites Antilles
13. employées par des habitants de l'Afrique australe, les Hottentots, pasteurs nomades

L'idéale maison

La demeure héroïque de Tartarin (Hachette)

encore plus la chair de poule... Ce qui rassurait un peu pourtant, c'était le bon air d'ordre et de propreté qui régnait sur toute cette yataganerie[14]. Tout y était rangé, soigné, brossé, étiqueté comme
45 dans une pharmacie; de loin en loin, un petit écriteau bonhomme* sur lequel on lisait :

« Flèches empoisonnées, n'y touchez pas ! »

ou : « Armes chargées, méfiez-vous ! »

Sans ces écriteaux, jamais je n'aurais osé entrer.
50 Au milieu du cabinet, il y avait un guéridon. Sur le guéridon, un flacon de rhum, une blague turque, les *Voyages du capitaine Cook*[15], les romans de Cooper, de Gustave Aymard[16], des récits de chasse, chasse à l'ours, chasse au faucon, chasse à l'éléphant, etc. Enfin, devant le guéridon, un homme était assis, de qua-
55 rante à quarante-cinq ans, petit, gros, trapu, rougeaud, en bras de chemise, avec des caleçons de flanelle, une forte barbe courte et des yeux flamboyants; d'une main il tenait un livre, de l'autre il brandissait une énorme pipe à couvercle de fer, et, tout en

14. mot inventé par l'auteur (néologisme) à partir du terme « yatagan », nom d'un sabre turc

15. navigateur anglais du XVIIIe siècle
16. romanciers, américain et français, dont les récits mettent en scène les « Peaux Rouges »

L'idéale maison

60

lisant je ne sais quel formidable[17] récit de chasseurs de chevelu-
res, il faisait, en avançant sa lèvre inférieure, une moue terrible,
qui donnait à sa figure de petit rentier° tarasconnais ce même
caractère de férocité bonasse° qui régnait dans toute la maison.

Cet homme, c'était Tartarin, Tartarin de Tarascon,
l'intrépide[18], le grand, l'incomparable Tartarin de Tarascon.

17. effrayant

18. qui ne tremble jamais, qui ne craint pas le danger

Alphonse DAUDET, *Tartarin de Tarascon.*
Si vous désirez lire d'autres extraits de ce livre, reportez-vous pp. 90 et 131

observer pour mieux comprendre

1. Le plan

Dans quel ordre l'auteur présente-t-il la maison? Relevez les expressions qui, de paragraphe en paragraphe, font croire au lecteur qu'il y a mieux encore,
qu'on progresse vers le plus étonnant.

2. Le jardin

a/ Par quels procédés l'auteur exprime-t-il l'admiration des visiteurs?

b/ L'auteur partage-t-il cette admiration? Relevez
par exemple les précisions qu'il fournit sur la taille
des arbres plantés par Tartarin:

nom de l'arbre	sa taille habituelle	la taille de celui de Tartarin

c/ Pourquoi Daudet nous donne-t-il le nom du baobab en latin?

d/ Dans quelle région se trouve le narrateur? Où
peut-il se croire?

3. Le cabinet

a/ Relevez une expression le concernant et destinée
à susciter notre intérêt.

b/ Pourquoi sa situation est-elle précisée d'emblée?
A quoi ressemble-t-il?

c/ Que contient-il? Pourquoi le soleil y est-il « féroce »?

d/ Combien de types d'armes sont représentés?
Quel est l'effet produit?

Classez en deux colonnes:

les détails terribles	les détails rassurants
Notez en particulier la ré-pétition d'un adjectif caractéristique.	Relevez en particulier des adjectifs *péjoratifs*, une comparaison.

« yataganerie »: quel effet le suffixe « erie » a-t-il
sur le mot exotique yatagan? A quel mot fait penser
ce *néologisme*?

A quel mode sont rédigés les écriteaux? Où est
placé le verbe? Pourquoi selon vous?

e/ Dans quelle intention les objets du guéridon ont-
ils été choisis? Quelle image donnent-ils de Tartarin?
Classez en deux colonnes les termes qui présentent
Tartarin comme

un chasseur féroce et un grand voyageur	un homme médiocre et doux

s'exprimer

1. Décrivez au gré de votre imagination l'appartement d'un Tartarin moderne qui se prend pour un
« navigateur solitaire » ou un « skieur de l'impossible »...

2. Quels objets choisiriez-vous de mettre en évidence dans votre chambre pour vous poser, lors de
la visite d'un camarade, comme le héros que vous
rêvez d'être?

3. Nous avons vu que la description d'Alphonse
Daudet comportait à la fois des détails terribles et
des détails rassurants, familiers. Rédigez, à partir du
texte d'Alphonse Daudet, deux descriptions opposées, l'une faite par un admirateur de Tartarin, l'autre par un témoin sceptique, qui ne prend pas au
sérieux notre héros.
La première commencerait, par exemple, de cette
manière: « Un jardin mirifique, des plantes exotiques, une grande salle tapissée de fusils et de
sabres... ».
La seconde commencerait ainsi: « Dans une petite
villa, j'ai vu des cocotiers guère plus gros que des
betteraves... ».

4. Un lieu est souvent à l'image de celui qui l'habite.

a/ Vous venez de pénétrer pour la première fois
dans la chambre d'un camarade que vous connaissez bien: décrivez les objets qui vous ont semblé en accord avec sa personnalité, ceux qui vous
ont surpris...

b/ Vous attendez dans la chambre ou dans la
demeure de quelqu'un que vous ne connaissez
pas encore: vous essayez de deviner sa personnalité d'après l'aménagement et la décoration de
son intérieur.

J'ai bâti l'idéale maison

Je l'ai proférée[1] en pierres sèches, ma maison,
pour que les petits chats y naissent dans ma maison,
pour que les souris s'y plaisent dans ma maison.
Pour que les pigeons s'y glissent, pour que la mi-heure y mitonne[2]
5 quand de gros soleils y clignent[3] dans les réduits[4].
Pour que les enfants y jouent avec personne,
c'est-à-dire avec le vent chaud, les marronniers.

C'est pour cela qu'il n'y a pas de toit sur ma maison,
10 ni de toi ni de moi dans ma maison,
ni de captifs, ni de maîtres, ni de raisons,
ni de statues, ni de paupières, ni la peur,
ni des armes, ni des larmes, ni la religion,
ni d'arbres, ni de gros murs, ni rien que pour rire.
15 C'est pour cela qu'elle est si bien bâtie, ma maison.

André FRÉNAUD, *Il n'y a pas de paradis* (Gallimard)

1. se dit habituellement pour une parole = articulée

2. terme culinaire signifiant cuire doucement et longtemps; au *sens figuré* : choyer — dorloter
3. plisser les yeux sous l'effet d'une vive lumière
4. pièces de petite dimension

rassemblons nos idées

1. J'ai bâti l'idéale maison

a/ Cherchez dans le dictionnaire la définition de l'adjectif « idéale » et expliquez le choix qu'en a fait l'auteur.

b/ « Je l'ai proférée »
Nous vous avons indiqué en notes que le verbe « proférer » s'employait à propos de paroles; que veut-il dire ici?

c/ Dans son poème, A. Frénaud énumère d'une part les éléments indispensables à son idéale maison, d'autre part les éléments qui en seront exclus. Vous remplirez le tableau ci-dessous et vous direz ce que vous pensez des choix de l'auteur.

dans l' « idéale maison »	
ce qu'il y aura	ce qu'il n'y aura pas
animaux	
êtres humains	
objets	
notions abstraites	

— Que symbolise, selon vous, la cohabitation des différents animaux qui vivront dans la maison?

d/ Que recherche le poète?

— Relevez tous les compléments circonstanciels de but.

— Quelle atmosphère doit régner dans la maison :
— plutôt triste ou plutôt gaie?
— plutôt calme ou plutôt agitée?

Relevez quelques verbes pour justifier votre réponse.

2. Le poème

a/ Combien le poème comporte-t-il de vers; de strophes?

b/ Relevez toutes les répétitions, et commentez-les.

c/ « Pour que les petits chats y naissent dans ma maison »
Si vous écriviez une telle phrase dans une composition française, quelle faute grammaticale vous reprocherait-on?

Dans son poème, A. Frénaud emprunte un certain nombre de tournures au langage des jeunes enfants. Donnez-en des exemples.

d/ « Pour que la mi-heure y mitonne »
Quelles sont les sonorités dominantes de ce passage? Quel effet l'auteur veut-il produire?

On déménage

Dans un de ses contes, Michel Tournier a repris de façon humoristique le thème du Petit Poucet. Il l'adapte pour critiquer notre mode de vie et notre monde moderne. La scène se déroule dans un pavillon de banlieue, à l'heure du dîner. Les personnages sont le commandant Poucet, son épouse et leur fils Pierre, dit le Petit Poucet.

Ce soir-là, le commandant Poucet paraissait décidé à en finir avec les airs mystérieux qu'il prenait depuis plusieurs semaines, et à dévoiler ses batteries[1].

« Eh bien, voilà, dit-il au dessert après un silence de recueil-
5   lement[2]. On déménage. Bièvres, le pavillon de traviole[3], le bout de jardin avec nos dix salades et nos trois lapins, c'est terminé ! »

Et il se tut pour mieux observer l'effet de cette révélation[4] formidable sur sa femme et son fils. Puis il écarta les assiettes et les couverts, et balaya du tranchant de la main les miettes de
10 pain qui parsemaient la toile cirée.

« Mettons que vous ayez ici la chambre à coucher. Là, c'est la salle de bains, là, le living[5], là, la cuisine, et deux autres cham-bres s'il vous plaît. Soixante mètres carrés avec les placards, la moquette, les installations sanitaires• et l'éclairage au néon. Un
15 truc inespéré. Vingt-troisième étage de la tour Mercure. Vous vous rendez compte ? »

Se rendaient-ils compte vraiment ? Mme Poucet regardait d'un air apeuré son terrible mari, puis dans un mouvement de plus en plus fréquent depuis quelque temps, elle se tourna vers
20 Petit Pierre, comme si elle s'en remettait à lui pour affronter l'autorité du chef des bûcherons de Paris.

« Vingt-troisième étage ! Eh ben ! Vaudra mieux pas oublier les allumettes ! observa-t-il courageusement.

— Idiot ! répliqua Poucet, il y a quatre ascenseurs ultra-ra-
25 pides. Dans ces immeubles modernes, les escaliers sont pratique-ment supprimés.

— Et quand il y aura du vent, gare aux courants d'air !

— Pas question de courants d'air ! les fenêtres sont vissées. Elles ne s'ouvrent pas.

30 — Alors, pour secouer mes tapis ? hasarda Mme Poucet.

— Tes tapis, tes tapis ! Il faudra perdre tes habitudes de cam-pagnarde, tu sais ? Tu auras ton aspirateur. C'est comme ton linge. Tu ne voudrais pas continuer à l'étendre dehors pour le faire sécher !

35 — Mais alors, objecta[6] Pierre, si les fenêtres sont vissées, com-ment on respire ?

— Pas besoin d'aérer. Il y a l'air conditionné. Une soufflerie expulse[7] jour et nuit l'air usé et le remplace par de l'air puisé sur

1. découvrir ses plans, ses intentions

2. après une pause pendant laquelle il s'est concentré solennellement pour préparer son effet
3. expression populaire signifiant « de travers »
4. ici : nouvelle

5. mot anglais pour désigner la salle de séjour

6. répliqua

7. chasse

54

le toit, chauffé à la température voulue. D'ailleurs, il faut bien
40 que les fenêtres soient vissées puisque la tour est insonorisée[8].
    — Insonorisée à cette hauteur? Mais pourquoi?
    — Tiens donc, à cause des avions ! Vous vous rendez compte
qu'on sera à mille mètres de la nouvelle piste de Toussus-le-
Noble. Toutes les quarante-cinq secondes, un jet[9] frôle le toit.
45 Heureusement qu'on est bouclé ! Comme dans un sous-marin...
Alors voilà, tout est prêt. On va pouvoir emménager avant le 25.
Ce sera votre cadeau de Noël. Une veine non? »
    Mais [...] Petit Pierre étale tristement dans son assiette la
crème caramel dont il n'a plus bien envie tout à coup.
50   « Ça, mes enfants, c'est la vie moderne, insiste Poucet. Faut
s'adapter ! Vous ne voulez pas qu'on moisisse éternellement dans
cette campagne pourrie ! »

8. rendue moins sonore, plus
silencieuse

9. mot anglais pour désigner
un avion à réaction à
long-courrier

Michel TOURNIER, *La Fugue du Petit Poucet* (G.P. Rouge et Or)

rassemblons nos idées

1. On déménage

a/ Quelle décision le commandant Poucet a-t-il
prise? Pourquoi? Comment?
b/ Quels avantages voit-il dans le nouveau logement?
c/ Quelles objections lui opposent timidement sa
femme et son fils Pierre?
Relevez les conjonctions de coordination par lesquelles débutent ces objections et les verbes qui
introduisent les répliques de chacun. De quelle manière le commandant répond-il?

2. Les personnages

a/ Combien sont-ils? Relevez un adjectif ou un adverbe qui caractérisent chacun d'eux.
b/ Relevez dans les propos du commandant Poucet
les expressions qui montrent :
— qu'il a l'habitude de commander;
— qu'il cherche à dévaloriser le mode de vie qui a
été le leur jusqu'ici (notez en particulier les expressions familières); qu'il est un peu « snob ».
c/ Relevez aussi une comparaison concernant la
tour Mercure.

d/ Pourquoi Petit Pierre étale-t-il « tristement » la
crème dont il « n'a plus bien envie »? Quelle serait
votre réaction si vous étiez à sa place?

s'exprimer

1. Imaginez la journée de Noël de la famille Poucet
qui vient d'emménager dans la tour Mercure.
2. Vous est-il déjà arrivé de subir les conséquences
d'une décision de vos parents concernant votre
genre de vie? Dans quelles circonstances? Racontez.
3. Deux membres d'une famille discutent : l'un est
partisan des grands ensembles, l'autre des petits
pavillons. Rapportez leur dialogue.

chercher

1. des photos des tours de grandes villes et qui
pourraient servir à illustrer la tour Mercure.
2. des photos de pavillons de banlieue conformes à
l'ancien logement des Poucet. Découpez-les et faites-en un panneau mural, avec des légendes.

« Je n'ai pas oublié... »

Charles Baudelaire (1821-1867) évoque pour nous, une maison de son enfance.

Je n'ai pas oublié, voisine de la ville,
Notre blanche maison, petite mais tranquille;
Sa Pomone[1] de plâtre et sa vieille Vénus
Dans un bosquet chétif[2] cachant leurs membres nus,
5 Et le soleil, le soir, ruisselant et superbe,
Qui, derrière la vitre où se brisait sa gerbe,
Semblait, grand œil ouvert dans le ciel curieux,
Contempler nos dîners longs et silencieux,
Répandant largement ses beaux reflets de cierge
10 Sur la nappe frugale[3] et les rideaux de serge[4].

1. divinité romaine des fruits et des jardins
2. rabougri, fragile

3. qui consiste en aliments simples; se dit habituellement d'un repas
4. tissu à côtes, en soie ou laine

Charles BAUDELAIRE, *Les Fleurs du Mal.*

Claude Monet,
Le Déjeuner
(H. Josse/S.P.A.D.E.M.,
1987)

L'idéale maison

rassemblons nos idées

1. Le plan

Combien de phrases ce poème comporte-t-il?
Trouvez le verbe principal et ses compléments
d'objet.

2. La maison

a/ Relevez les
noms qui
concernent la
maison.

l'extérieur	l'intérieur

Relevez les compléments de lieu.

b/ Combien y a-t-il de personnages? Qui regarde
qui? Relevez une *métaphore* concernant l'un d'eux.

c/ Relevez tous les adjectifs de ce texte. Recopiez
le tableau ci-dessous et classez ceux d'entre eux qui
expriment :

le calme	l'intimité	la beauté	la simplicité

d/ De quel moment le poète se souvient-il? Pourquoi à votre avis? Quelle lumière aime-t-il?

3. Versification

a/ Les rimes
Quelles sont les différentes *rimes* de ce poème?
Comment sont-elles disposées?
Quelle voyelle domine dans les deux premiers vers?

b/ Le mètre
Combien y a-t-il de *pieds* dans chaque vers? Comment s'appellent de tels vers?
Comment faut-il prononcer « curieux » et « silencieux », aux vers 7 et 8, pour conserver le même
nombre de *pieds*?

c/ Les accents
Ces vers possèdent un *rythme* qui leur est donné
par les *accents*. A l'intérieur de chaque vers en effet
certains *pieds* sont accentués plus fortement que
d'autres; les accents les plus forts se trouvent au
milieu et à la fin du vers; on les note par le signe : ˝,
placé au-dessus de la voyelle accentuée :

« Je n'ai pas oublié, voisine de la ville

Notre blanche maison, petite mais tranquille »
Dans chaque moitié de vers, on peut placer un accent plus faible (appelé accent secondaire); on le
note :

« Sa Pomóne de plâtre et sa vieille Vénus ».
On constate que l'accent revient ici tous les trois
pieds, ce qui donne un grand équilibre au vers.

Voici un autre exemple de répartition des accents :
« Dans un bosquet chétif cachant leurs membres
[nus ».
Accentuez vous-même la suite du poème en vous
rappelant :
— que les accents principaux tombent toujours au
milieu (sixième pied) et à la fin du vers;
— que les accents secondaires sont mobiles;
— que l'on accentue toujours, en français, la dernière syllabe d'un mot, sauf lorsqu'elle contient un *e*
muet. Dans ce cas, on accentue l'avant-dernière :
« Sa Pomóne de plâtre et sa vieille Vénus ».
Cet exercice doit vous aider à mieux *lire* ce poème à
haute voix. Mettez en valeur la *musique* des vers,
qui contribue à donner au poème une impression de
sérénité.

s'exprimer

1. Dessinez ou peignez le jardin et la maison décrits
par Baudelaire sans oublier les deux statues.
2. Imaginez un dialogue entre les deux statues. Par
exemple, elles commentent ce qui se passe dans la
maison.

chercher

Dans un dictionnaire ou une encyclopédie recueillez
des informations concernant Pomone et Vénus.
Recherchez également des représentations des
deux déesses.

du latin au français

1. « Pomone » : ce mot vient du mot latin *pomum*
qui signifie le fruit. Cherchez des mots français qui
sont formés à partir de ce terme. Le nom français
« fruit » vient du latin *fructus*. Cherchez des noms
français qui en sont issus.

mot latin	radical	mots français
pomum	pom-	
fructus	fruct(u)-	

2. Alors que *saeta* a donné notre mot français
« soie », dont le sens premier est « poil de sanglier », le mot « serge » vient du latin *serica*, qui
signifie étoffes de soie. Devinez pourquoi on appelait autrefois les Chinois les « Sères » et cherchez ce
qu'est aujourd'hui la « sériciculture ».

Le château enchanté

Monseigneur Gauvain, neveu du roi Arthur, chevalier de la Table Ronde, parvient un jour au bord d'un fleuve, et découvre « un château d'une très belle architecture, à la fois somptueux et très bien fortifié; il avait été construit sur une falaise. Il était si richement bâti que je puis affirmer qu'on ne pouvait avoir vu en aucun temps pareille forteresse. Ce très grand palais, entièrement fait de marbre brun, était édifié sur une roche sauvage. Dans le monument s'ouvraient plus de cinq cents fenêtres, remplies de dames et de demoiselles qui regardaient devant elles les jardins fleuris et les prés. Beaucoup des demoiselles étaient vêtues de riches étoffes de soie. Certaines d'entre elles portaient des tuniques de diverses couleurs ornées de feuilles d'or. Les fenêtres du château laissaient voir les jolies silhouettes des jeunes filles depuis leurs cheveux brillants jusqu'à leurs ceintures. »

Un nautonier, chargé d'assurer le passage du fleuve, fait traverser Gauvain et l'accueille chez lui pour la nuit. Le lendemain, Gauvain apprend que les habitants du château attendent la venue d'un chevalier digne de devenir leur seigneur et capable de les protéger. Ce chevalier doit être « parfaitement beau et sage, sans convoitise, preux* et hardi, franc et loyal, sans vilenie*, et sans aucun mal en lui ». Mais si un étranger pénètre au château sans posséder toutes ces qualités, il risque la mort, car les lieux sont défendus par des forces mystérieuses. Le nautonier déconseille à Gauvain de s'y rendre car personne, dit-il, n'est sûr d'être parfait. Gauvain demande pourtant à son hôte de l'accompagner au palais...

Ils continuèrent ainsi tous les deux leur chemin et arrivèrent au palais, dont l'entrée était très haute et les portes riches et belles. L'histoire témoigne que tous les gonds et toutes les gâches[1] en étaient d'or fin. L'une des portes était d'ivoire, entièrement sculpté avec art. L'autre était d'ébène*, travaillé de la même manière. La beauté de ces portes était rehaussée[2] et enluminée* par des incrustations d'or et de pierres précieuses aux vertus magiques. Le pavage du palais était multicolore, parfois alternativement noir et blanc, parfois rouge, parfois violet, parfois bleuâtre. Il était artistiquement travaillé et soigneusement poli.

Au milieu du palais se trouvait un lit sans aucune partie de bois. Il était en or, à l'exception du sommier, qui était entièrement en argent. Je ne vous mens pas lorsque je vous dis qu'à chaque entrelacement[3] des cordes d'argent du sommier était suspendue une clochette. Sur le lit était étendue une grande courtepointe[4] de soie. A chaque colonne du lit était fixée une escarboucle[5] qui jetait plus de lumière que quatre cierges bien allumés. Le lit reposait sur quatre statuettes d'or en forme de chiens, et ces statuettes, sur quatre roues si mobiles qu'il suffisait de frapper le lit d'un seul doigt pour qu'il traverse toute la salle. Voilà comment était fait le lit dressé au milieu du palais; je vous le dis en vérité : jamais lit semblable n'avait été construit auparavant pour comte ou pour roi.

1. pièces métalliques dans lesquelles s'engage le pêne d'une serrure
2. mise en valeur

3. à chaque endroit où les cordes se croisaient

4. un couvre-lit

5. une pierre précieuse, variété de grenat, rouge foncé d'un vif éclat

25 Quant au palais, croyez-moi, aucune de ses parties n'avait été
édifiée en pierre crayeuse : les murs en étaient de marbre. En
haut des murs se trouvaient des verrières⁶ si transparentes que
lorsqu'on faisait attention, on pouvait voir à travers les vitres
tous ceux qui entraient dans le palais aussitôt qu'ils passaient le
30 portique. Les murs étaient peints des couleurs les meilleures que
l'on pût fabriquer, et les plus chères; mais je ne veux pas décrire
maintenant tout ce qu'on voyait dans le palais. Cet édifice pos-
sédait plus de quatre cents fenêtres fermées et cent fenêtres
ouvertes.
35 Monseigneur Gauvain parcourut le palais en tous sens et l'examina attentivement. Quand il eut tout regardé, il appela le nautonier, et lui dit :
« Cher Hôte, je ne vois dans ce palais rien qui puisse faire
redouter d'y entrer. Qu'en dites-vous? Pourquoi vouliez-vous à
40 toute force m'empêcher de venir le visiter? J'ai l'intention de
m'asseoir sur ce lit et de me reposer un petit peu : je n'ai jamais
vu si riche couche.
— Hé ! Cher Seigneur, Dieu vous garde de vous approcher de
cet endroit. Si vous le faisiez, vous seriez condamné à mourir de
45 la pire mort qui ait jamais frappé un chevalier.
— Mon Hôte, que dois-je donc faire?
— Ce que vous devez faire, Messire? Puisque vous avez décidé
de sauver votre vie, je vous le dirai. Lorsque, dans ma maison,
j'ai compris que vous vouliez venir ici, je vous ai demandé de
50 m'accorder une faveur⁷; vous ne saviez pas laquelle. Je vais maintenant vous dire ce que je désire que vous fassiez. Rentrez dans
vos terres et racontez à vos amis et aux gens de votre pays que
vous avez vu un palais plus somptueux que tous ceux que vous
connaissiez et que les mortels connaissent.
55 — Si je disais cela, j'avouerais que je suis maudit par Dieu et
que j'ai perdu l'honneur. Cependant, Mon Hôte, il semble que
vous croyez parler pour mon bien. Quoi qu'il en soit, je vous
déclare que rien ne pourra m'empêcher de m'asseoir sur ce lit. Je
veux aussi voir les demoiselles que j'ai aperçues hier appuyées au
60 bord des fenêtres. »
Le nautonier, comme un combattant qui recule pour mieux
frapper, lui répondit :
« Vous ne verrez aucune des jeunes filles dont vous parlez.
Partez d'ici comme vous y êtes venu; je vous dis que vous ne les
65 verrez pas ! Mais les reines, les dames et les demoiselles, je le
jure sur mon salut, de leurs appartements, vous voient très bien
actuellement par ces fenêtres vitrées.
— Par ma foi, fit Monseigneur Gauvain, si je ne peux pas voir
les jeunes filles, je m'assiérai au moins sur le lit. Je pense qu'il a
70 été construit pour que s'y reposent nobles seigneurs ou hautes
dames; sur mon âme, j'irai donc m'y asseoir quoi qu'il doive
m'advenir⁸ par la suite. »

6. fenêtres faites de très grandes vitres

7. une marque de bienveillance, un bienfait

8. m'arriver

Le nautonier, voyant qu'il ne pouvait retenir Gauvain, cessa de discuter avec lui; il ne voulait pas rester jusqu'à ce que Gauvain
75 réalisât son projet. Avant de partir, il lui déclara :

« Messire, à mon grand regret, vous allez mourir. Jamais aucun chevalier ne s'est assis sur ce lit sans y perdre la vie, car c'est le lit de la Merveille où nul ne s'assied, ne repose ou ne dort sans mourir. Ce sera grand dommage qu'aucune rançon ne puisse
80 vous sauver. Puisque ni les paroles affectueuses ni les raisonnements ne peuvent vous faire quitter cet endroit, je prie Dieu d'avoir pitié de votre âme, car je n'aurai pas le courage d'assister à votre trépas. »

Le nautonier sortit aussitôt du palais et Monseigneur Gauvain
85 s'assit sur le lit, tout armé, l'écu au col[9]. Lorsqu'il prit place sur le sommier, les cordes jetèrent un cri, et toutes les cloches se mirent à sonner, éveillant des échos dans le pays tout entier. Toutes les fenêtres s'ouvrirent. Les aventures merveilleuses commencèrent et les enchantements se manifestèrent. Par les fenê-
90 tres entrèrent des flèches, petites ou grosses. Plus de cent flèches frappèrent l'écu de Monseigneur Gauvain sans que ce dernier pût savoir qui les avait tirées. L'enchantement était de telle sorte que nul homme ne pouvait voir les archers qui envoyaient les flèches ni d'où celles-ci venaient. On entendait le grand vacarme
95 des cordes des arcs et des arbalètes qui se détendaient. A ce moment-là, Monseigneur Gauvain aurait bien donné mille marcs[10] pour se trouver ailleurs qu'au palais. Les fenêtres se refermèrent aussitôt sans que personne ne les touchât. Monseigneur Gauvain enleva les grosses flèches qui avaient frappé son
100 écu et l'avaient lui-même blessé en plusieurs endroits de sorte que le sang coulait de ses plaies, mais, avant qu'il les ait toutes retirées, il subit une autre épreuve : un vilain[11] frappa une porte du pied; la porte s'ouvrit et un lion étonnamment grand, fort, féroce et affamé, venant d'un antre derrière la porte, sauta dans
105 la salle et attaqua Monseigneur Gauvain avec grande rage et grande férocité. Le fauve enfonça toutes ses griffes dans l'écu[12] de Gauvain avec autant de facilité qu'il l'aurait fait dans de la cire. Monseigneur Gauvain tomba à genoux, mais se releva aussitôt, tira son épée du fourreau et, d'un seul coup, trancha la tête et les
110 deux pattes de devant du lion. Pour la plus grande joie de Gauvain, les pattes restèrent suspendues à l'écu, une partie des griffes apparaissant devant.

Quand Gauvain eut tué le lion, il s'assit de nouveau sur le lit. Le nautonier revint au palais avec un visage joyeux et trouva son
115 ami installé sur la couche. Il lui dit :

« Messire, je vous garantis que vous ne courrez plus aucun danger. Ôtez votre armure, car les aventures merveilleuses du palais sont terminées pour toujours en raison de votre venue. Ici, vous serez désormais honoré et par les jeunes et par les vieux.
120 Dieu soit béni ! »

9. la sangle de son bouclier passée autour de l'épaule

10. unité monétaire de valeur élevée (d'or ou d'argent)

11. un paysan

12. le bouclier

*Enluminure médiévale
(Bibl. Nat. Paris/J. Vigne)*

Alors vinrent en grand nombre les gentilshommes du palais, revêtus de riches tuniques. Ils se mirent tous à genoux en disant : « Cher et Doux Seigneur, nous vous offrons nos services. Vous êtes celui que nous avons longtemps attendu et désiré. »

CHRÉTIEN de TROYES, *Le Roman de Perceval,* ou *Le Conte du Graal*
(Trad. Henri de Briel, Klincksieck)

observer pour mieux comprendre

Les rubriques ci-dessous correspondent aux quatre parties de ce texte. Vous préciserez pour chacune de ces parties à quelle ligne elle commence et à quelle ligne elle finit.

1. La description : ligne... à ligne...

a/ Quelle est l'impression générale que l'auteur cherche à produire ? Pourquoi précise-t-il qu'il « ne ment pas » (l. 14) ? Dans quel ordre nous présente-t-il ce palais ? Cherche-t-il à faire une description complète ? Sur quel objet attire-t-il plus particulièrement notre attention ? Pourquoi ?

b/ Relevez dans cette description toutes les expressions qui évoquent :
– des matériaux précieux;
– le travail artistique;
– les couleurs et la lumière.

matériaux précieux	travail artistique	couleurs et lumière

2. Le dialogue : ligne... à ligne...

a/ Montrez que le nautonier adresse successivement à Gauvain :

Lieux magiques

— un conseil;
— un ordre (relevez des verbes à l'impératif);
— une menace (relevez des verbes au futur et des verbes à la forme négative).

conseil	ordre	menace

b/ Qu'est-ce qui attire Gauvain dans ce palais? Qu'est-ce que cela nous révèle de son *caractère*?
A quoi estime-t-il avoir droit? Qu'est-ce que ce détail nous apprend sur sa position sociale?
Pourquoi répond-il (l. 55) : « Si je disais cela, j'avouerais que je suis maudit par Dieu et que j'ai perdu l'honneur »?
Quel est le bien le plus précieux pour un chevalier?
Relevez quelques expressions qui montrent qu'il est bien décidé à ne pas écouter le nautonier. De quelle qualité fait-il preuve?

3. Les enchantements : ligne... à ligne...

a/ Relevez trois expressions qui soulignent le caractère surnaturel du fonctionnement des objets dans le palais.
b/ Relevez les expressions qui insistent sur la force et là férocité du lion : en particulier une *comparaison* que vous décomposerez comme vous avez appris à le faire en 6ᵉ :

terme comparé	élément commun	terme comparant

4. Le dénouement : ligne... à ligne...
Comparez les propos du nautonier aux lignes 116 à 120, avec ceux qu'il avait tenus aux lignes 76 à 83.
Qu'est-ce qui nous donne l'impression que tout va très vite à la fin de ce texte?
Pourquoi les gentilshommes du château reconnaissent-ils en Gauvain leur Seigneur?

rassemblons nos idées

Vous avez appris en 6ᵉ à rassembler sur un tableau :
1. le héros d'un récit (le sujet);
2. le but de son action (l'objet);
3. le personnage qui lui a confié sa mission (le destinateur);
4. le ou les personnages en faveur desquels il agit (les destinataires);
5. les personnes ou les objets qui l'aident (les adjuvants);
6. les personnes ou les objets qui s'opposent à lui (les opposants).

Faites ce travail pour le récit que vous venez de lire, selon le modèle ci-dessous :

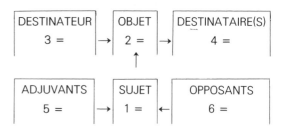

chercher

1. Trouvez, dans des légendes ou dans des contes comme *La Belle et la Bête*, *La Belle au Bois dormant* d'autres exemples de châteaux enchantés.
2. Renseignez-vous sur l'auteur de ce texte, Chrétien de Troyes.
Qui étaient les chevaliers de la Table Ronde?
Le roi Arthur a-t-il réellement existé?

vocabulaire

Cherchez le sens des expressions suivantes; puis employez chacune d'elles dans une phrase de votre invention :
— la vie de château;
— des châteaux en Espagne;
— un château de cartes;
— une visite de château.

du latin au français

1. Le mot « château » vient du latin *castellum* qui a donné en ancien français *chastel*, devenu *châtel*.
Ces mots se retrouvent dans beaucoup de noms de lieux où, à l'origine, se trouvait un château. Cherchez-en : dans votre région — en France — à l'étranger.
2. Le mot « nautonier » vient du latin *nauta* (le marin, le navigateur, qui vient lui-même du grec *nautès*). Connaissez-vous d'autres mots français formés à partir du radical *naut —*?

s'exprimer

1. D'après vos réponses aux questions de la rubrique 2b, rédigez un *portrait* de Gauvain.
2. Un des habitants du château explique à Gauvain le fonctionnement des « enchantements » : faites-le parler, et imaginez les réactions de Gauvain.
3. Racontez une histoire de robots.

Le jardin des Feuillantines

Après avoir suivi son mari, alors commandant, qui servit dans l'armée impériale en Allemagne puis en Italie, la mère de Victor Hugo revient à Paris, avec ses trois fils Abel, Eugène et Victor. Elle se met en quête d'une maison entourée d'un jardin...

Un jour elle rentra radieuse•. Elle avait trouvé !

Elle parla tellement de sa trouvaille qu'il fallut la montrer. Le lendemain, dès le matin, Eugène et Victor y allèrent avec elle. C'était à quelques pas seulement; ils entrèrent dans l'impasse des Feuillantines; au numéro 12 une grille s'ouvrit, ils traversèrent une cour, puis furent dans un rez-de-chaussée. C'était là. Leur mère voulut leur faire admirer la salle à manger et le salon, vastes, hauts de plafond, hauts de fenêtres, pleins de lumière et de chants d'oiseaux, mais elle ne put les retenir dans la maison, ils avaient vu le jardin !

Ce n'était pas un jardin, c'était un parc, un bois, une campagne. Ils s'en emparèrent à l'instant même, courant, s'appelant, ne se voyant plus, se croyant égarés, ravis ! Ils n'avaient pas d'assez grands yeux ni d'assez grandes jambes. Ils faisaient à chaque instant des découvertes. « Sais-tu ce que j'ai trouvé? – Tu n'as rien vu ! – Par ici ! par ici ! » Il y avait une allée de marronniers qui serviraient à mettre une balançoire. Il y avait un puisard[1] à sec qui serait admirable pour jouer à la guerre et pour donner l'assaut. Il y avait des fleurs autant qu'on en pouvait rêver, mais il y avait surtout des coins qu'on n'avait pas cultivés depuis longtemps et où poussait tout ce qui voulait : herbes, plantes, buissons, arbustes, une forêt vierge d'enfant. Il y avait tant de fruits qu'on ne ramassait pas ceux qui tombaient des branches. C'était la saison du raisin; le propriétaire autorisa les garçons au pillage des treilles[2], et ils revinrent ivres.

Le propriétaire était un nommé Lalande qui avait acheté le couvent des Feuillantines quand la révolution l'avait repris aux religieuses. Il en occupait une partie et louait l'autre.

La fête recommença le jour de sortie d'Abel[3]. Ses deux frères lui présentèrent ce paradis qu'il n'aurait, lui, qu'un jour par semaine. Mais la vraie solennité[4], ce fut l'emménagement. Les jours précédents avaient été employés à emballer les soldats de plomb et les canons, à empaqueter les billes et les toupies, à serrer les images dans les cartons, à ne rien oublier, afin de n'avoir pas à revenir. Enfin on partit, on arriva, on fut chez soi dans ce lieu de délices, on y coucha, on s'y réveilla, joie immense !

1. sorte de puits de pierres sèches

2. vigne qui pousse sur un support

3. Abel, qui est l'aîné, va au collège, où il est interne. Il ne rentre à la maison qu'une fois par semaine
4. fête solennelle

Lieux magiques

Les premiers jours appartinrent aux deux frères en toute propriété. Ils n'eurent pas autre chose à faire que de prendre posses-
40 sion de leur nouveau monde, de faire une étude approfondie des
recoins et des broussailles, d'apprendre la géographie de leur
jardin. [...]

L'hiver vint, moins amusant que l'été, mais qui a encore les
boules de neige qu'on se jette au visage, puis le printemps revint,
45 et les boutons d'or, pour lesquels ils avaient une adoration res-
pectueuse et qu'ils craignaient de froisser presque autant que les
bêtes à bon Dieu*. Mais ce qu'ils trouvaient encore de plus beau
dans le jardin, c'était ce qui n'y était pas. C'était ce qu'y mettait
leur imagination d'enfant, aussi infatigable que l'imagination de
50 l'homme à se créer des chimères⁵ et des féeries⁶. Que de choses il
y avait pour eux dans le puisard desséché, où il n'y avait rien !

5. des illusions, des rêves
6. des spectacles merveilleux

Madame Victor HUGO, *Victor Hugo raconté par un témoin de sa vie.*

rassemblons nos idées

1. La maison
a/ Où est-elle située ?
b/ A quoi ressemble-t-elle ? Faites un relevé des termes qui permettent d'en avoir une idée précise.
c/ Qu'en pense la mère des enfants ?
d/ Les trois fils partagent-ils l'opinion de leur mère ?

2. La découverte du jardin
a/ Le jardin
— Est-il pour les enfants plus attirant que la maison ?
Citez la phrase qui nous éclaire à ce sujet.
— Que représente le jardin ? Relevez les mots qui le
qualifient. Qu'en concluez-vous ?
b/ Les enfants
— Comment réagissent-ils ? Quels sont leurs sentiments lors de cette découverte ?
c/ Le rêve
L'imagination des enfants transforme le jardin en un
lieu de rêve.
A l'aide du tableau ci-dessous, faites un relevé des
mots qui désignent les parties du jardin *réel* et ceux
qui sont du domaine du *rêve*.

réalité	rêve

comparer : prose et poésie

Vous venez de lire un texte en prose décrivant le
jardin des Feuillantines. Voici quelques vers de
Victor Hugo évoquant le même jardin extraits de
Ce qui se passait aux Feuillantines vers 1813 :
« J'eus dans ma blonde enfance, hélas! trop éphémère,
Trois maîtres : un jardin, un vieux prêtre et ma mère.
Le jardin était grand, profond, mystérieux,
Fermé par de hauts murs aux regards curieux,
Semé de fleurs s'ouvrant ainsi que des paupières,
Et d'insectes vermeils qui couraient sur les pierres,
Plein de bourdonnements et de confuses voix;
Au milieu, presque un champ, dans le fond,
[presque un bois. »

Quel texte préférez-vous ? Dites pourquoi.

chercher

Dans le recueil *Les Contemplations*, le poème de
Victor Hugo *Les Feuillantines*.

s'exprimer

1. Il vous est sûrement arrivé de découvrir un
endroit « magique ». Décrivez-le.
2. Racontez l'un des jeux cités par les enfants en le
faisant devenir bien réel. N'oubliez pas de décrire le
décor que constitue le jardin.

Pierre Bonnard, Le Jardin (Paris, Musée du Petit Palais. Giraudon/A.D.A.G.P./S.P.A.D.E.M. 1987)

la description

Nous avons déjà abordé à la fin de *Au plaisir des mots 6ᵉ* les problèmes de la description. Comme ils sont nombreux, nous y revenons à l'occasion de ce chapitre consacré aux lieux.

Les questions qu'on se pose le plus souvent lorsqu'on veut décrire un lieu sont les suivantes :

— dans quel ordre présenter les différentes parties de ce lieu ? (c'est le problème du **plan** de la description)

— à quoi peut servir cette description ? (c'est le problème de la **fonction** de la description)

— comment rédiger la description ? (c'est le problème du **style** de la description).

■ *Relisez la description du lit merveilleux (p. 58) : à quel moment Chrétien de Troyes porte-t-il une appréciation sur la qualité de ce lit ?*

Quels détails choisir ? On ne peut pas tout décrire (voyez ce que dit Chrétien de Troyes, p. 58, l. 12).

On retiendra quelques détails importants et caractéristiques.

— *Quelle est la pièce de la maison qu'H. Pérol décrit le plus précisément (p. 47) ? Pourquoi ?*
— *Faites la même recherche à propos du texte de A. Daudet.*
— *Pourquoi Chrétien de Troyes s'attarde-t-il si longtemps sur la description du lit (p. 58) ?*

Le choix de ces détails dépend du rôle joué par la description dans l'ensemble du texte.

le plan de la description

Nous avons vu dans *Au plaisir des mots 6ᵉ* qu'en général une description comportait d'abord une **vue d'ensemble** du lieu ou de l'objet, suivie d'un certain nombre de **détails caractéristiques** (en termes de cinéma, un plan général, suivi de plusieurs gros plans).

■ *Les deux parties de la description peuvent être séparées par un récit : voyez par exemple l'introduction, puis le texte de Chrétien de Troyes (p. 58). A quel moment la description du château reprend-elle ? Pourquoi ?*

■ *Quand il s'agit d'un bâtiment, on décrit en général d'abord l'aspect extérieur, puis l'intérieur :*
— *dans le texte d'H. Pérol, (p. 46), recherchez les deux passages consacrés à la description de la maison : que constatez-vous ?*
— *dans le texte de Chrétien de Troyes, quelle partie du château est d'abord décrite (l. 2) ?*

Dans un récit, un bâtiment est le plus souvent décrit du point de vue d'un personnage qui s'en approche puis y pénètre.
L'impression d'ensemble produite par le lieu ou l'objet décrit est en général évoquée à la fin et/ou au début de la description.

■ *Relevez dans le texte d'H. Pérol (p. 46), les deux passages où l'auteur parle de la réaction de Chadia face à la maison : où sont-ils situés ?*

la fonction de la description

1. Une description peut jouer plusieurs **rôles.** Notamment :

— **situer** le lieu d'un événement important;

— **exprimer** le caractère d'un personnage qui habite ce lieu (ou nous renseigner sur sa position sociale);

— **suggérer** l'atmosphère qui règne dans ce lieu, en accord parfois avec les événements qui s'y déroulent et la personnalité de ceux qui l'habitent.
Exemples :

— Chrétien de Troyes décrit longuement le lit merveilleux pour situer le lieu où vont se produire les enchantements (l. 86 à 112, p. 60).

— H. Pérol décrit la décoration du salon (p. 47, l. 34) pour exprimer le désir de beauté qui anime Sami, malgré sa pauvreté (que révèle la modestie du mobilier).

2. Selon le rôle que l'on veut faire jouer à la description :
le **plan** sera différent.

■ *Par exemple, Mme Hugo décrit-elle d'abord l'extérieur ou l'intérieur?*

le **choix des détails** sera différent.

— Si le lieu ou l'objet doit jouer un rôle important

dans la suite de l'action, il faudra donner des précisions sur sa disposition, sur son fonctionnement.

Exemple : Chrétien de Troyes décrit très précisément l'emplacement des clochettes suspendues au sommier parce qu'elles vont se mettre à sonner lors de l'épisode des enchantements.

— Si le lieu ou l'objet doit nous renseigner sur la personnalité d'un héros, il faudra faire attention aux signes qui peuvent la révéler.
Exemple : H. Pérol parle d'« un lustre Venise en plastique » pour montrer à la fois le désir de beauté de Sami (« Venise ») et sa pauvreté (« en plastique »).

— Si le lieu ou l'objet doit créer une atmosphère, on insistera surtout sur les éclairages, les couleurs, les parfums, les bruits.

■ *Décrivez, comme dans un roman policier avec une extrême minutie, le lieu où vient de se produire un crime.*

■ *Journaliste, vous rendez visite à une vedette célèbre pour son snobisme et ses goûts excentriques : décrivez son intérieur.*

■ *Décrivez un endroit où vous avez été particulièrement heureux ou malheureux.*

le style de la description

Il sera en accord avec l'impression d'ensemble que l'on cherche à produire. Examinons quelques procédés qui vous y aideront.

1. Les liaisons syntaxiques

Si l'on veut en peu de phrases montrer comment différents objets sont disposés les uns par rapport aux autres, on utilisera :
— des **GN prépositionnels** (notamment CC de lieu)
— des **propositions relatives.**

■ *Relevez des exemples de ces liaisons dans ce passage du texte de F. Carter (p. 48) :*
« Elle était à flanc de montagne, derrière un rideau de laurier. Il n'était pas très grand, ce monticule couvert d'herbe sur lequel se penchait un vieux liquidambar. »

Vous choisirez prépositions et compléments circonstanciels de lieu, en fonction du degré de précision que vous voudrez donner à la description.

■ *Laquelle de ces deux phrases auriez-vous employée*
— pour décrire le bureau de poste de votre quartier?
— pour décrire le lieu d'un hold-up?
« Le guichet se trouvait au fond de la salle, assez loin de la porte d'entrée. »
« Le guichet se trouvait au fond de la salle, à cinq mètres cinquante de la porte d'entrée. »

Si vous voulez donner beaucoup de précisions évitez l'emploi de la préposition **avec.** Vous pouvez en revanche l'employer (sans la répéter trop souvent) si vous souhaitez donner une idée générale du lieu ou de l'objet.

■ *Comparez les deux phrases suivantes :*
« Le lit reposait sur quatre statuettes d'or en forme de chiens, et ces statuettes, sur quatre roues si mobiles qu'il suffisait de frapper le lit d'un seul doigt pour qu'il traverse toute la salle. » (p. 58) ;
« Il y avait deux pièces : une chambre avec un lit aux montants de fer, puis un salon... » (p. 47) ;

Pourriez-vous employer la préposition avec dans la première phrase? A quel endroit? Serait-ce souhaitable?
Pourriez-vous dans la seconde phrase remplacer la préposition avec par une autre expression? Serait-ce souhaitable?

2. La juxtaposition

Vous pouvez aussi choisir de ne pas relier entre eux les différents éléments décrits, et vous contenter de les juxtaposer.
Vous ferez ainsi une simple **énumération,** sans préciser la disposition des objets les uns par rapport aux autres :
— si vous recherchez la plus grande simplicité;
— si vous voulez produire un effet d'accumulation, comme Mme Hugo pour montrer la richesse du jardin des Feuillantines :

« il y avait surtout des coins qu'on n'avait pas cultivés [...] et où poussait tout ce qui voulait : herbes, plantes, buissons, arbustes, une forêt vierge d'enfant. » (p. 63).

la description

3. Les verbes

Nous avions vu dans *Au plaisir des mots 6ᵉ* qu'il valait mieux choisir des verbes économiques (qui permettent de se passer d'une préposition, par exemple) et expressifs (qui traduisent une impression), plutôt que des verbes passe-partout comme « être » ou « se trouver ».

■ *Relevez dans la phrase suivante les verbes employés par H. Pérol : sont-ils bien adaptés aux objets décrits? sont-ils expressifs?*

« une table sur laquelle trônait un poste à transistor, un lustre « Venise » en plastique qui pendait du plafond, et dans un coin, un meuble à étagères où étaient rangés quelques livres. » (p. 47).

L'expression « il y a » ne doit pas être trop souvent répétée, sauf pour produire un effet d'accumulation.

■ *Relisez à ce propos la description du jardin des Feuillantines (p. 63, l. 11).*

On l'emploiera surtout dans les phrases d'introduction :
« Il y avait deux pièces : une chambre... » (p. 47).

On peut très bien se passer de verbe dans certaines parties de la description. On rédigera alors une « phrase nominale », qui évitera la répétition du même verbe.

■ *Relisez dans le texte d'H. Pérol la ligne 14 : relevez une phrase nominale.*

4. Les adjectifs

Vous les multiplierez si vous voulez donner du **pittoresque** à votre description.
Vous les choisirez de sens voisin si vous désirez créer une **impression d'ensemble.**

■ *Relevez les différents adjectifs de couleur employés par Chrétien de Troyes (l. 8 à 10, p. 58).*

5. L'ordre des mots

Il peut aussi donner à votre description un caractère expressif.
Par exemple, vous pourrez mettre en relief une qualité, un aspect ou une partie du lieu décrit en la plaçant en tête de phrase :

« Il n'était pas très grand, ce monticule... » (p. 48) ;
« Quant au palais, croyez-moi, aucune de ses parties n'avait été édifiée en pierre crayeuse... » (p. 59).

> **En résumé :** vous donnerez une unité à votre description en faisant concourir tous les détails à une même impression d'ensemble, et vous éviterez la monotonie en variant les procédés stylistiques.

3/Conquêtes et découvertes

Le périple d'Hannon

Jacques Lacarrière nous traduit le plus ancien récit d'exploration dont le texte nous soit parvenu : il date du sixième siècle avant Jésus-Christ, fut écrit à Carthage, en langue punique, et nous raconte comment « les Carthaginois décidèrent d'envoyer Hannon explorer les côtes de la Libye situées au-delà des Colonnes d'Hercule pour y fonder des établissements phéniciens. Hannon partit donc à la tête d'une flotte de soixante vaisseaux, emmenant en tout trente mille personnes ».

Au-delà des Lyxites[1], dans l'intérieur des terres, habitent des Éthiopiens très difficiles à approcher. On les appelle même, par ici, les Inhospitaliers. Leur région est infestée de bêtes fauves et entourée de hautes montagnes[2] où le Lyxus prendrait sa source.
5 Au milieu de ces montagnes vivent des indigènes d'aspect très étrange, les Troglodytes, qui courent plus vite, dit-on, que les chevaux.

Nous prîmes des Lyxites pour interprètes et continuâmes à naviguer pendant douze jours en direction du sud, en longeant
10 des côtes désertes.

Puis [...] nous sommes arrivés dans un grand estuaire où se trouvaient trois îles, plus grandes que Cerne[3]. Nous avons doublé ces îles en direction du fond de l'estuaire que nous avons atteint au bout d'une journée de navigation. Sa rive est dominée par de
15 hautes montagnes habitées par des sauvages revêtus de peaux de bêtes qui nous jetèrent des pierres pour nous empêcher d'approcher.

En continuant notre navigation, nous atteignîmes un fleuve très grand et très large rempli de crocodiles et d'hippopotames.
20 De là, nous avons fait demi-tour et regagné Cerne.

De Cerne, nous avons repris notre navigation en direction du sud, pendant douze jours, au cours desquels nous longeâmes des côtes habitées par des Éthiopiens qui prirent la fuite en nous apercevant. Leur langue était inconnue de nos interprètes lyxi-
25 tes[1]. Le dernier jour, nous mouillâmes au pied de hautes monta-gnes couvertes d'arbres très divers, mais tous odoriférants[4].

Après avoir pendant deux jours côtoyé des montagnes, nous arrivâmes dans un golfe immense dont les rives étaient très plates[5] et où, la nuit, nous vîmes briller des feux qui changeaient
30 constamment de place et d'éclat.

Nous fîmes provision d'eau et nous repartîmes. Nous naviguâ-mes pendant cinq jours le long des côtes et arrivâmes dans un autre golfe, très grand, que les interprètes dirent se nommer la Corne du Couchant[6]. Une grande île se trouvait dans ce golfe.
35 Dans cette île, il y avait un lac salé et, sur le lac, un îlot. Nous débarquâmes dans l'île en question qui était couverte de forêts.

1. nomades hospitaliers vivant le long du fleuve Lyxus, grand fleuve venant de Libye

2. sans doute les contreforts de l'anti-Atlas

3. au fond d'un golfe « à l'opposé de Carthage », îlot où la flotte a fondé une colonie ; sans doute la baie d'Arguin au sud du Cap Blanc

4. parfumés

5. sans doute le golfe de Bénin

6. peut-être le golfe de Guinée

Mais, pendant la nuit, nous avons aperçu de grands feux et entendu un vacarme assourdissant de timbales, de tambours et de cris, à tel point que nous prîmes peur et quittâmes l'île rapide-
40 ment.

Nous fîmes voile, le plus vite possible, et longeâmes une côte torride* d'où nous arrivaient des parfums merveilleux et où des torrents de feu coulaient vers la mer. La chaleur rendait la terre inabordable.

45 Alors la peur nous saisit de nouveau et nous continuâmes à naviguer à toutes rames, pendant quatre jours. La dernière nuit, nous aperçûmes une terre couverte de flammes au centre de laquelle s'élevait une colonne de feu si haute qu'elle semblait toucher le ciel. C'était un volcan, qu'on appelle, dit-on, le *Théon*
50 *Ochéma,* le Char des Dieux[7].

Au bout de trois jours de navigation, nous arrivâmes à un golfe appelé la Corne du Sud. Au fond de ce golfe, une île très semblable à celle dont nous avons déjà parlé contenait, elle aussi, un lac. Dans ce lac il y avait une autre île peuplée d'hommes
55 sauvages. Les femmes étaient hideuses et entièrement velues. Les interprètes nous dirent que c'étaient des gorilles[8]. Nous poursuivîmes les mâles, mais ils s'enfuirent avec agilité et nous lancèrent des pierres. Nous pûmes prendre trois femelles qui refusèrent de nous suivre ; elles mordaient et griffaient ceux qui les mainte-
60 naient, si bien qu'il fallut les tuer. On les dépouilla pour rapporter les peaux à Carthage[9]. Les vivres nous manquant, nous arrêtâmes là notre navigation.

7. termes de grec ancien, désignant sans doute la chaîne volcanique des Monts Cameroun

8. appelés dans le texte punique « peaux de Gorgone » ; vus dans le golfe du Gabon

9. elles y furent déposées, à l'époque, dans le temple de Saturne, ainsi que le texte du périple

Les Plus Anciens Voyages du monde traduits par Jacques LACARRIÈRE,
En cheminant avec Hérodote (Coll. Pluriel, Seghers)

Carte médiévale représentant la région du Nil (Londres, Bristish Museum/Archives Snark)

Conquêtes et découvertes

rassemblons nos idées

1. Un journal de bord

Ce récit de voyage est sobre et sec ;

a/ Quelles indications de lieux, de peuples, de distances (ou durée du voyage) nous donne-t-il ?

b/ Quels termes nous prouvent qu'il s'agit d'une navigation ? Par quels moyens fut-elle effectuée ?

c/ Quel problème matériel se pose par deux fois aux voyageurs ?

2. Les forces naturelles

a/ Quels dangers de ce type menacent les voyageurs ?

b/ Comment expliquez-vous le nom donné au volcan ?

3. Les indigènes

a/ Quels peuples sont nommés tour à tour ? Que pensez-vous des surnoms, appositions, capacités qui leur sont attribués ?

b/ Quels sont ceux qui sont décrits comme des animaux ?

c/ A l'inverse, quels animaux sont décrits comme des hommes ?

4. L'inconnu

a/ Comment se manifeste-t-il ? Quelles réactions provoque-t-il ?

b/ Quel est le rôle joué par les interprètes ?

vocabulaire

Cherchez l'étymologie et le sens des mots suivants : un périple, une circumnavigation, une tournée, un voyage, une croisière, une exploration. Employez-les dans une phrase.

chercher

— qui désignent les mots « carthaginois, puniques, phéniciens » et renseignez-vous sur ces hardis navigateurs et leurs colonies ;

— des documents sur le mythe de la Gorgone.

comparer

en vous appuyant sur ce texte carthaginois, vieux de 2 600 ans, ce que J. Lacarrière dit, dans son prélude *Pour Hérodote,* des voyages antiques, avec notre conception moderne du voyage :

Aujourd'hui, en ce siècle blasé[1] et avide de sensations exotiques[2] on se dirait : quelle chance eurent ces voyageurs de découvrir l'indécouvert, d'explorer l'inconnu, de se mesurer à l'immesurable ! Mais eux, ces voyageurs, ces logographes[3], ne pensaient guère ainsi, d'après ce qu'on en sait. Voyager, surtout par mer sur des bateaux (disons plutôt sur des esquifs[4]) sans la moindre quille, gréés[5] sommairement, incapables de naviguer de nuit ou d'affronter la haute mer, n'avait guère de rapport avec une croisière aux îles enchantées. Les textes cités en annexe, notamment *Le Périple d'Hannon,* sont suffisamment éloquents[6] là-dessus. On ne s'aventurait alors sur les mers que pour des raisons très impérieuses[7] et, le plus souvent, contraint et forcé. Je n'en donnerai qu'un exemple, mentionné par Hérodote à propos du voyage africain du Perse Sataspe. Ce dernier avait été condamné par le roi Xerxès au supplice du pal[8] pour avoir violé une jeune fille noble. Mais la sœur du Grand Roi proposa à ce dernier d'infliger à Sataspe un supplice pire encore que le pal : partir le long des côtes d'Afrique et en rapporter un récit ! Or — car ce n'est pas tout — Sataspe partit bien vers le sud mais, harassé, déprimé et terrorisé par ce périple, il préféra rentrer en Perse et s'y faire empaler que de continuer le voyage ! Voilà de quoi, alors, il retournait. Rien de très romantique, on le voit.

J. LACARRIÈRE, *En cheminant avec Hérodote* (Seghers).

1. qui n'éprouve plus de plaisir à rien, revenu de tout
2. qui sont apportées des pays lointains
3. premiers prosateurs grecs, historiens d'avant Hérodote
4. petites embarcations légères
5. équipés de voiles et de cordages simplement
6. parlants, révélateurs
7. pressantes, irrésistibles
8. pieu aiguisé sur lequel on empalait

s'exprimer

a/ Imaginez le récit du Perse Sataspe et ce qui, dans son périple le long des côtes d'Afrique, a pu le rendre « harassé, déprimé et terrorisé ».

b/ Êtes-vous « avide de sensations exotiques » ? Quelle exploration dangereuse aimeriez-vous accomplir de nos jours ?

« Jérusalem ! »

Au Moyen Âge, les pauvres de Dieu, portés par leur foi naïve, sont partis en croisade, accompagnant la grande armée. Mourant par milliers, au cours des combats, ou de froid, de maladie, de faim, de soif, désespérés par la traversée des déserts, ils poursuivent cependant leur route, dans l'espoir de découvrir Jérusalem, objet de rêves immenses…

Ce jour-là, les clairons sonnèrent victoire, et si longtemps et si fort

et si fort fut le chant qui sur une demi-lieue[1], tout au long du grand convoi de l'armée, retentit, passa de bouche en bouche, de

5 camp en camp, tout au long de la route qui contournait la grande colline plate – si fort fut ce chant, et si assourdissants les battements de tambours, les sons des cors, que personne n'eut plus soif, miracle, cette musique et ces chants étaient l'eau du ciel.

10 Jérusalem en vue ! L'avant-garde, et l'armée des Normands sont dans les abords de la ville. On le savait – au bout d'une demi-heure jusqu'aux traînards du dernier convoi, on le savait. Ils étaient à moins d'une lieue de Jérusalem.

1. la lieue est une ancienne mesure de distance, d'environ quatre kilomètres

Jérusalem.
Enluminure médiévale
de 1455
(Bibl. Nat. Paris)

De leurs yeux de pécheurs, de Normands de Normandie, de
15 Flamands des Flandres, de leurs yeux de chair ils la voient, ce
n'est pas possible. C'est une vision comme il en vient dans les
déserts.

Le cri qui s'élevait toujours plus haut se répercutait[2] en écho
contre les pentes rocheuses, le cri ne trompait pas. Elle est là !
20 Elle est là on la voit ô la merveille ô la sainte, venez, venez tous !
Tous, chrétiens ne tardez pas, avancez, ce n'est pas le temps du
repos !

De là où ils sont on peut la voir comme sur la paume de la
main, avancez, aiguillonnez[3] vos bêtes, tirez, encore un effort, on
25 boira sur le plateau.

Le soleil montait. Vous boirez, mes enfants, vous boirez mes
amis, quand nous serons en vue de Jérusalem, vous boirez à
Jérusalem, elle est là, les promesses[4] sont tenues.

[...] Plus on avançait, plus les cris, derrière le tournant, deve-
30 naient ardents[5] et prolongés. Personne ne pouvait plus penser, on
avançait vers ce cri, ce cri était un tourbillon où les corps
s'engouffraient, où les corps étaient attirés par un gigantesque
coup de vent.

Ils arrivaient – ils arrivaient sur le plateau, ils titubaient[6] et
35 couraient comme ivres et tombaient, on voyait à travers les
rangées d'hommes assis et agenouillés sur la pente on voyait
plus un chrétien qui restât à cheval. Tous par terre et prosternés,
frappant de la tête les pierres du sol.

Le soleil était haut dans le ciel. Sous l'énorme plaque chaude
40 d'un ciel bleu vif elle s'étalait. Blanche. Terriblement blanche,
avec ses coupoles et ses minarets[7] peints en bleu et or, comme des
morceaux de soleil. Étalée sur les collines, ses murailles blanches
bordées de verdure noirâtre plongeant dans le creux des vallées.
Blanche parmi les pentes rocheuses parsemées de buis noirs, et les
45 taches argentées des oliveraies.

Buvez chrétiens, buvez, cette eau est sainte qui est bue devant
Jérusalem. Buvez, que cette eau vous soit une eau de vraie vie,
afin que tous d'un même cœur vous chantiez alléluia[8]. Les
femmes passaient avec louches et cruches, silencieuses et appro-
50 chant l'eau des bouches enflées[9]. Les femmes de l'armée étaient
maigres et légères, lasses à ne plus sentir leurs corps.

Frère Barnabé[10] chantait, les deux bras levés, il chantait de sa
voix rauque[11] qui brisait sa poitrine. Ô que je voie ô que je voie les
murs de Sion[12].

55 Nous monterons tous vers la montagne sainte, nous adorerons
le Seigneur dans Jérusalem !

Les bras levés, les mains ouvertes étendues vers la ville. Ses
grands yeux n'avaient plus de regard, ils n'étaient que feu ardent
et figé, il voyait sans voir, Jérusalem était tout entière dans ses
60 yeux comme un océan de soleils. Son chant se muait• en cri, il

2. était renvoyé dans une direction nouvelle

3. piquez, excitez avec un long bâton muni d'une pointe de fer

4. de Dieu selon lesquelles les chrétiens entreraient à Jérusalem
5. emportés, vifs

6. chancelaient, vacillaient

7. tours d'une mosquée (la ville appartient aux Musulmans)

8. cri de louange et de joie, terme religieux signifiant « louez le Seigneur »
9. par la soif : ils ont gardé leurs dernières rations d'eau pour l'arrivée
10. frère en rupture de couvent qui dirige un groupe de croisés de la région d'Arras
11. voilée, éraillée (il est malade)
12. nom de l'ancienne citadelle de Jérusalem, qui s'étend à la ville tout entière ; nom de la Jérusalem céleste

levait les bras toujours plus haut, ses bras devenaient si raides qu'il ne pouvait plus les plier, ses jambes devenaient raides il ne pouvait tomber à genoux.

Ils étaient là. Ses pauvres, ce qui en restait. Leur cœur brûlé par la sainte vision. Dieu ait pitié des cœurs brûlés !

65

Zoé OLDENBOURG, *La Joie des pauvres,*
(Folio, Gallimard)

rassemblons nos idées

1. Le cri

a/ Qu'est-ce que ce jour-là a de particulier ? Quel temps verbal le marque ?

b/ Par quel procédé l'auteur donne-t-il l'impression dans les premier et deuxième paragraphes que le cri se répercute ?

c/ Dans quels passages nous rapporte-t-on les paroles des chrétiens ? De quelle façon ?

2. La sainte vision

a/ Quels sentiments et quels gestes provoque cette vision chez les pèlerins ? Relevez les termes qui les expriment.

b/ Quelle couleur caractérise Jérusalem ? Pourquoi l'auteur insiste-t-il sur cette couleur ?

c/ Quels mots soulignent que cette vision est sainte, attendue ? A quoi Jérusalem est-elle comparée par deux fois ?

3. Cette eau

a/ Cherchez toutes les expressions du texte qui font allusion à l'eau. Relevez, en particulier, deux C.D.N. qui déterminent ce mot.

b/ Pourquoi cette eau est-elle sainte ?

4. Frère Barnabé

a/ Par quelles attitudes exprime-t-il son émotion ?

b/ Quels termes le montrent comme halluciné ?

c/ Quels sentiments contradictoires éprouve-t-il ?

chercher

des renseignements sur Jérusalem :
— la ville sainte ;
— sa situation géographique ;
— les croisades.

s'exprimer

a/ En imitant le style de cet extrait, essayez de rendre l'émotion d'une foule lors d'un grand événement.

b/ « Les promesses sont tenues » : avez-vous déjà ressenti cette conviction ? A quelle occasion ?

Les conquérants

Comme un vol de gerfauts[1] hors du charnier[2] natal,
Fatigués de porter leurs misères hautaines[3],
De Palos de Moguer[4], routiers[5] et capitaines
Partaient, ivres d'un rêve héroïque et brutal.

5   Ils allaient conquérir le fabuleux[6] métal
Que Cipango[7] mûrit[8] dans ses mines lointaines,
Et les vents alizés[9] inclinaient leurs antennes[10]
Aux[11] bords mystérieux du monde occidental.

Chaque soir, espérant[12] des lendemains épiques[13],
10 L'azur phosphorescent de la mer des Tropiques
Enchantait leur sommeil d'un mirage° doré ;

Ou, penchés à l'avant des blanches caravelles°,
Ils regardaient monter en un ciel ignoré[14]
Du fond de l'Océan des étoiles nouvelles[15].

José-Maria de HÉRÉDIA, *Les Trophées.*

1. rapaces voisins des faucons utilisés au Moyen Âge pour la chasse
2. il s'agit de l'endroit où les oiseaux apportent leurs proies
3. dignes
4. port espagnol d'où partit Christophe Colomb
5. soldats aventuriers

6. légendaire
7. nom ancien du Japon
8. d'après les alchimistes les métaux mûrissent comme des fruits dans la terre
9. vents d'est dans la zone tropicale
10. leurs mâts
11. vers les

12. ce sont les conquérants qui espèrent
13. dignes de figurer dans une épopée (poème racontant des actions héroïques collectives)

14. inconnu

15. les étoiles de l'hémisphère austral ne sont pas les mêmes que les nôtres

observer pour mieux comprendre

1. « Comme un vol de gerfauts »... (v. 1 à 4)

a/ Vous avez étudié la comparaison en 6e (*Au plaisir des mots 6e* p. 44 et pp. 75-76) et vous pouvez donc comprendre la comparaison qui ouvre le poème de Hérédia. Complétez le tableau suivant :

terme comparé	éléments communs	mot de comparaison	comparant
Les conquérants (nommés par le titre et par « ils »)			

b/ Relevez dans le premier quatrain les adjectifs qualificatifs définissant les conquérants. Essayez de dégager le portrait de ces personnages.

2. « Ils allaient conquérir le fabuleux métal » (v. 5 à 11)

a/ Quel est le but essentiel du voyage des conquérants ?
b/ Le fabuleux métal n'est jamais expressément nommé. Quels mots le désignent ? Pouvez-vous l'identifier ?
c/ Relevez les mots qui évoquent le rôle de l'imagination.

3. « des étoiles nouvelles » (v. 12 à 14)

a/ Au vers 12, quel sentiment l'attitude des conquérants traduit-elle ?
b/ Trouvez le sujet du verbe monter. Pourquoi occupe-t-il, à votre avis, cette place ?
c/ Quel est le spectacle évoqué dans les deux derniers vers ? Quelle signification peut-il avoir pour les conquérants ? Pour vous ? Pour le poète ?

Ex-Voto de J. Dalier, Les Côtes septentrionales (Giraudon)

4. Le sonnet

Nous avons affaire ici à un *sonnet,* poème à forme fixe composé de quatorze vers de mètre identique, répartis en deux *strophes* de quatre vers (ou quatrains) et deux strophes de trois vers (ou tercets).

A l'aide du dossier sur la versification (p. 288), répondez aux questions suivantes :

a/ Tous les vers ont-ils le même nombre de *pieds* ? Combien ? Comment appelle-t-on ce type de vers ?

b/ Combien y a-t-il de *rimes* dans les deux premières strophes ? Comment sont-elles disposées ? Sont-elles pauvres, suffisantes, ou riches ?

c/ Combien y a-t-il de *rimes* dans les deux dernières strophes ? Comment sont-elles disposées ?

d/ En vous aidant des indications fournies page 57, cherchez la place des *accents* dans les vers de ce poème. Puis relisez-le dans son ensemble à haute voix.

vocabulaire

Employez dans un seul petit texte les mots suivants : « alizés » - « héroïque » - « mystérieux » - « occidental » - « azur » - « phosphorescent » et « mirage ». Ce texte ne devra plus parler de conquérants mais de sportifs.

s'exprimer

1. Aimeriez-vous découvrir des terres inconnues ? Pourquoi ?

2. En vous inspirant du sonnet de Hérédia, composez un poème en l'honneur des cosmonautes.

Une lettre
de Christophe Colomb

Lors de sa première expédition, en 1492, Christophe Colomb découvrit les Grandes Antilles (appelées aussi Caraïbes). Il écrivit alors à Luis de Santangel, Intendant d'Espagne, pour l'informer de « l'issue triomphale » de son voyage. Il lui décrit les îles qu'il a découvertes, pour convaincre les souverains espagnols qu'on peut en tirer toutes sortes de richesses et que les indigènes sont pacifiques. Parmi ces îles, celle d'Haïti, que Christophe Colomb baptise Hispaniola (petite Espagne), est particulièrement remarquable...

Cette île est, ainsi que toutes les autres, fertile* au suprême degré, mais celle-ci plus encore que les autres. Elle a sur la rive de la mer nombre de ports auxquels ceux de la Chrétienté que je connais ne sauraient être comparés, et à foison des fleuves si beaux et si grands que c'est merveille. Les terres de ces îles sont
5 élevées, et on y rencontre beaucoup de sierras[1] et d'immenses montagnes, incomparablement plus hautes que l'île de Ténériffe[2], toutes magnifiques, de mille formes, toutes accessibles et pleines d'arbres de mille essences, si hauts qu'ils semblent
10 atteindre au ciel, et dont je me suis persuadé qu'ils ne perdent jamais leurs feuilles, selon ce que j'ai pu comprendre, les voyant aussi verts et aussi beaux qu'ils le sont au mois de mai en Espagne. Certains étaient en fleur, d'autres avaient leurs fruits, les autres se trouvaient en un état différent selon leur espèce. Et
15 le rossignol et mille autres sortes d'oiseaux chantaient en ce mois de novembre partout où je suis passé.

Il y a des palmiers de six ou huit essences dont la belle diversité ravit les yeux d'admiration, mais aussi celle des autres arbres, des fruits et des herbes. Il y a là encore des pinèdes en
20 quantité, des campagnes magnifiques et du miel, toutes sortes de volatiles et des fruits fort divers. A l'intérieur des terres, il y a maintes mines de métaux et d'innombrables habitants.

L'Hispaniola est une merveille : les sierras et les montagnes, les plaines et les vallées, les terres si belles et grasses, bonnes
25 pour planter et semer, pour l'élevage des troupeaux de toutes sortes, pour édifier des villes et des villages. On ne croira pas sans les avoir vus ce que sont ses ports de mer et ses fleuves nombreux, grands, aux bonnes eaux, et dont la plupart charrient de l'or. [...] Dans l'Hispaniola, on trouve beaucoup d'épices, de
30 grandes mines d'or et d'autres métaux. Les gens de cette île et de toutes les autres que j'ai découvertes ou dont j'ai eu connaissance vont tout nus, hommes et femmes, comme leurs mères les enfantent[3], quoique quelques femmes se couvrent un seul endroit

1. mot espagnol : montagnes au relief allongé

2. la plus grande des îles Canaries, à l'ouest du Maroc

3. comme des nouveau-nés

du corps avec une feuille d'herbe ou un fichu de coton qu'à cet
35 effet elles font. Ils n'ont ni fer, ni acier, ni armes, et ils ne sont
point faits pour cela; non qu'ils ne soient bien gaillards[4] et de
belle stature, mais parce qu'ils sont prodigieusement craintifs. Ils
n'ont d'autres armes que les roseaux lorsqu'ils montent en
graine, et au bout desquels ils fixent un bâtonnet aigu. Encore
40 n'osent-ils pas en faire usage, car maintes fois il m'est arrivé
d'envoyer à terre deux ou trois hommes vers quelque ville pour
prendre langue[5], ces gens sortaient, innombrables mais, dès qu'ils
voyaient s'approcher mes hommes, ils fuyaient au point que le
père n'attende pas le fils. Et tout cela non qu'on eût fait mal à
45 aucun, au contraire, en tout lieu où je suis allé et où j'ai pu
prendre langue, je leur ai donné de tout ce que j'avais, soit du
drap, soit beaucoup d'autres choses, sans recevoir quoi que ce
soit en échange, mais parce qu'ils sont craintifs sans remède.

Il est vrai que, lorsqu'ils sont rassurés et ont surmonté cette
50 peur, ils sont à un tel point dépourvus d'artifice[6] et si généreux de
ce qu'ils possèdent que nul ne le croirait à moins de l'avoir vu.
Quoi qu'on leur demande de leurs biens, jamais ils ne disent non;
bien plutôt invitent-ils la personne et lui témoignent-ils tant
d'amour qu'ils lui donneraient leur cœur. Que ce soit une chose
55 de valeur ou une chose de peu de prix, quel que soit l'objet qu'on
leur donne alors en échange et quoi qu'il vaille, ils sont contents.
Je défendis qu'on leur donnât des objets aussi misérables que des
tessons d'écuelles cassées, des morceaux de verre ou des pointes
d'aiguillettes[7], quoique, lorsqu'ils pouvaient obtenir de telles
60 choses, il leur semblait posséder les plus précieux joyaux du
monde. Il est arrivé que, pour une aiguillette, un marin obtînt le
poids de deux castillans[8] et demi d'or, et que d'autres, pour des
objets qui valaient beaucoup moins, eussent obtenu bien plus
encore. [...]

65 Aussi cela me sembla-t-il mal et je l'interdis. Je leur donnais
mille gracieuses et bonnes choses de celles que j'apportais afin
qu'ils en prissent amour de nous. D'autant qu'ils se feront chrétiens, qu'ils inclinent déjà à aimer et à servir Leurs Altesses ainsi
que toute la nation castillane et qu'ils s'efforcent à nous aider et
70 à nous fournir toutes les choses qu'ils possèdent en abondance et
qui nous sont nécessaires.

Ils ne font profession d'aucune secte ou idolâtrie[9], mais
croient tous que les forces et le bien sont dans le ciel. Ils
croyaient aussi très fermement que j'en venais avec mes navires
75 et mes gens. C'est dans cette révérence[10] qu'ils me reçurent partout, sitôt leur crainte dissipée. Et cela ne procède[11] pas d'ignorance, car ils sont hommes de très subtil entendement[12], navi-
guent sur toutes ces mers, et c'est merveille comme ils rendent
compte exact de tout, mais c'est qu'ils n'avaient jamais vu ni
80 hommes vêtus ni navires semblables aux nôtres.

4. robustes

5. pour prendre contact par des conversations

6. de ruse

7. cordons munis d'extrémités métalliques, servant à fermer ou à décorer un costume militaire

8. unité monétaire espagnole

9. culte des idoles

10. ce respect

11. ne provient pas

12. intelligence

Christophe Colomb accueilli par des Indiens (Hachette)

Aussitôt que j'arrivai aux Indes, je pris par force quelques-uns des habitants pour qu'ils puissent apprendre de nous et me renseigner sur tout ce que recélaient* ces régions. Ce fut ainsi que, par la suite, nous nous entendîmes tant par paroles que par signes; et en cela ils nous ont été grandement utiles. Aujourd'hui, depuis si longtemps qu'ils sont avec moi et en dépit de nombreuses conversations, ils restent en cette persuasion[13] que je viens du ciel. Ils étaient les premiers à l'annoncer partout où j'abordais, et les autres allaient en courant de maison en maison et aux villages prochains avec de grands cris : « Venez, venez voir les gens du ciel ! » Alors tous, hommes et femmes, sitôt leur cœur rassuré à notre égard, accouraient tant qu'il ne restait ni grand ni petit, et tous apportaient quelque chose à manger et à boire qu'ils donnaient avec une merveilleuse passion.

13. ils restent persuadés

Christophe COLOMB, « Lettre à Luis de Santangel » in *La Découverte de l'Amérique,* II, ((Trad. Solidad Estorach et Michel Lequenne, Maspéro)

Conquêtes et découvertes

observer pour mieux comprendre

Les titres des rubriques ci-dessous correspondent aux deux parties principales de ce texte : précisez pour chaque partie à quelle ligne elle commence et à quelle ligne elle finit.

1. L'île : ligne… à ligne…?

a/ Quel nom Christophe Colomb lui donne-t-il? Pourquoi? Qu'est-ce que ce détail prouve sur son attitude à l'égard des terres qu'il découvre?

b/ Quel sentiment les beautés et les richesses de l'île font-elles naître en lui? Relevez toutes les tournures qui insistent sur la qualité et sur la quantité de ce qu'il y découvre : comparatifs, superlatifs, adverbes d'intensité et de quantité, adjectifs numéraux, adjectifs indéfinis exprimant la quantité :

comparatifs	superlatifs	adverbes d'intensité et de quantité	adjectifs numéraux et indéfinis

c/ Quelles sont les ressources de l'île qui semblent intéresser le plus Christophe Colomb? Quels projets semble-t-il déjà avoir?

2. Les indigènes : ligne… à ligne… ?

a/ Comment Christophe Colomb les présente-t-il ? Qu'est-ce qui le surprend au premier abord ? Quels sont, selon lui, leurs défauts ? Leurs qualités ?

qualités	défauts

b/ Quelle attitude dit-il avoir envers eux? Qu'espère-t-il obtenir d'eux?

c/ Pourquoi se préoccupe-t-il de leur religion? Quel est son projet à cet égard?

s'exprimer

1. Rédigez la réponse de l'Intendant à la lettre de Christophe Colomb.

2. Imaginez l'accueil fait à Christophe Colomb à son retour en Espagne.

3. Racontez l'arrivée de Christophe Colomb à Haïti, en vous plaçant du point de vue des indigènes…

chercher

1. Avec l'aide de votre professeur d'histoire et géographie, reconstituez l'itinéraire de Christophe Colomb et retrouvez sur une carte des Caraïbes les principales îles qu'il a découvertes. .

2. « Christophe Colomb a découvert l'Amérique » : vrai ou faux? D'où vient le nom d'Amérique?

3. Que signifie, de nos jours, l'expression « découvrir l'Amérique »?

4. Trouvez des photographies de paysage des grandes Antilles et composez pour chacune d'elles des légendes amusantes.

lire

Le Perroquet d'Amérigo de Huguette Pirotte (Éditions de l'Amitié G. T. Rageot) qui raconte l'histoire de la découverte de l'Amérique.

l'image

1. Quels sont les personnages en présence au premier plan?

2. Décrivez la manière dont est vêtu Christophe Colomb? Que tient-il à la main? Comparez cette tenue avec celle des hommes de droite.

3. Quels sont les cadeaux offerts par les indigènes à Christophe Colomb?

4. Que font les soldats à gauche de l'image, au deuxième plan? Pourquoi?

5. Combien de bateaux y a-t-il sur l'image? Comment appelle-t-on ces navires?

Dialogue avec les indigènes

Après le document historique que constitue la *Lettre de Christophe Colomb* (pp. 78-81), voici la version moderne et cinématographique d'une autre étape de la découverte des Amériques. Au XVIe siècle, les Espagnols conquièrent l'empire inca du Pérou. En 1560, des aventuriers, sous la conduite de Gonzalo Pizarro, explorent l'Amazonie à la recherche du pays légendaire d'El Dorado, où l'on trouve, dit-on, de l'or en abondance. Un des chefs de l'expédition, Don Lope de Aguirre, se rebelle contre Pizarro, et proclame le chevalier Don Fernando de Gozman empereur de l'El Dorado. Descendant l'Amazone sur un radeau, Aguirre entreprend de soumettre les indigènes, avec l'aide de deux Indiens, anciens esclaves de Pizarro, Rumo Dimac et Okello, et du moine Gaspar de Carvajal. Après quelques escarmouches, les indigènes envoient vers les Espagnols une ambassade pacifique...

Vous trouverez ici le « découpage » de cette séquence, qui décrit (en italique) les différents *plans,* et qui reproduit (en romain) les dialogues.

— Les chiffres en caractères gras correspondent à la succession des *plans ;*
— Sont mentionnés ensuite entre parenthèses et en abrégé :

— **le cadrage :**

PE : plan d'ensemble (ou plan général). La caméra cadre l'ensemble du décor.
PDE : plan de demi-ensemble (ou semi-général). La caméra cadre le décor, sans négliger les personnages.
PM : plan moyen. Les personnages sont cadrés dans toute leur hauteur.
PA : plan américain. Les personnages sont cadrés jusqu'à mi-cuisse.
PR : plan rapproché. Les personnages sont cadrés « en buste ».
GP : gros plan. La caméra cadre la tête et les épaules d'un personnage.

— éventuellement l'**angle de prise de vue :**
plongée ou *contre-plongée ;*
3/4 face ou *profil* indiquent que les personnages sont vus de 3/4 ou de profil.

— **le mouvement de la caméra,** quand il s'agit d'un *panoramique* (pano.) ; *Latéral G* signifie que la caméra parcourt la scène de droite à gauche.

281 *(PE). En amorce[1] l'extrême bord du radeau, et en aval, de la rive gauche, débouche une pirogue, qui semble surgir de la jungle.*
OKELLO *(off [2]).* Regarde. Ce n'est pas un canoë ?
GUZMAN *(off).* Où ?
SOLDATT *(off).* Là sous les arbres.
282 *(PM, 3/4 face). Du bord latéral du radeau, Guzman, Okello et un soldat observent l'avance de la pirogue.*

283 *(PE, suite du 281). Celle-ci se dirige bien vers le radeau.*
GUZMAN *(off).* Maintenez le radeau au milieu ; c'est peut-être un piège.
284 *(PM, = 282). Les hommes l'observent toujours.*
NARRATEUR[3]. Vingt quatre janvier. Pour la première fois...
285 *(PDE, suite de 283).*

---

1. une partie seulement du radeau apparaît au bord inférieur de l'image   2. mot anglais signifiant « en dehors », et indiquant qu'on entend la voix du personnage sans le voir sur l'image   3. une voix *off* lit des extraits du journal de bord du moine Carvajal

NARRATEUR... nous vîmes deux sauvages. Ils semblaient pacifiques. *(La pirogue avec deux passagers va bientôt aborder le radeau.)*

286 *(PDE, profil, Pano. latéral G). Les deux passagers sont un homme et une femme. La pirogue vient longer le radeau, et les passagers y sont hissés.*

UNE VOIX. J'ai l'homme.

UNE VOIX. J'ai la femme.

UN HOMME *(se penchant)*. Du poisson frais !

287 *(PR). L'Indien, maintenu par deux soldats, porte une sorte de jupe de paille. Il parle d'une voix sourde.*

288 *(GP). L'Indienne, très jeune portant une coiffure de paille, regarde la caméra.*

289 *(PA). Elle est torse nu. A ses côtés plusieurs soldats.*

290 *(PM, c-plongée). L'Indien de la pirogue et Rumo Dimac, à gauche, dialoguent. Derrière eux les soldats écoutent et regardent silencieusement.*

291 *(GP). Aguirre regarde lui aussi. Il demande à Rumo Dimac[4].*

AGUIRRE. Que dit-il ?

292 *(PM, = 290). Le prince indien se retourne sur sa gauche et explique.*

RUMO DIMAC. Il dit qu'il est un Yagua[5]. Il a été prédit qu'un jour les fils du soleil reviendraient de très loin après de grandes épreuves dans ce pays et qu'ils produiraient...

293 *(GP). L'homme est maintenu immobile.*

RUMO DIMAC *(off)*... des nuages et des bruits de tonnerre avec de longs bâtons. Ils ont attendu longtemps car sur cette rivière l'œuvre de création n'est pas terminée encore.

294 *(PR, = 287).*

GUZMAN *(off)*. Regardez ! De l'or ! Où l'a-t-il trouvé ? D'où cela vient-il ? *(La main de Guzman arrache à l'Indien son collier. Rumo Dimac (off) traduit les paroles de Guzman.)*

295 *(GP, = 291). Aguirre écoute, relativement intéressé.*

296 *(PR, 3/4 face). Guzman à gauche et Carvajal à droite examinent le collier. L'excitation les gagne.*

GUZMAN. De l'or ?

CARVAJAL. Demandez-lui où il l'a trouvé !

297 *(PR, = 288). La femme n'a pas bougé.*

CARVAJAL *(off)*. Où est l'El Dorado ?

GUZMAN *(off)*. D'où vient cet or ?

298 *(PM, = 290). La main de Guzman vient mettre sous le nez du Yagua son collier. Rumo Dimac regarde Guzman puis explique au Yagua ce qu'on attend de lui. L'autre montre l'aval de la rivière.*

GUZMAN. Que dit-il ?

299 *(PR, profil-plongée). Carvajal, les yeux brillants s'adresse à l'homme au collier :*

CARVAJAL. Ce sauvage a-t-il jamais entendu parler de notre sauveur Jésus-Christ et de notre mission d'annoncer sa parole ? *(Rumo Dimac (off) traduit.)*

300 *(PR, = 287). L'Indien semble perdre patience.*

301 *(GP PA). En premier plan de dos, l'Indien, de face Guzman et Carvajal, essaient de se comprendre.*

CARVAJAL. Ceci est une bible. Elle contient la parole de Dieu que nous apportons pour éclairer les ténèbres de votre monde. *(Rumo Dimac traduit.)* A-t-il compris que ce livre renferme les paroles de Dieu ? *(Carvajal donne la bible à l'Indien.)*

302 *(PR PA). L'Indien apparaît entre Guzman et Carvajal de dos. Il examine le livre ; les soldats se pressent derrière lui.*

CARVAJAL. Tiens-la, mon fils. *(L'homme porte la bible à son oreille et parle. Rumo Dimac traduit.)*

RUMO DIMAC. Il dit qu'elle ne parle pas. *(L'homme alors jette la bible et la piétine, Les soldats se précipitent en hurlant.)*

CARVAJAL. Tuez-le pour ce sacrilège ! *(En fait Carvajal exécute la besogne lui-même, en lui enfonçant son épée dans le ventre.)*

303 *(GP, = 291). Aguirre écœuré se détourne.*

304 *(PM) (suite de 302). L'Indien s'écroule toujours maintenu par des soldats. Carvajal retire l'épée sanglante de son corps. L'Indienne se précipite soudain et se penche sur son compagnon. Carvajal fait le signe de la croix et prie sur le cadavre du malheureux, tout en s'essuyant le nez avec sa manche.*

NARRATEUR. Le chemin sera malaisé. Ces sauvages sont difficiles à convertir.

Werner HERZOG, *Aguirre ou la colère de Dieu* (découpage extrait de *L'Avant-Scène Cinéma* n° 210)

---

4. Rumo Dimac sert d'interprète entre l'Indien et les Espagnols   5. nom d'une tribu amazonienne

Plan 227 : les soldats armés, sur le radeau qui dérive.

Guzman, Carvajal, Aguirre.   Guzman.

Conquêtes et découvertes

observer pour mieux comprendre

1. Plans 281 à 286

a/ Comment les Indiens sont-ils cadrés tout d'abord ? Et les membres de l'expédition ? Où la caméra est-elle placée selon vous ?

b/ Quelles sont les réactions successives des Espagnols, à l'approche des Indiens ?

2. Plans 287 à 293

a/ Comparez les cadrages adoptés dans cette partie de la séquence avec ceux des plans 281, 283, 285 et 286. Que constatez-vous ?

b/ Que révèle la tenue des Indiens ? Qu'apportent-ils ? Comment considèrent-ils les Espagnols ? Comparez avec la *Lettre de Christophe Colomb*, p. 79, lignes 73 à 76.

c/ Comparez l'attitude des Indiens avec celle des soldats espagnols.

3. Plans 294 à 298

a/ Sur quel objet appartenant à l'Indien, sur quelle partie du corps de Guzman la caméra s'attarde-t-elle ? Pourquoi ?

b/ Quelle est la principale préoccupation des Espagnols ? La partagent-ils tous ? Comment la manifestent-ils ?

c/ Comparez leur attitude avec celle de l'Indienne au plan 297.

4. Plans 299 à 304

a/ Étudiez la position respective des Espagnols et de l'Indien dans les plans 301 et 302. Que suggère cette disposition des personnages ?

b/ Comment l'Indien réagit-il aux questions du moine ? Pourquoi porte-t-il la Bible à l'oreille ? Pourquoi la rejette-t-il ?

c/ Comment Carvajal s'y prend-il pour convertir l'Indien ? Comment réagit-il à son « sacrilège » ?

Que pensez-vous du commentaire final ? Qu'a voulu montrer le cinéaste, selon vous ?

d/ Quel personnage apparaît toujours en gros plan tout au long de cette séquence ! Parle-t-il beaucoup ? Comment qualifieriez-vous son attitude ?

l'image

Dites à quel type de cadrage (et éventuellement, à quel plan de la séquence) correspond chacune des photos du film reproduites ci-contre.

chercher

Les missionnaires qui accompagnaient les Conquistadores en Amérique du Sud n'agissaient pas tous avec la brutalité du moine Carvajal pour convertir les indigènes. Renseignez-vous en particulier sur l'œuvre des Jésuites du Paraguay, qui fondèrent au XVIIe siècle des communautés où les Indiens Guaranis convertis vivaient libres.

voir

— à ce sujet, le film de Roland Joffé, *Mission* ;
— sur la condition actuelle des Indiens d'Amazonie, *La Forêt d'émeraude*, de John Boorman.

s'exprimer

1. Jouez cette séquence comme une scène de théâtre.

2. Récrivez-la comme une scène de roman.

3. Comment imaginez-vous le pays d'El Dorado ?

Rumo Dimac (à gauche) dialogue avec l'Indien de la pirogue.

Aguirre, La Colère de Dieu, film de W. Herzog (photos du film)

Chez les Iroquois

En 1791, le vicomte de Chateaubriand, inquiet de la tournure prise en France par les événements révolutionnaires, s'embarque pour l'Amérique. Il a l'intention d'explorer le Nord du continent, afin de découvrir le passage nord-ouest qui relie la baie d'Hudson au Pacifique et au pôle. Il espère aussi à cette occasion entrer en contact avec les « sauvages » du Nouveau Monde; en effet, il a lu le philosophe Rousseau (1712-1778), qui prétendait que les hommes sont plus heureux à l'état sauvage que dans les sociétés organisées et civilisées d'Europe. Or, à cette époque, il n'est pas facile de se déplacer sur le continent : les Américains viennent de conquérir leur indépendance, mais une partie du territoire reste sous le contrôle des Anglais et des Espagnols. Il faut donc être prudent, et c'est dans l'espoir de trouver des conseils et des renseignements utiles que Chateaubriand quitte New York pour Albany...

Arrivé à Albany[1], j'allai chercher un M. Swift, pour lequel on m'avait donné une lettre. Ce M. Swift trafiquait de pelleteries[2] avec les tribus indiennes, enclavées• dans le territoire cédé par l'Angleterre aux États-Unis; car les puissances civilisées, républi-
5 caines et monarchiques[3], se partagent sans façon en Amérique des terres qui ne leur appartiennent pas. Après m'avoir entendu, M. Swift me fit des objections• très raisonnables. Il me dit que je ne pouvais pas entreprendre de prime abord•, seul, sans secours, sans appui, sans recommandation pour les postes anglais, améri-
10 cains, espagnols, où je serais forcé de passer, un voyage de cette importance; que, quand[4] j'aurais le bonheur de traverser tant de solitudes[5], j'arriverais à des régions glacées où je périrais de froid et de faim : il me conseilla de commencer par m'acclimater, m'invita à apprendre le sioux, l'iroquois et l'esquimau, à vivre au
15 milieu des *coureurs de bois*[6] et des agents de la compagnie de la baie d'Hudson[7]. Ces expériences préliminaires• faites, je pourrais alors, dans quatre ou cinq ans, avec l'assistance du gouvernement français, procéder à ma hasardeuse mission.

Ces conseils, dont au fond je reconnaissais la justesse, me con-
20 trariaient. Si je m'en étais cru[8], je serais parti tout droit pour aller au pôle, comme on va de Paris à Pontoise. Je cachai à M. Swift mon déplaisir : je le priai de me procurer un guide et des chevaux pour me rendre à Niagara[9] et à Pittsbourg[10] : à Pittsbourg, je descendrais l'Ohio[11] et je recueillerais des notions
25 utiles à mes futurs projets. J'avais toujours dans la tête mon premier plan de route.

M. Swift engagea à mon service un Hollandais qui parlait plusieurs dialectes indiens. J'achetai deux chevaux et je quittai Albany.
30 Tout le pays qui s'étend aujourd'hui entre le territoire de cette ville et celui de Niagara, est habité et défriché•; le canal de New York le traverse; mais alors une grande partie de ce pays était déserte.

1. ville importante située au nord-ouest de New York
2. pratiquait le commerce des peaux destinées à la confection des fourrures
3. les nouveaux États-Unis d'Amérique, républicains, l'Angleterre et l'Espagne, monarchiques, se partagent un territoire qui appartient aux Indiens

4. quand bien même
5. de déserts

6. on appelait ainsi les trappeurs, spécialisés dans la chasse des animaux à fourrure
7. compagnie créée par les Anglais pour le commerce des fourrures avec les Indiens de la baie d'Hudson. C'est elle qui contrôlait le territoire de l'actuel Canada
8. si je n'avais écouté que moi

9. ville du Nord-Est des États-Unis, située entre les lacs Erié et Ontario
10. ville au sud-ouest de Niagara
11. important affluent du Mississippi

Lorsqu'après avoir passé le Mohawk[12], j'entrai dans des bois
35 qui n'avaient jamais été abattus, je fus pris d'une sorte d'ivresse
d'indépendance : j'allais d'arbre en arbre, à gauche, à droite, me
disant : « Ici plus de chemins, plus de villes, plus de monarchie,
« plus de république, plus de présidents, plus de rois, plus d'hom-
« mes. » Et, pour essayer si j'étais rétabli dans mes droits
40 originels[13], je me livrais à des actes de volonté qui faisaient enra-
ger mon guide, lequel, dans son âme, me croyait fou.

Hélas ! je me figurais être seul dans cette forêt, où je levais
une tête si fière ! tout à coup, je viens m'énaser[14] contre un hangar. Sous ce hangar s'offrent à mes yeux ébaubis[15] les premiers
45 sauvages que j'aie vus de ma vie. Ils étaient une vingtaine, tant
hommes que femmes, tous barbouillés comme des sorciers, le
corps demi-nu, les oreilles découpées, des plumes de corbeau sur
la tête et des anneaux passés dans les narines. Un petit Français,
poudré et frisé, habit vert pomme, veste de droguet[16], jabot• et
50 manchettes de mousseline[17], raclait un violon de poche, et faisait
danser *Madelon Friquet*[18] à ces Iroquois. M. Violet (c'était son
nom) était maître de danse chez les sauvages. On lui payait ses
leçons en peaux de castors et en jambons d'ours. Il avait été
marmiton• au service du général Rochambeau[19], pendant la
55 guerre d'Amérique. Demeuré à New York après le départ de
notre armée, il se résolut d'enseigner les beaux-arts aux Américains. Ses vues s'étant agrandies avec le succès, le nouvel
Orphée[20] porta la civilisation jusque chez les hordes• sauvages du
Nouveau-Monde. En me parlant des Indiens, il me disait tou-
60 jours : « Ces messieurs sauvages et ces dames sauvagesses. » Il se
louait[21] beaucoup de la légèreté de ses écoliers; en effet, je n'ai
jamais vu faire de telles gambades•. M. Violet, tenant son petit
violon entre son menton et sa poitrine, accordait l'instrument
fatal; il criait aux Iroquois : *A vos places !* Et toute la troupe
65 sautait comme une bande de démons.

N'était-ce pas une chose accablante pour un disciple• de
Rousseau, que cette introduction à la vie sauvage par un bal que
l'ancien marmiton du général Rochambeau• donnait à des Iroquois? J'avais grande envie de rire, mais j'étais cruellement
70 humilié.

François-René de CHATEAUBRIAND, *Mémoires d'outre-tombe.*

12. rivière du Nord-Est des États-Unis

13. d'après Rousseau, les hommes, à l'origine, vivaient parfaitement libres et n'étaient soumis à aucun pouvoir

14. me casser le nez

15. stupéfaits

16. étoffe de laine

17. toile de coton très fine

18. chanson française à la mode au XVIIIᵉ siècle

19. envoyé par Louis XVI pour soutenir les Américains dans leur guerre d'indépendance contre les Anglais

20. musicien légendaire de la Grèce antique

21. se félicitait

observer pour mieux comprendre

Les titres des rubriques ci-dessous correspondent aux différentes parties de ce texte : précisez pour chaque partie à quelle ligne elle commence et à quelle ligne elle finit.

1. Un projet contrarié : ligne... à ligne...?

a/ Chateaubriand semble-t-il avoir soigneusement préparé son expédition?

b/ Quels sont les différents obstacles qu'il risque de rencontrer?

c/ Comment réagit-il aux conseils de M. Swift? Quel trait de caractère révèle cette réaction?

Peinture de Catlin (1794-1872), **Le Jeu de balle indien** *(G. Dagli Orti)*

2. « Une sorte d'ivresse » : ligne… à ligne…?

a/ Dans quel état se trouvait le territoire parcouru par Chateaubriand?

b/ Pourquoi y éprouve-t-il une « sorte d'ivresse »? Comment celle-ci se traduit-elle?

c/ Pourquoi Chateaubriand ne s'attendait-il pas à rencontrer un hangar en cet endroit?

3. Les « sauvages » : ligne… à ligne…?

a/ Montrez que le spectacle découvert par Chateaubriand comporte pour lui une double surprise.

b/ Comparez la tenue des Iroquois avec celle de M. Violet.

c/ Relevez dans la fin du texte quelques expressions comiques, qui associent le mot « sauvage » à un terme emprunté à la civilisation française.

d/ Pourquoi Chateaubriand est-il déçu? Que croyait-il trouver chez les Iroquois? Que retrouve-t-il?

s'exprimer

1. Racontez la vie d'un trappeur dans le Grand Nord.

2. Chateaubriand interroge les Iroquois, M. Violet sert d'interprète. Rapportez sous forme de dialogue la conversation qui s'engage…

3. Vous avez longtemps rêvé de découvrir une ville, une région, un pays, un monument; racontez vos réactions le jour où vous avez pu réaliser votre rêve.

chercher

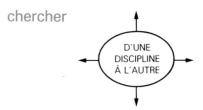

D'UNE DISCIPLINE À L'AUTRE

1. Cherchez sur une carte de l'Amérique du Nord les villes parcourues par Chateaubriand, et reconstituez son itinéraire.

2. Retracez, avec l'aide de votre professeur d'histoire et géographie, l'histoire de la découverte du Nord de l'Amérique.

3. Les Indiens d'Amérique : quelles sont leurs différentes tribus et leurs territoires? Que sont-ils devenus après la conquête de l'Ouest? Êtes-vous d'accord pour les appeler des « sauvages »? Quelle est aujourd'hui leur situation aux États-Unis?

Rêve de Far-West

Bien avant les westerns proposés par le cinéma, le poète imagine — depuis sa vieille Europe — les vastes étendues de l'Ouest américain où il pourrait devenir un autre dans sa vraie patrie…

On m'a dit la vie au Far-West et les Prairies,
Et mon sang a gémi : « Que voilà[1] ma patrie ! »
Déclassé[2] du vieux monde[3], être sans foi ni loi[4],
Desperado[5] ! là-bas, là-bas, je serai roi !...
5   Oh ! là-bas, là-bas, m'y scalper• de mon cerveau d'Europe !
Piaffer[6] ! redevenir une vierge[7] antilope,
Sans littérature, un gars de proie[8], citoyen
Du hasard et sifflant l'argot• californien[9] !
Un colon[10] vague et pur, éleveur, architecte,
10 Chasseur, pêcheur, joueur, au-dessus des Pandectes[11] !
Entre la mer[12] et les États Mormons[13] ! Des venaisons[14]
Et du whisky ! Vêtu de cuir ; et le gazon
Des prairies pour lit, et des ciels des premiers âges
Riches comme des corbeilles de mariage[15] !...
15 Et puis quoi ? De bivouac[16] en bivouac et la Loi
De Lynch[16] ; et aujourd'hui des diamants bruts• au doigt,
Et ce soir, nuit de jeu, et demain la refuite[18]
Par la prairie et la folie des pépites• !...
Et, devenu vieux, la ferme au soleil levant,
20 Une vache laitière et des petits enfants ;
Et comme je dessine au besoin, à l'entrée
Je mettrai « Tatoueur• des bras de la contrée[19] ! » »

Jules LAFORGUE.

1. mais oui, voilà
2. moi qui n'ai plus ma place (dans le vieux monde)
3. de l'Europe
4. sans religion ni morale
5. en espagnol, « désespéré », aventurier prêt à tout
6. trépigner d'impatience (comme un cheval)
7. pure
8. rapace, violent, avide comme un oiseau de proie
9. de Californie (État des États-Unis situé à l'Ouest)
10. personne partie dans un pays pour aller l'habiter et l'exploiter
11. recueil de lois (tenu, au temps des Romains, par les jurisconsultes)
12. le Pacifique
13. États situés dans les Montagnes Rocheuses où s'est retirée une secte religieuse
14. chairs de grands gibiers (cerfs, chevreuils, sangliers)
15. cadeaux offerts aux nouveaux mariés
16. campement
17. lynchage, exécution par la foule d'un criminel pris en flagrant délit
18. nouveau départ
19. région

rassemblons nos idées

1. Le poème

a/ La plupart des vers comptent douze *pieds* : comment appelle-t-on ce type de vers ?
b/ Néanmoins, Laforgue ne respecte pas toujours les règles de ce vers ; en particulier, les vers 5, 11 et 18 n'ont pas le même nombre de *pieds* : quel est l'effet recherché ?

2. « Rêve de Far-West »

a/ Le « Vieux Monde »
— Quels sentiments expliquent le désir du poète de quitter l'Europe ?
— Pourquoi la nomme-t-il le « Vieux Monde » ?
— Que souhaite-t-il laisser avant tout ?

b/ Un autre monde
— Quelle expression revient à quatre reprises ? Quel effet produit cette répétition ?
— Où se situe ce pays de rêve ? (Relevez les précisions géographiques que nous en donne le poète.)
— A l'aide d'expressions significatives, citées dans le poème, détaillez les trois grandes idées qui l'attirent : liberté ; immoralité ; richesse.
— Relevez les différentes activités de colon qu'il désire connaître : qu'en pensez-vous ?
— Quels termes résument au mieux sa volonté de retour aux sources ?

c/ L'exotisme
— Où se trouve le Far-West, notamment pour un Européen ?
— Relevez les nombreux « clichés » évoqués par le poète.

la petite phrase

« J'aurais voulu avoir un vrai Far-West mais ce n'est pas possible… » Jacques BREL

Vers l'Afrique...

A Tarascon, il n'y a guère que la maison de Tartarin qui soit « héroïque » (voir p. 50). Le seul exploit possible pour Tartarin et pour ses amis, c'est la chasse; mais comme le gibier est rare dans les environs de Tarascon, ils en sont réduits à tirer sur... leurs casquettes, qu'ils jettent en l'air pour avoir une cible. Un jour pourtant, une ménagerie s'installe à Tarascon, et Tartarin découvre les lions de l'Atlas; il passe de longs moments devant leur cage, et on l'a même entendu dire : « Ça, oui, c'est une chasse. » Depuis, le bruit court dans toute la ville que Tartarin va partir en Afrique chasser les grands fauves...

L'homme le plus surpris de la ville, en apprenant qu'il allait partir pour l'Afrique, ce fut Tartarin. Mais voyez ce que c'est que la vanité ! Au lieu de répondre simplement qu'il ne partait pas du tout, qu'il n'avait jamais eu l'intention de partir, le pauvre
5 Tartarin – la première fois qu'on lui parla de ce voyage – fit d'un petit air évasif : « Hé !... hé !... peut-être... je ne dis pas. » La seconde fois, un peu plus familiarisé avec cette idée, il répondit : « C'est probable. » La troisième fois : « C'est certain ! »

Enfin, le soir, au cercle et chez les Costecalde[1], entraîné par le
10 punch* aux œufs, les bravos, les lumières, grisé[2] par le succès que l'annonce de son départ avait eu dans la ville, le malheureux déclara formellement qu'il était las de chasser la casquette et qu'il allait, avant peu, se mettre à la poursuite des grands lions de l'Atlas[3].

15 Un hourra formidable accueillit cette déclaration. Là-dessus, nouveau punch aux œufs, poignées de mains, accolades* et sérénade aux flambeaux jusqu'à minuit devant la petite maison du baobab.

C'est Tartarin-Sancho[4] qui n'était pas content ! Cette idée de
20 voyage en Afrique et de chasse au lion lui donnait le frisson par avance; et, en rentrant au logis, pendant que la sérénade d'honneur sonnait sous leurs fenêtres, il fit à Tartarin-Quichotte une scène effroyable, l'appelant toqué, visionnaire[5], imprudent, triple fou, lui détaillant par le menu[6] toutes les catastrophes qui l'atten-
25 daient dans cette expédition, naufrages, rhumatismes, fièvres chaudes, dysenteries*, peste noire, éléphantiasis[7], et le reste...

En vain Tartarin-Quichotte jurait-il de ne pas faire d'impru-dences, qu'il se couvrirait bien, qu'il emporterait tout ce qu'il faudrait, Tartarin-Sancho ne voulait rien entendre. Le pauvre
30 homme se voyait déjà déchiqueté par les lions, englouti dans les sables du désert comme feu Cambyse[8], et l'autre Tartarin ne

1. M. Costecalde est l'armurier de la ville : les chasseurs se réunissent souvent chez lui
2. enivré

3. ensemble montagneux d'Afrique du Nord

4. il y a deux personnages en Tartarin : un Don Quichotte attiré par l'aventure, et un Sancho Pança beaucoup plus prudent (voir p. 131)

5. ici personne qui a des idées extravagantes
6. en entrant dans les moindres détails
7. maladie répandue dans les pays chauds et qui se traduit par un gonflement des bras ou des jambes

8. roi des Perses, mort en 521 avant J.-C.

Le rêve de Tartarin (Hachette)

parvint à l'apaiser un peu qu'en lui expliquant que ce n'était pas pour tout de suite, que rien ne pressait et qu'en fin de compte ils n'étaient pas encore partis.

35 Il est bien clair, en effet, que l'on ne s'embarque pas pour une expédition semblable sans prendre quelques précautions. Il faut savoir où l'on va, que diable ! et ne pas partir comme un oiseau...

Avant toutes choses, le Tarasconnais voulut lire les récits des grands touristes africains, les relations[9] de Mungo Park[10], de
40 Caillié[11], du docteur Livingstone[12], d'Henri Duveyrier[13].

9. récits de voyage
10. explorateur anglais (1771-1806) qui tenta de descendre le Niger
11. il fut le premier français à visiter Tombouctou en 1828
12. missionnaire et explorateur anglais (1813-1873), qui reconnut notamment le cours du Zambèze et la source du Congo
13. il entreprit l'exploration du Sahara algérien en 1859

Là, il vit que ces intrépides voyageurs, avant de chausser leurs sandales pour les excursions lointaines, s'étaient préparés de longue main à supporter la faim, la soif, les marches forcées, les privations de toutes sortes. Tartarin voulut faire comme eux, et,
45 à partir de ce jour-là, ne se nourrit plus que d'*eau bouillie.* – Ce qu'on appelle *eau bouillie,* à Tarascon, c'est quelques tranches de pain noyées dans de l'eau chaude, avec une gousse d'ail, un peu de thym, un brin de laurier. – Le régime était sévère, et vous pensez si le pauvre Sancho fit la grimace...

50 A l'entraînement par l'eau bouillie Tartarin de Tarascon joignit d'autres sages pratiques[14]. Ainsi, pour prendre l'habitude des longues marches, il s'astreignit[15] à faire chaque matin son tour de ville sept ou huit fois de suite, tantôt au pas accéléré, tantôt au pas gymnastique, les coudes au corps et deux petits
55 cailloux blancs dans la bouche, selon la mode antique[16].

Puis, pour se faire aux fraîcheurs nocturnes, aux brouillards, à la rosée, il descendait tous les soirs dans son jardin et restait là jusqu'à des dix et onze heures, seul avec son fusil, à l'affût derrière le baobab...

60 Enfin, tant que la ménagerie Mitaine resta à Tarascon, les chasseurs de casquettes attardés chez Costecalde purent voir dans l'ombre, en passant sur la place du Château, un homme mystérieux se promenant de long en large derrière la baraque.

C'était Tartarin de Tarascon, qui s'habituait à entendre sans
65 frémir les rugissements du lion dans la nuit sombre.

14. habitudes, exercices

15. passé simple de « s'astreindre » : se força

16. allusion à l'orateur athénien Démosthène (384-322 av. J.-C.) qui, dit-on, s'entraînait à parler avec des cailloux dans la bouche

Alphonse DAUDET, *Tartarin de Tarascon.*
Si vous désirez lire d'autres extraits de ce livre, reportez-vous p. 50 et p. 131.

observer pour mieux comprendre

Chacune des rubriques suivantes correspond à une partie du texte. Précisez pour chacune, à quelle ligne elle commence, et à quelle ligne elle se termine.

1. La décision : ligne... à ligne...?
a/ Relevez les quatre déclarations de Tartarin concernant son voyage en Afrique. Quelle évolution constatez-vous de l'une à l'autre ? Faites-la apparaître sur un tableau en relevant :
dans la 1re et la 4e déclaration, un adverbe ;
dans la 2e et la 3e déclaration, un adjectif ;

déclaration	adverbe	adjectif
1re		–
2e	–	
3e	–	
4e		–

b/ Est-ce Tartarin qui a eu le premier l'idée de ce voyage ? Qu'est-ce que ce détail révèle de son caractère ? Dans quel état se trouve-t-il quand il prend enfin sa décision ?

c/ Dans la phrase commençant par : « Là-dessus... » (l. 15) cherchez le verbe. Comment appelle-t-on cette construction grammaticale ? Quel effet l'auteur veut-il obtenir en l'employant ici ?

2. Le débat intérieur : ligne... à ligne...?

a/ Quel aspect du caractère de Tartarin est représenté par la figure de Tartarin-Sancho (voyez aussi p. 131) ? Comment Tartarin-Quichotte essaie-t-il de le calmer ?

b/ Relevez dans les propos de Tartarin-Sancho deux exemples d'*énumération* (procédé consistant à mettre à la suite plusieurs mots de même nature et de même fonction, simplement juxtaposés) et des exemples d'*exagération*. Quel effet l'auteur veut-il produire?

3. La préparation : ligne... à ligne...?

a/ Où Tartarin cherche-t-il à se renseigner ? Qu'est-ce que cette précision nous apprend sur une de ses activités favorites (voir aussi p. 53, l. 51) ?

b/ Regroupez sur un tableau les différents moyens employés par Tartarin pour se préparer, en précisant à chaque fois le but recherché :

	but	moyen
1	supporter la faim	
2		
3		
4		

c/ Pensez-vous que cette préparation est bien appropriée aux buts recherchés ? Relevez quelques détails pleins d'*humour* ou d'*ironie,* qui montrent qu'elle n'est pas toujours à la hauteur des difficultés que peut rencontrer un explorateur.

vocabulaire

Du possible au certain

Voici une liste d'adjectifs : classez-les selon le degré de certitude qu'ils expriment. Vous rangerez du côté du « moins » ceux qui s'appliquent à un événement qui a un minimum de chances de se réaliser (ou aucune).

Vous rangerez du côté du « plus » ceux qui s'appliquent à un événement qui a un maximum de chances de se réaliser.

−	probable — indubitable — exclu — sûr — possible — infaillible — improbable — réalisable — certain — invraisemblable — inévitable — faisable — irréalisable — vraisemblable —	+

chercher

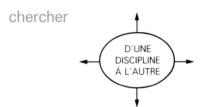

D'UNE DISCIPLINE À L'AUTRE

Avec l'aide de votre professeur d'histoire et géographie, faites un dossier sur les grands explorateurs du continent africain (voir notamment ceux qui sont cités l. 39-40).

s'exprimer

1. Transposez le débat entre Tartarin-Sancho et Tartarin-Quichotte au style direct (en reproduisant entre guillemets les paroles réellement prononcées par deux personnages). Vous pouvez même lui donner la forme d'un dialogue (voir p. 132, l. 38 à 51).

2. Il vous est arrivé de vous sentir partagé à propos d'une décision à prendre. Racontez ce « débat intérieur » : comment l'avez-vous tranché?

3. On peut voyager tout en restant chez soi, comme Xavier de Maistre qui a écrit en 1795 un *Voyage autour de ma chambre* dont voici un extrait :

« Ma chambre est située sous le quarante-cinquième degré de latitude [...] sa direction est du levant au couchant; elle forme un carré long qui a trente-six pas de tour, en rasant la muraille de bien près. Mon voyage en contiendra cependant davantage car je la traverserai souvent en long et en large, ou bien diagonalement, sans suivre de règle ni de méthode. – Je ferai même des zigzags, et je parcourrai toutes les lignes possibles en géométrie si le besoin l'exige. [...] lorsque je voyage dans ma chambre, je parcours rarement une ligne droite : je vais de ma table vers un tableau qui est placé dans un coin; de là, je pars obliquement pour aller à la porte; mais, quoique en partant mon intention soit bien de m'y rendre, si je rencontre mon fauteuil en chemin, je ne fais pas de façon, et je m'y arrange tout de suite. [...] Après mon fauteuil, en marchant vers le nord, on découvre mon lit, qui est placé au fond de ma chambre, et qui forme la plus agréable perspective. »

A votre tour, laissez vagabonder votre imagination et racontez un « voyage autour de votre chambre ».

Un cargo dans les arbres

Né en 1887, Blaise Cendrars commença très jeune à voyager et il vit presque tous les pays du monde. Il raconte ici un voyage le long du fleuve Amazone qui traverse le nord du Brésil en passant par la grande ville de Manaos.

Affalés dans leurs fauteuils, dont ils ne bougeront plus jusqu'à l'arrivée à Manaos, les touristes regardent défiler les rives énigmatiques[1] du fleuve. Ils ne peuvent en détourner les yeux. Ils ne disent mot. On les croirait écrasés par la chaleur, mais c'est – ils
5 ne savent quoi – l'admiration, l'émerveillement qui les suffoquent, et encore quelque chose de plus profond et de plus obscur qui s'est emparé d'eux et les tourmente depuis que le navire est entré dans la forêt. [...]

Pas une voix. Pas un cri. L'eau s'écoule. La forêt toute proche
10 miroite dans la chaleur. Le ciel vide, une ride sur l'eau, une cime lointaine qui remue, une feuille qui tremble, tout est énigmatique[1].

On a l'impression que ce transatlantique de 12 000 tonnes, tout chargé de choses, d'hommes et de marchandises d'Europe,
15 qui navigue dans la forêt vierge, qui remonte le courant, dont l'étrave[2] puissante et les hélices fendent et brassent les flots jaunes de l'Amazone et dont les volutes[3] de fumée noire vont se nouer aux troncs des palmiers en étoile, ne trouble rien, ne dérange rien et ne compte pas dans cette grandiose nature
20 sauvage ; bref, qu'il passe inaperçu, tout comme un moustique ou un éphémère[4].

D'ailleurs, au lendemain d'une crue[5] particulièrement haute, il n'est pas exceptionnel de trouver un cargo américain ou anglais prisonnier de la forêt et juché dans la cime des arbres. De loin,
25 son ventre rouge reluit dans la verdure sombre, comme la carcasse d'un ballon, accrochée aux plus hautes branches. On se demande comment un bateau à vapeur a bien pu faire pour aller s'échouer[6] au sommet des arbres, d'autant plus que le lit du fleuve est souvent à plusieurs kilomètres de distance.
30 C'est que les crues de l'Amazone sont aussi soudaines qu'imprévues et amènent une énorme masse d'eau qui noie la forêt sur d'immenses étendues. On peut très bien naviguer à son insu[7] au-dessus d'une forêt engloutie et rester pris dans les branches si, par exemple, la décrue survient dans la nuit.
35 Alors, on abandonne le vapeur pour rejoindre en chaloupe et à travers la forêt inondée le lit principal du fleuve.

Mais il arrive qu'un gardien reste à bord, attendant une prochaine crue qui remettra à flot, atteindra ou n'atteindra pas le

1. mystérieuses, étranges

2. pièce saillante formant l'avant d'un bateau
3. la fumée du bateau à vapeur dessine des formes enroulées en spirale
4. insecte ressemblant à une libellule, vivant au bord de l'eau et dont la vie ne dépasse pas quelques heures
5. une élévation du niveau de l'eau

6. habituellement, toucher le fond pour un navire, être jeté à la côte

7. sans s'en rendre compte

40 niveau de l'épave• haut perchée. Cet homme attend souvent deux, trois ans, perdu dans la solitude la plus profonde.

On s'imaginerait que ce fruste marin deviendra fou, mais il n'en est rien, car rien ne ressemble autant à l'océan que la vue qu'il a quand il se promène, tout en fumant sa pipe, sur le pont de son navire qui plane au-dessus des feuilles, des branches, des
45 cimes de l'immense forêt tropicale dont la masse et l'étendue vert sombre, reluisantes, changeantes, moutonnent[8] à l'infini et bouchent les horizons.

Il s'est tellement habitué à ce panorama et s'est si facilement adapté à son nouveau genre d'existence que, quand on vient,
50 enfin, le chercher pour le tirer de là, c'est souvent le diable que[9] de le faire descendre de son perchoir, tant ce nouveau Robinson[10] a pris goût à la vie d'oiseau qu'il a menée à bord de son épave échouée en l'air, entre le ciel, la chlorophylle[11] et l'eau.

Blaise CENDRARS, *Histoires vraies*
(Grasset)

8. évoquent, par leur aspect, la surface d'une eau faiblement agitée, semblable à une toison de mouton

9. extrêmement difficile
10. allusion à Robinson Crusoé, seul sur son île
11. matière colorante des parties vertes d'une plante ; ici, la forêt

observer pour mieux comprendre

1. « Les rives énigmatiques » (l. 1 à 21)

a/ Relevez tous les éléments mystérieux et grandioses de la nature.
b/ Quels sentiments animent les touristes ?
c/ Le bateau de 12 000 tonnes est comparé à un insecte. Expliquez cette comparaison. En quoi est-elle étonnante ou inattendue ? Montrez que Cendrars l'a introduite petit à petit pour nous la faire accepter (l. 13 à 20).

2. Le cargo dans les arbres (l. 22 à 36)

a/ Le cargo est à nouveau l'objet d'une *comparaison*. Laquelle ?
b/ Relevez le contraste des couleurs dans ce paragraphe. Quelles sont les deux couleurs définies par Cendrars ?
c/ Expliquez les lignes 30 à 34. Enquêtez à ce propos sur le débit de l'Amazone.

3. Le marin-oiseau (l. 37 à 53)

a/ Pensez-vous « réaliste » ce dernier paragraphe ? Pourquoi ?
b/ Relevez (l. 42 à 47) les mots qui s'associent autant à la forêt qu'à la mer.
c/ Qu'annonce le mot « perchoir » à la ligne 51 ?
d/ Comment Cendrars explique-t-il l'attachement du « gardien » du bateau à sa situation ?

vocabulaire

1. Trouvez d'autres *synonymes* aux mots « admiration » et « émerveillement ». Employez-les dans des phrases.
2. « Noyer », « engloutir », « inonder », « submerger ». Ces verbes sont *synonymes* au sens propre et veulent dire : « recouvrir d'eau ». Trouvez leurs sens figurés et employez chacun d'entre eux dans des phrases explicites.

s'exprimer

1. Vous avez déjà eu l'impression d'être tout petit au milieu d'un paysage grandiose. Racontez vos impressions.
2. Cendrars écrit un peu plus loin :
[...] beaucoup de passagers, par contre, ont tout simplement envie de débarquer, de s'emparer d'une pirogue, de prendre pagaie et javelot, de se mettre nus, de descendre à terre, de s'enfoncer dans la forêt et d'aller se perdre dans les solitudes, car plus d'un de ces civilisés troublés par l'appel de la forêt subit le mirage de la vie libre dans la grande nature sauvage et sent s'éveiller en lui des instincts de chasseur, de pêcheur, de guerrier ou d'aventurier, de coureur des bois ou de chercheur d'or, de sorcier ou de missionnaire, de batailleur ou d'ermite. [...]
Imaginez que vous deveniez l'un de ces voyageurs, choisissez un des rôles que vous offre Cendrars et racontez vos aventures.

En avion

La narratrice de *La Ferme africaine* (voir p. 20) nous raconte « la plus grande joie qui lui ait été réservée » : voler. En effet, son ami Denys Finch Hatton, organisateur de safaris, l'a emmenée, dans les années 1930, survoler le Kenya à bord de son petit biplace.

Dans un pays où il y a peu de routes et où la pluie permet partout d'atterrir, on peut dire que l'avion a permis de découvrir un monde nouveau.

Denys avait ramené d'Angleterre son « Moth[1] » avec lequel il pouvait atterrir à la ferme à quelques minutes du chemin.

Nous prenions notre vol presque chaque jour.

On découvre les paysages les plus étonnants quand on survole les montagnes africaines. Mais ce sont peut-être les jeux de lumière entre les nuages qui réservent la surprise la plus merveilleuse. On traverse les arcs-en-ciel et les tempêtes vous emportent dans leurs remous[2].

La pluie qui cingle[3] blanchit le monde et l'incline.

Le langage est dépourvu de mots pour peindre ce que l'on éprouve en volant ; il n'est pas douteux que des termes nouveaux naîtront.

Le survol de la vallée du Rift[4] et des volcans éteints de Suswa et de Longonot[5] équivaut à un voyage dans la lune.

En rasant la terre, ce sont les animaux de la plaine que l'on découvre, heureux et libres ainsi que Dieu – après la Création[6] et avant qu'Adam leur ait donné un nom[7] – aimait à les contempler.

Mais ce n'est pas tant ce que l'on voit que le fait de voler qui est un enchantement.

Il est si dur dans les villes, si opprimant[8] de se sentir limité dans un espace réduit à une seule dimension ! Les humains avancent sur des routes tracées comme s'ils étaient tenus par une laisse invisible !

Sortir de la route tracée en parcourant les champs et les bois est déjà une libération, mais ce n'est pas comparable à celle que l'on éprouve devant une nouvelle dimension. Un esclave qui découvre la révolution française doit ressentir quelque chose d'analogue[9].

A mesure que l'on s'envole, on éprouve un indicible[10] ravissement. Après des siècles de nostalgie[11], il semble que le cœur retrouve l'espace et que l'on échappe, en avion, à toutes les lois de la pesanteur[12] : elles ne sont plus, « dans les vertes prairies de la vie, que des fauves domptés ».

Chaque fois que je suis montée en avion, j'ai eu l'impression d'échapper à la terre et de découvrir un nouvel univers. Je

1. surnom, signifiant en anglais « papillon de nuit », donné au petit avion dont les deux paires d'ailes superposées étaient reliées verticalement entre elles

2. tourbillons

3. frappe fort, fouette

4. grande vallée située à l'ouest de la chaîne montagneuse du Ngong au Kenya

5. volcans du Kenya

6. la création du monde selon la Bible

7. le premier homme fut chargé par Dieu de nommer les animaux

8. écrasant, étouffant

9. de semblable

10. qu'on ne peut dire

11. regret mélancolique

12. force qui entraîne les corps vers le centre de la terre, gravitation

Flamants roses (Myers/A.A.A. photo)

comprends maintenant que c'est à cet affranchissement[13] des lois physiques que tenait mon ivresse.

Nous avons certain jour, Denys et moi, survolé le lac Natron, situé à cent cinquante kilomètres de la ferme et un peu plus bas[14]. [...]

Le ciel était bleu ce jour-là, mais après avoir quitté la plaine et gagné la région basse du désert de pierre, il semblait que toute couleur fût consumée[15] ; la terre offrait l'aspect de l'écaille[16]. En découvrant le lac, l'intensité de son bleu nous surprit. Ce fut un éblouissement brusque qui nous obligea, d'abord, à fermer les yeux.

Cette eau immobile, au milieu des terres brunes et calcinées[17], ressemblait à une aigue-marine[18].

Nous la survolions de très haut et à mesure que nous descendions, nous apercevions notre ombre bleu foncé qui courait sur l'azur[•] clair de l'eau.

13. délivrance

14. c'est-à-dire au sud de la capitale Nairobi et de l'Équateur

15. détruite par le feu
16. matière brune (qui recouvre la carapace des grandes tortues)

17. complètement brûlées

18. pierre précieuse d'un bleu-vert, dont le nom signifie « eau de mer »

55 Des milliers de flamants étaient posés sur le lac. De quoi s'y nourrissaient-ils ? Je l'ignore, car l'eau saumâtre[19] de ce lac ne contient certainement pas de poissons.

A notre approche, ils s'envolèrent, nous les vîmes se déployer en cercles et en éventail dans le ciel comme les lueurs du 60 crépuscule• ; il nous semblait contempler, à travers un kaléidoscope[20], de ravissants dessins chinois qu'un pinceau rapide aurait délicatement tracés pour nous sur porcelaine ou sur soie.

19. mélangée d'eau de mer, salée
20. petit appareil cylindrique, dont le fond est occupé par des fragments mobiles de verre colorié qui, en se reflétant dans les miroirs du cylindre, produisent des combinaisons d'images changeantes et colorées

Karen BLIXEN, *La Ferme africaine*
(Folio, Gallimard)

rassemblons nos idées

1. « Un monde nouveau »

a/ Relevez une phrase, puis un adjectif, qui montrent la difficulté de le décrire.
b/ Cherchez deux *comparaisons*, l'une cosmique, l'autre historique, qui tentent de rendre l'étrangeté de cette « nouvelle dimension ».

2. « Les paysages les plus étonnants »

a/ Quels sont-ils ? À quels autres espaces humains la narratrice les oppose-t-elle ?
b/ Quels termes expriment la beauté du ciel, du lac Natron ?
c/ Recherchez les couleurs, les lumières, les mouvements qui font la beauté de ce spectacle. Quelle *comparaison* finale en fait un tableau ?

3. Voler

a/ Cherchez les noms qui expriment les sentiments qu'inspire à la narratrice l'expérience du vol ?
b/ De quoi la narratrice se sent-elle libérée ?
c/ Quelle idée l'ombre de l'avion sur le lac et la vision des flamants suggèrent-elles au lecteur ?

4. « après la Création »

a/ Relevez une allusion à la Bible. Comment la comprenez-vous ?
b/ Qu'est-ce que la narratrice a l'impression de « retrouver » en volant ?

chercher

— des documents sur les « Moth », les monoplaces et biplaces des débuts de l'aviation ;
— l'origine de l'expression, employée plus loin par Karen Blixen, « ravi au septième ciel ».

vocabulaire

« Il n'est pas douteux que des termes nouveaux naîtront » : Quels mots nouveaux ont été inventés à cause de l'aviation ? Quels autres mots pourriez-vous imaginer pour dire « ce que l'on éprouve en volant » ?

du grec au français

— La nostalgie, c'est étymologiquement la souffrance (algos), le besoin douloureux, du retour (nostos). Cherchez d'autres mots français contenant le suffixe -algie.
— L'adjectif « analogue » est formé du préfixe ana- (de bas en haut) et du nom logos signifiant ici la parole. Cherchez d'autres mots français employant -logue dans ce sens.

s'exprimer

a/ Avez-vous déjà fait l'expérience que « le langage est dépourvu de mots pour peindre ce que l'on éprouve... ». Dans quelles circonstances ? Racontez...
b/ Si vous avez pris l'avion, avez-vous eu la première fois l'impression d'un « baptême de l'air », liée à la découverte d'une nouvelle dimension ? Sinon, imaginez votre premier voyage en fusée...

Le premier pas sur la lune

Répondant à son désir d'aller toujours plus loin dans la connaissance de l'univers, l'Homme a écrit une page capitale, en 1969 : pour la première fois, deux hommes — les Américains Neil Armstrong et « Buzz » Aldrin — marchèrent sur la lune, réalisant ainsi un des plus vieux rêves de l'humanité, comme le souligne la narratrice qui suivit les événements sur son écran de télévision.

Nuit blanche• du 21 juillet 1969.

Il était près de 4 heures, la lune décroissante• n'était apparue entre les collines qu'à la fin de la nuit.

Deux hommes enfermés dans un étrange insecte métallique
5   appelé L.M.[1] et baptisé « Eagle[2] » allaient bientôt poser les pieds sur ce sol stérile.

La lune ! Symbole[3] du rêve et de l'inaccessible[4], triomphe de l'apparence[5]. [...]

Depuis que l'homme existe il cherche à atteindre l'autre côté
10   du fleuve, le versant inconnu de la montagne, le rivage opposé de l'océan. Un double besoin le pousse : le désir de connaissance lié inextricablement[6] – et jusques[7] à quand ? – à la volonté de dominer et de posséder. [...]

Un pied apparut, massif, lent à se mouvoir[8], la masse blanche
15   de l'homme se précisa, on distingua la bouteille d'oxygène, le casque et les mains gantées.

Les gestes mille fois répétés s'accomplissaient enfin, dans le silence, sans hâte•, sans hésitation, coulés[9], réguliers, graves. Qu'il parut long le temps mis à descendre les neuf degrés[10] de
20   l'échelle ! Ayant atteint le dernier, la jambe se tendit dans le vide, le pied chercha ; un immense instant passa avant qu'il se pose.

Jamais l'attention• de tant de millions d'hommes n'avait été concentrée• sur un seul d'entre eux, jamais aucun humain ne s'était trouvé aussi éloigné de toute vie.

25   Premier pas sur la planète morte. [...]

L'homme garda les mains appuyées sur l'échelle, chercha l'équilibre, fit quelques pas et commença alors à parler.

Il dit le contraste[11] entre la lumière solaire aveuglante et l'ombre obscure, la surface du sol poudreuse• et grise, l'empreinte
30   de ses pas. Il ramassa les premiers cailloux lunaires et remarqua que le sol, dès qu'on le creusait un peu, devenait dur.

Les voix nous arrivaient, distinctes[12] au point d'en entendre le souffle, parties de la lune évanescente[13] et pâle, lancées à travers les espaces et, de relais en relais, portées jusqu'à nous.

1. abréviation de « Lunar Module » (module lunaire, en anglais)

2. « Aigle » (emblème des États-Unis)

3. image, représentation

4. ce qu'on ne peut atteindre, à quoi on ne peut accéder

5. aspect extérieur

6. étroitement, sans qu'on puisse le démêler (de « la volonté... »)

7. jusqu'

8. se déplacer

9. effectués avec aisance

10. marches

11. l'opposition

12. claires, que l'on perçoit aisément

13. qui s'amoindrit et disparaît graduellement, fugitive

35   La Terre ordonnait, conseillait, interrogeait, les hommes répondaient par petites phrases précises.

Leur compagnon solitaire[14] tournait régulièrement autour de l'astre[15]. Combien d'heures encore attendrait-il avant de voir « Eagle » et ses deux passagers surgir de la nuit ?

40   Et, si personne ne devait revenir, il repartirait vers la Terre, seul.

Deux hommes gisants[16] sur la lune...

L'autre passager sortit à son tour de l'insecte métallique. Il n'hésita pas au dernier barreau et sauta presque à pieds joints sur 45   le sol.

Le premier pas humain sur la lune appartenait au passé.

Anne PHILIPE, *Spirale*
(Gallimard)

14. Collins, le troisième homme de l'équipage, resté seul dans la fusée Apollo

15. planète (ici, la lune)

16. étendus morts

Hergé, On a marché sur la lune (Casterman)

rassemblons nos idées

1. Les circonstances

a/ A quelle date et en quel lieu se déroule l'événement ?

b/ Pourquoi A. Philipe parle-t-elle de « nuit blanche » ?

2. La lune

a/ Que représentait-elle pour les terriens jusqu'alors ? Relevez deux périphrases employées par l'auteur ; pourquoi les rappelle-t-elle ici ?

b/ Selon la narratrice, quelles sont les deux motivations qui poussent l'homme à découvrir un « autre monde » ?

3. Les moyens

a/ A quels détails se rend-on compte de la grande préparation des hommes et de la technique ?

b/ De quel matériel disposent les astronautes ? Quelle *métaphore* le désigne par deux fois ?

c/ En quoi est-il à la fois extrêmement fragile et tout à fait adapté ?

4. « Premier pas »

a/ Pourquoi A. Philipe parle-t-elle de l'« homme » sans le nommer ?

b/ Relevez les mots ou expressions qui montrent l'attitude d'Armstrong tantôt assurée, tantôt hésitante.

c/ Le second astronaute, Aldrin, a-t-il la même façon de se comporter ?

d/ Quelles sont les différentes actions d'Armstrong sur le sol lunaire ?

5. Autres personnages

a/ Les techniciens de la NASA

— Pourquoi Armstrong s'entretient-il tout de suite avec eux ? Que leur dit-il ?

— Pourquoi la base de Houston est-elle désignée par « La Terre » ?

— Comment intervient-elle dans le dialogue ?

b/ « Leur compagnon solitaire »

— Que fait Collins pendant ce temps-là ?

— Quelles pensées peut-il alors avoir ?

c/ L'humanité

Quelles expressions traduisent son impatience, son émotion et la solennité du moment ?

6. Conclusion

Comment comprenez-vous la dernière phrase du texte ?

vocabulaire

1. Que signifient les expressions suivantes utilisant le mot « lune » :

— un visage en pleine LUNE ?

— être dans la LUNE ?

— avoir un air de toujours tomber de la LUNE ?

— demander (ou promettre) la LUNE ?

— être dans une bonne (ou mauvaise) LUNE ?

— la LUNE de miel ?

2. Selon vous, sur quel modèle a-t-on créé le verbe « alunir » ?

chercher

1. des renseignements sur les grandes étapes de la conquête spatiale ;

2. des documents sur la marche de l'homme sur la lune (voir par exemple *Paris-Match* n° 1058).

lire

De la Terre à la Lune, Jules Verne (LGF).

l'image

a/ Quels sont les points communs mais aussi les différences entre la fiction d'Hergé *(On a marché sur la Lune)* et la réalité rapportée par A. Philipe dans cet extrait de *Spirale* concernant :

— les personnages ?

— le matériel ?

— les premiers pas ?

— le dialogue avec la Terre ?

b/ A la suite de cette comparaison, que pensez-vous de la bande dessinée d'Hergé ?

s'exprimer

1. Vous avez été invité(e) par Houston à suivre l'alunissage d'Armstrong. Soudain, la possibilité de lui parler, depuis la base, vous est donnée... Que lui dites-vous ?

2. Imaginez les réactions de Collins aux différentes étapes de la mission...

3. Vous venez d'être choisi(e) pour devenir le (la) spationaute français(e) des missions de la navette Hermès... Où désirez-vous aller tout de suite ?...

le portrait (1)
ses composantes

Dans un récit, l'auteur interrompt souvent le cours des événements pour nous présenter un personnage nouveau. Si ce personnage est remarquable ou doit jouer un rôle important par la suite, il fera son **portrait.**

Le **portrait,** description physique et morale d'un personnage, nous renseigne :
— sur son identité (nom, âge, famille, « état civil »);
— sur son physique;
— sur son caractère et sa situation sociale.

Il peut tenir en quelques lignes (voir le portrait de M. Violet par Chateaubriand, p. 86) ou en plusieurs pages (voir le portrait moral de Tartarin, p. 90). Il peut être fait en une seule fois, ou complété au fur et à mesure des besoins du récit (ainsi le portrait, surtout physique, de Tartarin, p. 51, sera complété par le portrait moral de la p. 90).

analyse de deux portraits

Relisons les deux rapides portraits de M. Violet et de Tartarin (p. 86 et p. 51), pour voir quelles informations on donne en priorité lorsqu'on veut décrire un personnage en quelques lignes.

1. Le portrait de Tartarin (p. 51)

	identité	physique	moral
« un homme était assis		attitude	
de quarante à quarante-cinq ans		âge	
petit		taille	
gros		corpulence proportions	
trapu			
rougeaud		teint	
en bras de chemise avec des caleçons de flanelle		habillement	
une forte barbe courte et des yeux flamboyants		traits du visage	
il tenait un livre à la main			occupation favorite
de l'autre il brandissait une énorme pipe à couvercle de fer		accessoire familier	goût
et, tout en lisant je ne sais quel récit de chasseurs de chevelure			curiosité « littéraire »
il faisait, en avançant sa lèvre inférieure, une moue terrible		expressions du visage	
qui donnait à sa brave figure de petit rentier tarasconnais	situation géographique		situation sociale
ce même caractère de férocité bonasse qui régnait dans toute la maison.			traits de caractère
Cet homme, c'était Tartarin de Tarascon, l'intrépide, le grand, l'incomparable Tartarin de Tarascon. »	nom		réputation

2. Le portrait de M. Violet (p. 86)

	identité	physique	moral
« Un petit Français poudré et frisé	nationalité	taille	
		chevelure, « mise »	
habit vert pomme veste de droguet, jabot et manchettes de mousseline raclait un violon de poche		couleur, matière et détails du costume attitude accessoire familier	
et faisait danser *Madelon Friquet* à ces Iroquois			occupation
M. Violet (c'était son nom) était maître de danse chez les sauvages On lui payait ses leçons en peaux de castors et en jambons d'ours	nom		nouveau métier ressources
Il avait été marmiton au service du général Rochambeau... porta la civilisation jusque chez les hordes sauvages du Nouveau Monde	situation historique et géographique		ancien métier résumé du passé de M. Violet
En me parlant des Indiens, il me disait toujours : « Ces messieurs sauvages et ces dames sauvagesses. »			expression caractéristique

composition des portraits

On constate que ces deux portraits rapides comportent un certain nombre d'éléments communs, mais qu'ils ne sont pas présentés dans le même ordre, ni de la même façon. Essayons de voir comment ils sont composés.

Par exemple, Chateaubriand et Daudet nous donnent tous deux le nom du personnage décrit : c'est indispensable. Mais nous le donnent-ils au même moment? Pourquoi Daudet nous fait-il attendre le nom de son personnage? Pourquoi le répète-t-il?

1. L'aspect général

■ *Relevez les six premiers renseignements fournis au début de chacun des portraits : concernent-ils plutôt le physique ou le caractère du personnage?*

Le plus souvent, lorsque vous rencontrez pour la première fois quelqu'un, c'est d'abord son physique qui vous frappe, sa façon de s'habiller, son allure, dont se dégage une première impression d'ensemble.
C'est pourquoi les auteurs nous renseignent d'abord sur tout ce qui contribue à l'aspect général du personnage :
— la **taille** notamment (mentionnée immédiatement par Chateaubriand, très vite par Daudet, qui ajoute aussi la corpulence);
— le **vêtement,** dont quelques détails caractéristiques servent à « camper » le personnage;
— l'**attitude** (maintien, démarche, etc.).

> Souvent un portrait commence par évoquer l'aspect général du personnage, qui tient à sa taille, sa corpulence, son attitude, son vêtement.

2. Le visage

Comme dans la description d'un lieu (voir p. 66) quelques **gros plans** complètent le **plan général.** Ils concernent en priorité le visage.

■ *Relevez dans les portraits de M. Violet et de Tartarin, les premiers renseignements concernant leur visage.*

Pourquoi ces détails, et non d'autres? Parce qu'ils sont significatifs et frappants.

■ *Qu'est-ce que la chevelure de M. Violet a de surprenant, si on la compare avec la tenue des Iroquois, décrite à la phrase précédente?*

■ *Relevez les adjectifs qualifiant la barbe, les yeux, et la grimace de Tartarin : quel aspect du caractère de ce personnage annoncent-ils? Comparez avec la tenue vestimentaire de Tartarin.*

> Le choix de quelques détails caractéristiques de la physionomie du personnage permet de compléter son portrait physique et d'annoncer son portrait moral.

3. Le portrait moral

— Il peut être plus ou moins développé, mêlé au portrait physique, ou plus nettement séparé. L'auteur retient ce qui lui paraît le plus important du caractère et/ou de la situation sociale du personnage.

■ *Chateaubriand nous parle-t-il beaucoup du caractère de M. Violet?*

S'il s'attarde longuement sur le passé de son personnage, c'est qu'il écrit des *Mémoires*, où il recueille tout ce qui intéresse l'histoire de son temps.

En revanche, A. Daudet, qui écrit un roman, insiste surtout sur le caractère de son héros.

— On notera que ce portrait moral n'est pas forcément abstrait. Le caractère ou la situation sociale du personnage sont le plus souvent révélés indirectement par :
— une attitude, un geste;
— une occupation habituelle;
— le choix d'un accessoire familier;
— une expression du visage;
— un « tic » de langage, une façon de parler;
— un acte exemplaire.

■ *Pourquoi, selon vous, A. Daudet choisit-il, pour la première apparition de Tartarin, de nous le montrer assis? De quel accessoire se sert-il? Quelle semble être son occupation favorite? Tous ces détails concordent-ils avec l'expression de son visage?*

le portrait (1)
ses composantes

■ *Pourquoi Chateaubriand choisit-il le verbe « racler »? Qu'est-ce que ce choix nous révèle sur le talent de M. Violet? Quel est son véritable métier? Comment appelle-t-il les Indiens? Qu'est-ce que cette façon de parler nous apprend sur sa situation?*

> Le portrait moral est le plus souvent suggéré par le choix de quelques « indices » révélateurs.

— Il pourra être ensuite développé de façon plus explicite (voir *Les deux Tartarins,* p. 131).
Il sera le plus souvent confirmé par les actions du personnage (lisez *Vers l'Afrique,* p. 90 : le comportement de Tartarin confirme-t-il le portrait de la p. 51 ?).
Parfois d'ailleurs le portrait comporte une ou deux anecdotes, résumant telle ou telle action qui illustre un trait de caractère du personnage.

■ *Lisez le portrait de Ménalque (p. 261) qui est fait d'une suite d'anecdotes illustrant un trait de caractère : lequel?*

— Le portrait est souvent accompagné d'une description du milieu, du décor dans lequel vit le personnage (voir *Une demeure héroïque,* p. 50).

4. L'impression générale

De l'ensemble du portrait doit se dégager une impression générale, confirmée par la plupart des détails retenus.
Cette impression peut être celle de l'unité de la personnalité décrite, ou au contraire de la contradiction (par exemple entre le vêtement et la classe sociale, entre les paroles et les actes, etc.).

■ *Quel est le* **contraste** *qui ressort du portrait de Tartarin (par exemple de la comparaison entre les caleçons de flanelle et les yeux flamboyants), comme de la description de sa demeure?*

■ *Quel* **contraste** *retrouve-t-on, tout au long du portrait de M. Violet, entre sa coiffure, son habillement, ses manières d'une part, et sa situation d'autre part?*

Cette impression globale dépend aussi du **ton** sur lequel est rédigé le portrait.

■ *Quel est le* **ton** *adopté par Chateaubriand et Daudet? Prennent-ils au sérieux les occupations de leurs personnages? Relevez quelques expressions révélatrices de leur attitude envers celles-ci.*

> **En résumé :** si l'on veut faire un portrait rapide
> 1. on s'efforcera d'abord de suggérer l'aspect général du personnage
> 2. que l'on précisera à l'aide de quelques détails caractéristiques
> 3. qui annonceront le caractère ou la situation sociale du personnage, sur lesquels on fournira un certain nombre d'indices.
> 4. Tous les détails retenus convergeront vers une même impression d'ensemble.

application

■ *Vous êtes chargé par la police de rédiger le portrait-robot d'un criminel : insistez sur l'aspect général et les signes particuliers.*

■ *Faites le portrait contrasté d'un personnage plein de contradictions.*

■ *Faites le portrait d'un personnage dont toute la vie est dominée par une seule passion (collectionneur, sportif, savant...).*

4/ Héros
en tous genres

Un devoir sacré

La scène se passe à Thèbes, capitale de la Béotie, dans les temps légendaires de la Grèce antique. Les deux fils d'Œdipe, Étéocle et Polynice, après
avoir chassé leur père du trône, ont décidé de se partager le pouvoir : ils
doivent régner un an chacun, à tour de rôle. Au bout d'un an de règne
d'Étéocle, Polynice réclame le pouvoir qui lui est dû; mais son frère refuse de
le lui céder. Alors, Polynice va chercher des renforts auprès de l'armée
d'Argos•, et revient assiéger Thèbes. Les deux frères se rencontrent en
combat singulier, et meurent tous les deux. Leur oncle, Créon, qui prend alors
le pouvoir à Thèbes, décide d'accorder des funérailles officielles à Étéocle,
mais il refuse toute sépulture à Polynice, accusé d'avoir trahi la cité en faisant
appel à une armée étrangère. Or, selon les croyances de la Grèce antique, ce
refus condamne l'âme de Polynice à errer éternellement après sa mort. Antigone, la sœur d'Étéocle et de Polynice, ne peut admettre que l'on enfreigne
ainsi la loi divine qui exige que les morts soient enterrés par leurs proches. A
l'aube, elle vient voir sa sœur Ismène, pour la convaincre d'agir avec elle…

Une place à Thèbes, devant le palais royal.
ANTIGONE. – Chère Ismène, ma sœur, toi qui es du même sang
que moi, de tous les malheurs qu'Œdipe nous a légués[1], en con-
nais-tu un seul que Zeus[2] consente à nous éviter, de notre vivant?
5 Jusqu'ici, il n'est pas de douleur, de malheur, de honte, d'affront,
qui nous aient été épargnés, à toi comme à moi. Et aujourd'hui
encore, qu'est-ce que cette proclamation que le Chef[3] vient
d'adresser au peuple? N'en as-tu pas eu écho? Ne sens-tu pas la
haine et le malheur qui s'approchent de ceux que nous aimons?

10 ISMÈNE. – De ceux que nous aimons, Antigone? Non, je n'ai rien
appris à leur sujet qui puisse adoucir ou aggraver encore ma
peine. Hier, la perte de nos deux frères, tombés sous les coups
l'un de l'autre; cette nuit, la retraite de l'armée d'Argos; je n'en
sais pas davantage; rien n'est venu ajouter ni à ce bonheur ni à ce
15 malheur.

ANTIGONE. – J'en étais sûre, et c'est pourquoi je t'ai donné rendez-vous hors du palais, afin de te parler sans témoins.

ISMÈNE. – Que se passe-t-il? Je vois bien que quelque chose te
préoccupe.

20 ANTIGONE. – Il est vrai : la sépulture due à nos deux frères,
Créon l'accorde à l'un, et la refuse à l'autre ! On dit qu'il a
enseveli Étéocle selon le rite•, comme il est juste et comme il le
devait, afin de lui assurer sous terre l'estime des morts. Mais le
malheureux Polynice, un édit• défend qu'on l'enterre et qu'on le
25 pleure ! Il faut l'abandonner sans larmes ni sépulture, offert en
pâture aux oiseaux ! Oui, voilà les décisions que le noble Créon
nous aurait fait connaître, à toi et à moi, oui, à moi ! Il viendra ici

1. les Anciens pensaient
qu'une certaine fatalité pouvait
se transmettre d'une
génération à une autre, dans
une même famille
2. le plus puissant des dieux
3. il s'agit de Créon

tout à l'heure les proclamer publiquement, pour ceux qui les
ignorent encore. Il ne prend pas la chose à la légère : tout
30 contrevenant• sera lapidé dans la ville même[4]. Les choses en sont
là ; bientôt tu vas montrer si tu es digne de notre sang, ou si, née
de vaillante race, tu n'es qu'une lâche.

ISMÈNE. – Mais, malheureuse, si les choses en sont là, que je
m'en mêle ou non, à quoi cela nous avancera-t-il ?

35 ANTIGONE. – A toi de voir si tu veux t'associer à moi dans l'action et dans le risque.

ISMÈNE. – Quelle aventure veux-tu donc courir ? Quel est ton
projet ?

ANTIGONE. – Je veux, de mes mains, enlever le corps. M'aide-
40 ras-tu ?

ISMÈNE. – Quoi ! tu songes à l'ensevelir ? Malgré l'interdiction
faite à toute la cité ?

ANTIGONE. – Polynice est mon frère ; il est aussi le tien, que tu le
veuilles ou non. Personne ne pourra dire que je l'ai trahi.

45 ISMÈNE. – Mais, malheureuse, et la défense de Créon ?

ANTIGONE. – Créon n'a pas le droit de m'écarter des miens.

ISMÈNE. – Hélas ! réfléchis, ma sœur. [...] A présent que nous
sommes seules, toutes deux, ne vois-tu pas l'affreuse fin qui nous
guette si nous enfreignons la loi, si nous passons outre aux édits•
50 et à la puissance du maître ? N'oublie pas que nous sommes nées
femmes, et que nous ne sommes pas en mesure de lutter contre
des hommes. Nous sommes soumises à plus puissants que nous,
et il faut obéir à leurs ordres – et même à de plus cruels que
celui-ci. Que nos morts sous la terre me pardonnent, puisque j'y
55 suis contrainte : je m'inclinerai devant le pouvoir. C'est folie
d'entreprendre des choses inutiles.

ANTIGONE. – Je ne chercherai pas à t'influencer ; d'ailleurs,
même si tu changeais d'avis tu ne m'aiderais pas de bon cœur.
Comporte-toi à ta guise• : j'ensevelirai Polynice. Je serai fière de
60 mourir après une telle action. Après cette sainte faute, je serai
chère à mon frère bien-aimé, et j'irai reposer près de lui. J'aurai
plus longtemps à plaire à ceux de là-bas[5] qu'aux gens d'ici. Là-
bas, mon séjour n'aura pas de fin. Libre à toi de mépriser ce qui
vaut au regard des dieux.

65 ISMÈNE. – Je ne méprise rien ; mais désobéir aux lois de la cité,
non : j'en suis incapable.

ANTIGONE. – Sers-toi de ce prétexte... J'irai recouvrir de terre le
corps de mon frère bien-aimé.

ISMÈNE. – Malheureuse, que je tremble pour toi !

70 ANTIGONE. – Ne t'occupe pas de moi ; prends soin de ta vie.

ISMÈNE. – Au moins n'avertis personne ; cache bien ton projet : je
le cacherai aussi.

4. habituellement la lapidation
(l'action d'attaquer quelqu'un à
coups de pierres) se faisait à
l'extérieur de la ville ; il s'agit ici
d'une procédure expéditive

5. les morts

Acteurs se préparant à une représentation. Mosaïque romaine (Giraudon)

ANTIGONE. – Ah ! parle, au contraire, annonce-le à tout le monde : je t'en voudrais bien plus de ton silence.

75 ISMÈNE – Ton cœur s'enflamme pour ce qui devrait le glacer.

ANTIGONE. – Je sais qu'ils sont contents, ceux à qui je dois plaire avant tout.

ISMÈNE. – Si toutefois tu le peux; mais tu vises l'impossible.

ANTIGONE. – Quand les forces me manqueront, je renoncerai.

80 ISMÈNE. – C'est déjà une faute que de tenter l'impossible.

ANTIGONE. – Ne me parle pas ainsi, ou je te haïrai, et le mort te haïra, quand tu reposeras près de lui; et ce sera justice. Laisse-moi, laisse mon imprudence courir ce risque. Quoi qu'il me faille souffrir, je serai morte glorieusement.

85 ISMÈNE. – Pars, puisque tu l'as décidé. C'est une folie, sache-le bien; mais ils ont raison de t'aimer, ceux que tu aimes.

Ismène sort. Antigone s'éloigne.

SOPHOCLE, *Antigone*
(Trad. Garnier, remaniée par les auteurs)

Héros en tous genres

rassemblons nos idées

1. Les deux sœurs

a/ Relevez dans le début de la scène les expressions par lesquelles Antigone insiste sur la parenté qui l'unit à Ismène. Les retrouve-t-on à la fin de la scène?

b/ Reportez sur un tableau les réponses aux questions ci-dessous, de façon à faire apparaître les différences entre les personnalités des deux sœurs.

	Ismène	Antigone
Qui est la première informée de la décision de Créon?		
Qui prend l'initiative d'agir?		
Quelle est l'attitude de chacune : à l'égard des morts?		
à l'égard du pouvoir?		
à l'égard du danger?		

2. Lois divines et lois humaines

a/ Quel est, selon Antigone, le devoir de Créon? Quel droit lui refuse-t-elle?

b/ Comment comprenez-vous l'expression : « sainte faute » (l.60)?

c/ A qui Antigone cherche-t-elle à plaire avant tout? Pourquoi?

chercher

1. En lisant la pièce de Sophocle, ou en vous reportant à un dictionnaire de mythologie, résumez la suite de l'histoire d'Antigone.

2. Quelles étaient les croyances des anciens Grecs, concernant la mort? Quels honneurs rendaient-ils aux défunts?

du grec au français

Voici en grec la dernière phrase du texte, avec sa transcription dans notre alphabet, et sa traduction mot à mot :

toïs philoïs   orthôs philè
à tes amis (tu es) justement chère

Vous aurez noté que le mot *philos* (féminin *philè*) signifie ami, amie (quand c'est un nom) ou cher, chère (quand c'est un adjectif).

Il a donné en français le préfixe *phil(o)-*, le suffixe *-phile*, qui tous deux signifient qui aime, amateur de. Cherchez quelques mots français formés à partir de ce préfixe ou de ce suffixe, et expliquez leur signification.

Vous aurez noté que le mot *orthôs* signifie justement. C'est un adverbe, auquel correspond l'adjectif *orthos*, qui veut dire juste, correct, droit, et qui a donné en français le préfixe *ortho-*.

Cherchez quelques mots français formés avec ce préfixe, et expliquez leur signification.

s'exprimer

1. « Nous sommes nées femmes, et nous ne sommes pas en mesure de lutter contre des hommes » : êtes-vous d'accord?

2. Racontez un haut fait accompli par une femme.

3. Voici quelques noms de femmes célèbres. Recherchez dans un dictionnaire le domaine dans lequel elles se sont illustrées : Mme de Sévigné, Marie Curie, Berthe Morisot, Agatha Christie; faites un exposé à la classe.

L'homme qui fit reculer un roi

L'écrivain latin Tite-Live a écrit une Histoire de Rome qui commence à la fondation de la Ville, en 753 avant Jésus-Christ, pour se terminer en l'an 9 après Jésus-Christ. Le récit que vous allez lire se situe en 507 avant Jésus-Christ, peu après l'établissement de la République. Les derniers rois de Rome dont la famille appartenait à un peuple voisin, les Étrusques, ont été exilés. Pour les venger, le roi des Étrusques, Porsenna, est venu assiéger Rome.

Mais le siège• n'en continuait pas moins, amenant la rareté et la cherté• du blé et, en prolongeant le siège, Porsenna avait l'espoir de prendre la ville. Cependant, Gaius Mucius, jeune patricien[1], ne pouvait supporter l'idée que Rome au temps de son
5 esclavage, sous les rois, n'avait été assiégée dans aucune guerre par aucun peuple, et qu'une fois libre, cette même Rome était assiégée par ces mêmes Étrusques[2], dont elle avait souvent dispersé les troupes. Aussi, décidé à faire un grand coup d'audace pour venger cette honte, il résolut[3] – et tout d'abord sans en
10 parler à personne – de pénétrer dans le camp ennemi. Puis il réfléchit qu'en y allant sans l'aveu[4] du consul[5] et à l'insu• de tous, il risquait d'être arrêté par les sentinelles• romaines et ramené comme déserteur, accusation très vraisemblable dans les circonstances présentes. Il se rend donc au sénat et dit : « Sénateurs, je
15 veux traverser le Tibre[6] et pénétrer, si possible, dans le camp des ennemis, non pour piller et leur rendre ravages pour ravages, mais, avec l'aide des dieux, dans un plus noble dessein[7]. » Les sénateurs l'approuvent. Il cache un poignard sous ses vêtements et part. En arrivant, il se mêle à la foule qui se pressait devant
20 le tribunal[8] du roi. Justement on payait la solde•, et un secrétaire, assis avec le roi et vêtu à peu près comme lui, était fort occupé et très entouré par les soldats. N'osant demander lequel était Porsenna, de peur d'être trahi par son ignorance, il s'en remet au hasard et tue le secrétaire, au lieu du roi. Il s'enfuyait,
25 se frayant un chemin à travers la foule en désarroi[9] avec son poignard sanglant, quand la garde royale, attirée par les cris, l'arrête, le ramène et le fait comparaître• devant le tribunal du roi. Là, même dans des circonstances si critiques, il restait effrayant, au lieu d'être effrayé. « Je suis Romain, dit-il, je m'ap-
30 pelle Gaius Mucius. Je voulais te tuer, ennemi contre ennemi, et j'aurai pour mourir autant de cœur que pour tuer : pour agir comme pour souffrir, le courage est vertu• romaine. Et je ne suis pas le seul à avoir pour toi ces sentiments : une foule d'autres viennent derrière moi, qui briguent[10] le même honneur. Ainsi

1. d'une famille noble

2. peuple qui s'établit en Italie au VIIIe s. avant J.-C.

3. décida

4. l'autorisation
5. magistrat élu qui dirigeait le pays

6. fleuve qui traverse Rome

7. but, finalité

8. on appelait ainsi la tente du général en chef

9. bouleversée

10. recherchent, ambitionnent

35 donc, si ce risque te plaît, prépare-toi à défendre ta tête à toute
heure et à trouver le poignard d'un ennemi jusque dans le
vestibule* de ton palais. Voici comment la jeunesse romaine te
déclare la guerre : pas de batailles, pas de combats à redouter;
c'est entre toi seul et chacun de nous que tout se passera. »
40 Comme le roi, à la fois animé par la colère et effrayé par le
danger, le menaçait de faire allumer des feux tout autour de lui
s'il ne dévoilait* pas immédiatement le complot dont il lui faisait
entrevoir la menace : « Voici, dit Mucius, qui t'apprendra le cas
qu'on fait du corps quand on vise à la gloire », et il pose sa main
45 droite sur un réchaud* allumé pour un sacrifice et la laisse brûler,
comme s'il était complètement insensible. Alors, le roi, bouleversé par cette espèce de prodige*, s'élança de son siège et fit
entraîner le jeune homme loin de l'autel. « Va-t'en, lui dit-il : tu
t'es attaqué à toi-même plus qu'à moi. J'applaudirais à ton cou-
50 rage, s'il était au service de mon pays. Mais, du moins, je t'épar-
gne les lois de la guerre, les violences et les mauvais traitements,
et je te laisse partir. » Alors, comme pour payer de retour sa
générosité, Mucius lui dit : « Puisque tu tiens le courage en
estime[11], ton bon procédé obtiendra de moi ce que j'ai refusé à   11. honneur
55 tes menaces : nous sommes trois cents, l'élite de la jeunesse romaine, qui avons juré de t'atteindre par cette voie. Mon nom est
sorti[12] le premier; les autres, quel qu'ait été le sort des premiers,   12. par tirage au sort
et jusqu'à ce qu'une occasion te mette à leur merci, se présente-
ront chacun à son heure. »
60   Lors du départ de Mucius, qu'on surnomma dès lors Scaevola
(le Gaucher), à cause de la perte de sa main droite, des envoyés
de Porsenna le suivirent à Rome. Le roi était si ému d'avoir
couru ce premier danger, auquel il n'avait échappé que par une   13. erreur
méprise[13] de l'agresseur, et d'être soumis à ce risque autant de   14. de Romains qui avaient
65 fois qu'il restait de conjurés[14], qu'il décida spontanément d'en-   juré ensemble la mort de
voyer à Rome des propositions de paix.   Porsenna

TITE-LIVE, *Histoire romaine*
(Trad. Baillet, Les Belles Lettres)

rassemblons nos idées

1. Les circonstances

a/ Où et quand se déroule cette histoire?
b/ Quelle est alors la situation politique? Quel
régime vient d'être établi à Rome? Quelle est la
situation militaire?

2. Les personnages

a/ Les sénateurs
— Agissent-ils? (Justifiez votre réponse.)
— Quelle est leur position face au projet de Scae-
vola? Pourquoi?

b/ L'entourage du roi
— Son secrétaire est tué : pour quelle raison?
— Relevez les expressions qui nous renseignent sur
l'attitude de la foule.
— Comment réagit la garde royale?

3. Le roi Porsenna

a/ Quel est son but?
b/ Comment s'y prend-il pour parvenir au succès?
c/ Comment réagit-il immédiatement après la tentative de Scaevola? Quels sont les deux sentiments
qui l'animent?

d/ A quel moment change-t-il d'attitude envers Scaevola? Pourquoi?

e/ Que ressent-il après le départ de Scaevola?

f/ Que décide-t-il finalement? Est-ce en accord avec son plan initial? (Justifiez votre réponse.)

4. Mucius Scaevola

Essayons de comprendre ce qui le motive :

a/ « Je suis Romain » (l. 29)

— Quelle sorte de qualité incite Mucius à agir comme il le fait?

— Relevez les mots par lesquels l'auteur insiste sur cet aspect du personnage.

— Trouvez également, dans les paroles de Porsenna lui-même, un hommage à cette valeur.

b/ « il pose sa main droite sur un réchaud » (l. 44)

— De quelle vertu fait-il alors preuve?

— Relevez les actes et les paroles de Scaevola qui illustrent aussi cette qualité.

c/ « puis il réfléchit... » (l. 10)

— Comment appeler le *trait de caractère* que révèle cette attitude ?

— Trouvez les mots clés de ce texte qui attestent cette même vertu.

d/ « ... le même honneur... » (l. 34)

— Que désire Mucius?

— Comment parle-t-il de lui?

— Comment entre-t-il dans la légende?

— De quelle façon s'y prend-il pour que les autres Romains agissent comme lui?

du latin au français

Voici quelques phrases du texte en latin, accompagnées de leur traduction mot à mot :

« Transire Tiberim, inquit, patres, et intrare,
« traverser le Tibre, dit-il, sénateurs, et entrer
si possim, in castra hostium volo... »
si je peux, dans le camp des ennemis, je veux... »

« Romanus sum, inquit, civis; C. Mucium vocant. »
« je suis citoyen romain, dit-il; on m'appelle Caius Mucius. »

« Hoc tibi juventus romana indicit bellum. »
« à toi la jeunesse romaine déclare cette guerre. »

Voici maintenant quelques mots latins tirés de ces phrases. Trouvez des mots français qui ont été formés à partir de leur radical.

mots latins	sens	radical	mots français
transire	traverser	transi-	
pater, patris	père	(pater) patr-	
intrare	entrer	intr(a)-	
possem	pouvoir	poss-	
hostis	l'ennemi	hosti-	
civis	le citoyen	civi-	
volo	je veux	vol-	
vocare	appeler	voca-	
bellum	la guerre	bell-	

vocabulaire

A partir du verbe « nommer », jouez avec les préfixes.

Ainsi, trouvez le sens de :

— *sur* nommé   — *pré* nommé

— *re* nommé   — *sus* nommé.

— *dé* nommé

s'exprimer

1. Imaginez le retour triomphant de Mucius Scaevola parmi les siens (réactions, sentiments,...).

2. Mucius Scaevola a échoué. Un autre jeune Romain vient le venger. Racontez.

chercher

1. Quelle est la définition des mots suivants : plébéien, patricien, sénateur.

2. Cherchez d'autres noms de héros romains.

Lancelot au pont de l'Épée

Lancelot, chevalier de la Table Ronde, a vu Guenièvre, l'épouse du roi Arthur, qu'il aime secrètement, être enlevée par le brutal Méléagant, qui l'a entraînée de force dans le territoire du roi de Gorre. Ce royaume est d'accès difficile : on n'y peut pénétrer que par « deux cruels passages », le pont dessous l'eau, ou le pont de l'Épée, et aucun étranger n'en est jamais revenu. Mais Lancelot est prêt à tout pour sauver sa Dame : avec deux compagnons, il se lance à la poursuite de Méléagant et de Guenièvre par le chemin le plus court, celui qui passe par le pont de l'Épée...

Ce jour-là, dès la matinée ils ont chevauché jusqu'à la vesprée[1] sans trouver aventure – Vont cheminant le droit chemin. Comme le jour va déclinant, ils viennent au pont de l'Épée.

A l'entrée de ce pont terrible, ils mettent pied à terre. Ils
5 voient l'onde félonesse[2], rapide et bruyante, noire et épaisse, aussi laide et épouvantable que si ce fût fleuve du diable. Et si périlleuse• et profonde qu'il n'est nulle créature au monde, si elle y tombait, qui ne soit perdue comme en la mer salée. Le pont qui la traverse n'est pareil à nul autre qui fut ni qui jamais sera.
10 Non, jamais on ne trouvera si mauvais pont, si male[3] planche.

1. au soir

2. traîtresse

3. mauvaise

Le pont de l'Épée. Enluminure du XIVe siècle (J.-L. Charmet)

D'une épée fourbie et blanche était fait le pont sur l'eau froide.
L'épée était forte et roide[4] et avait deux lances de long. Sur
chaque rive était un tronc où l'épée était fichée. Nulle crainte
qu'elle se brise ou ploie. Et pourtant, il ne semble pas qu'elle
15   puisse grand faix[5] porter. Ce qui déconfortait[6] les deux compagnons, c'est qu'ils croyaient voir deux lions ou deux léopards à
chaque tête de ce pont, enchaînés à une grosse pierre.

L'eau et le pont et les lions mettent les deux compagnons en
une telle frayeur qu'ils tremblent de peur et disent au chevalier :
20   « Sire, croyez le conseil que vous donnent vos yeux ! Il vous
faut le recevoir ! Ce pont est mal fait, mal joint et mal charpenté.
Si vous ne vous en retournez maintenant, vous vous en repen-
tirez trop tard. Avant d'agir, il convient de délibérer[7]. Imaginons
que vous ayez passé ce pont – ce qui ne peut advenir[8], pas plus
25   que de retenir les vents, de leur défendre de venter, d'empêcher
les oiseaux de chanter ou de faire rentrer un homme dedans le
ventre de sa mère et de faire qu'il en renaisse. Ce serait faire
l'impossible comme de vider la mer. Comment pouvez-vous penser que ces deux lions forcenés• enchaînés à ces pierres ne vont
30   vous tuer puis sucer le sang de vos veines, manger votre chair,
ronger vos os? Nous nous sentons trop hardis rien que d'oser les
regarder. Si vous ne vous en gardez point, ils vous occiront[9],
sachez-le. Et les membres de votre corps ils vous rompront et
arracheront. Jamais n'auront pitié de vous ! Ayez donc pitié de
35   vous-même et demeurez avec vos compagnons ! Vous auriez tort
si, par votre faute et le sachant, vous vous mettiez en péril de
mort ! »

Le chevalier leur répond en riant :
« Seigneurs, je vous ai gré très vif de vous émouvoir ainsi pour
40   moi. C'est preuve de cœurs amis et généreux. Je sais bien qu'en
nulle guise[10], vous ne voudriez qu'il m'arrive malheur. J'ai telle
foi, telle confiance en Dieu qu'il me protégera en tous lieux. Le
pont ni cette eau je ne crains, non plus que cette terre dure. Je
veux me mettre à l'aventure, me préparer à passer outre[11]. Plutôt
45   mourir que reculer ! »

Lors[12], ils ne savent plus que dire, mais de pitié pleurent et
soupirent. Et lui de passer le gouffre•. Le mieux qu'il peut, il se
prépare et – très étrange merveille ! – il désarme ses pieds, ses
mains. Il se tenait bien sur l'épée qui était plus tranchante qu'une
50   faux, les mains nues et les pieds déchaux[13], car il n'avait laissé
aux pieds souliers, ni chausses[14], ni avanpiés[15]. Mais il aimait
mieux se meurtrir que choir• du pont et se noyer dans l'eau dont
il ne pourrait sortir. A grande douleur, comme il convient, il
passe outre, et en grande détresse, mains, genoux et pieds il se
55   blesse. Mais l'apaise et le guérit Amour qui le conduit et mène.
Tout ce qu'il souffre lui est doux. Des mains, des pieds et des
genoux, il fait tant qu'il parvient de l'autre côté. Alors il se souvient des deux lions qu'il croyait avoir vus quand il était sur

4. rigide

5. poids, fardeau
6. impressionnait

7. réfléchir
8. arriver

9. tueront

10. en aucune façon

11. à franchir cet obstacle

12. alors

13. déchaussés
14. bas
15. guêtres

60 l'autre rive. Il regarde tout autour de lui. N'y avait pas même un lézard qui pût donner à craindre. Il met sa main devant sa face, regarde son anneau et ne trouve aucun des deux lions qu'il croyait pourtant avoir vus. Il pense être déçu[16] par un enchantement[17], car il n'y a rien là qui vive.

16. trompé
17. mirage provoqué par un enchanteur

CHRÉTIEN de TROYES, *Lancelot ou le Chevalier à la charrette*
(Trad. J.-P. Foucher, Gallimard)

observer pour mieux comprendre

Les titres des rubriques ci-dessous correspondent aux différentes parties de ce texte : précisez pour chacune d'entre elles à quelle ligne elle commence et à quelle ligne elle finit.

1. La description du pont : ligne ... à ligne ...
a/ Relevez toutes les tournures qui soulignent l'aspect extraordinaire de ce « pont » : en particulier, les comparaisons, les adverbes d'intensité, les comparatifs.
b/ Relevez les adjectifs qui expriment son aspect redoutable.
c/ Le texte de Chrétien de Troyes est écrit en vers rimés. Le traducteur s'est efforcé de conserver quelques-unes de ces rimes : retrouvez-les. Quel effet produisent-elles ?

2. Le dialogue : ligne ... à ligne ...
a/ Quels sont les deux arguments employés par les compagnons pour retenir Lancelot ?
b/ Quel genre d'expressions emploient-ils? Cherchent-ils à minimiser la difficulté et le danger? Dans quel état d'esprit semblent-ils être?
c/ Sur quel ton Lancelot répond-il? De quelle qualité fait-il preuve? Qu'est-ce qui lui donne confiance?

3. L'exploit : ligne ... à ligne ...
a/ Pourquoi Lancelot enlève-t-il ses armes, et passe-t-il le pont pieds et mains nus?
b/ Qu'est-ce qui l'aide à supporter la douleur? Qu'en pensez-vous?
c/ Comment expliquez-vous que les lions aient disparu ? Comparez ce dénouement avec celui de l'aventure de Gauvain (p. 61, l. 122).

chercher

1. Dessinez l'armure d'un chevalier du Moyen Age.
2. Qu'appelait-on au Moyen Age *l'amour courtois*?
3. A la ligne 55, le mot « Amour » est écrit avec une majuscule. Pourquoi? Cherchez dans la mythologie grecque et romaine qui était le dieu de l'amour.
4. Avez-vous lu d'autres textes, ou vu des films, qui mettaient également en scène Lancelot? Comparez-les avec l'extrait ci-dessus, puis faites le portrait de ce chevalier. Pourquoi l'appelle-t-on le « chevalier à la charrette »?
5. « Plutôt mourir que reculer », pourrait être la devise de Lancelot. Cherchez d'autres devises célèbres, attribuées à de grands personnages de la légende ou de l'histoire.

vocabulaire

Les synonymes de « courage » : en voici quelques-uns. Précisez, le cas échéant, l'adjectif qui lui correspond. Dites à quelle nuance de courage il correspond, et illustrez-le par un exemple (éventuellement, sous la forme d'un bref récit). L'un de ces mots est familier, lequel?

nom	adjectif	nuance
bravoure		
cran		
stoïcisme		
vaillance		
hardiesse		
intrépidité		
témérité		
audace		

s'exprimer

« Plutôt mourir que reculer » : racontez une histoire illustrant cette devise.

D'Artagnan le libérateur

La reine Anne d'Autriche se trouve dans une situation délicate : le roi — Louis XIII — l'abandonne, le cardinal Richelieu la persécute et les personnes à son service sont tour à tour inquiétées. D'Artagnan entouré de ses fidèles amis Athos, Porthos et Aramis, s'intéresse à cette « affaire ». Un soir, il entend des bruits bizarres qui proviennent de la chambre au-dessous de la sienne...

Des cris retentirent bientôt, puis des gémissements qu'on cherchait à étouffer. D'interrogatoire, il n'en était pas question.

« Diable ! se dit d'Artagnan, il me semble que c'est une femme : on la fouille, elle résiste, – on la violente, – les misérables ! »

5 Et d'Artagnan, malgré sa prudence, se tenait à quatre[1] pour ne pas se mêler à la scène qui se passait au-dessous de lui.

1. se retenait

« Mais je vous dis que je suis la maîtresse de la maison, messieurs; je vous dis que je suis Mme Bonacieux; je vous dis que
10 j'appartiens à la reine ! » s'écriait la malheureuse femme.

« Mme Bonacieux ! murmura d'Artagnan; serais-je assez heureux pour avoir trouvé ce que tout le monde cherche[2]?

2. Mme Bonacieux, surveillée par ses amis, est inquiétée par ses ennemis en raison de sa fidélité à la Reine

« C'est justement vous que nous attendions », reprirent les interrogateurs.

15 La voix devint de plus en plus étouffée : un mouvement tumultueux[3] fit retentir les boiseries. La victime résistait autant qu'une femme peut résister à quatre hommes.

3. bruyant

« Pardon, messieurs, par... », murmura la voix, qui ne fit plus entendre que des sons inarticulés.

20 « Ils la bâillonnent, ils vont l'entraîner, s'écria d'Artagnan en se redressant comme par un ressort. Mon épée; bon, elle est à mon côté. Planchet[4] !

4. valet de d'Artagnan, fidèle mais peureux

– Monsieur?

– Cours chercher Athos, Porthos et Aramis. L'un des trois
25 sera sûrement chez lui, peut-être tous les trois seront-ils rentrés. Qu'ils prennent des armes, qu'ils viennent, qu'ils accourent. Ah ! je me souviens, Athos est chez M. de Tréville.

– Mais où allez-vous, monsieur, où allez-vous?

– Je descends par la fenêtre, s'écria d'Artagnan, afin d'être
30 plus tôt arrivé; toi, remets les carreaux, balaie le plancher, sors par la porte et cours où je te dis.

– Oh ! monsieur, monsieur, vous allez vous tuer, s'écria Planchet.

– Tais-toi, imbécile », dit d'Artagnan. Et s'accrochant de la
35 main au rebord de sa fenêtre, il se laissa tomber du premier

Les Trois Mousquetaires (M. Enguerand)

étage, qui heureusement n'était pas élevé, sans se faire une écor-
chure.

Puis il alla aussitôt frapper à la porte en murmurant :

« Je vais me faire prendre à mon tour dans la souricière[5], et
40 malheur aux chats qui se frotteront à pareille souris. »

A peine le marteau eut-il résonné sous la main du jeune
homme, que le tumulte cessa, que des pas s'approchèrent, que la
porte s'ouvrit, et que d'Artagnan, l'épée nue, s'élança dans l'appartement de maître Bonacieux, dont la porte, sans doute mue[6]
45 par un ressort, se referma d'elle-même sur lui.

Alors ceux qui habitaient encore la malheureuse maison de
Bonacieux et les voisins les plus proches entendirent de grands
cris, des trépignements[7], un cliquetis[8] d'épées et un bruit pro-
longé de meubles. Puis, un moment après, ceux qui, surpris par
50 ce bruit, s'étaient mis aux fenêtres pour en connaître la cause,
purent voir la porte se rouvrir et quatre hommes vêtus de noir
non pas en sortir, mais s'envoler comme des corbeaux
effarouchés[9], laissant par terre et aux angles des tables des
plumes de leurs ailes, c'est-à-dire des loques[10] de leurs habits et
55 des bribes[11] de leurs manteaux.

D'Artagnan était vainqueur sans beaucoup de peine, il faut le
dire, car un seul des alguazils[12] était armé, encore se défendit-il
pour la forme. Il est vrai que les trois autres avaient essayé d'assommer le jeune homme avec les chaises, les tabourets et les
60 poteries; mais deux ou trois égratignures faites par la flamberge[13]

5. le piège

6. mise en mouvement (verbe
« mouvoir »)

7. piétinements violents
8. bruits secs

9. effrayés

10. guenilles, lambeaux

11. morceaux, débris

12. mot espagnol désignant
les gendarmes

13. l'épée

du Gascon les avaient épouvantés. Dix minutes avaient suffi à leur défaite°, et d'Artagnan était resté maître du champ de bataille.

Les voisins, qui avaient ouvert leurs fenêtres avec le sang-froid
65 particulier aux habitants de Paris dans ces temps d'émeutes° et de rixes[14] perpétuelles°, les refermèrent dès qu'ils eurent vu s'enfuir les quatre hommes noirs : leur instinct° leur disait que, pour le moment, tout était fini. [...]

D'Artagnan, resté seul avec Mme Bonacieux, se retourna vers
70 elle : la pauvre femme était renversée sur un fauteuil et à demi évanouie. D'Artagnan l'examina d'un coup d'œil rapide. [...]

Elle ouvrit les yeux, regarda avec terreur autour d'elle, vit que l'appartement était vide, et qu'elle était seule avec son libérateur. Elle lui tendit aussitôt les mains en souriant. Mme Bonacieux
75 avait le plus charmant sourire du monde.

« Ah ! monsieur ! dit-elle, c'est vous qui m'avez sauvée ; permettez que je vous remercie.

— Madame, dit d'Artagnan, je n'ai fait que ce que tout gentilhomme° eût fait à ma place, vous ne me devez donc aucun
80 remerciement.

— Si fait, monsieur, si fait, et j'espère vous prouver que vous n'avez pas rendu service à une ingrate[15]. »

14. querelles accompagnées d'injures et de coups

15. femme sans reconnaissance

Alexandre DUMAS, *Les Trois Mousquetaires.*

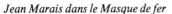

Jean Marais dans le Masque de fer

Héros en tous genres

rassemblons nos idées

1. D'Artagnan/les quatre agresseurs

d'Artagnan	questions	les agresseurs
	— Où se trouvent-ils au début du récit? — Que font-ils?	
	— Pour quelles raisons viennent-ils auprès de Mme Bonacieux?	
	— Comment se déroule leur « entrevue »? (Relevez des expressions qui en donnent une idée.) — Qualifiez leur façon d'agir.	
	— Quel est le résultat de cette « entrevue »?	

2. D'Artagnan/Mme Bonacieux

d'Artagnan	questions	Mme Bonacieux
	— Où se trouvent-ils au début du récit? — Que font-ils?	
	— De quelles qualités font-ils preuve face aux quatre agresseurs? — En usent-ils au même moment?	
	Quand sont-ils : actifs? passifs?	
	Qualifiez l'attitude qui est la leur après la fuite des agresseurs.	

3. Le héros
Relevez tout ce qui fait de d'Artagnan un « héros » après avoir défini ce mot.

4. L'humour
Relevez l'aspect humoristique du texte dans :
a/ les paroles de d'Artagnan;
b/ ses actions;
c/ l'attitude des agresseurs face à d'Artagnan;
d/ la réaction des voisins;
e/ la façon dont Mme Bonacieux réagit pendant et après cette agression.

5. Rassemblez sur un tableau, comme vous l'avez déjà fait (p. 62), les éléments principaux de ce récit.

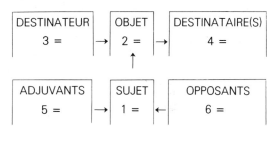

s'exprimer

1. Faites raconter la scène que vous venez de lire par trois personnes différentes.
a/ Un témoin qui aurait été caché dans la chambre où se trouvait Mme Bonacieux raconte.
b/ Un voisin qui a ouvert sa fenêtre raconte à un autre... ce qu'il n'a pas vu !
c/ Un des agresseurs de Mme Bonacieux raconte à un ami sa bataille avec d'Artagnan.
2. Vous adaptez ce texte pour le théâtre :
vous devez donc le retranscrire sous forme de dialogue entre plusieurs personnages : d'Artagnan/ Mme Bonacieux / Planchet / Les quatre agresseurs/ Les voisins. Vous pourrez ensuite jouer cette scène théâtrale avec vos camarades.

Une petite grande âme

« C'est un gavroche » : cette expression, passée dans la langue française, désigne un enfant de la rue, déluré et malicieux. Mais Gavroche est, avant tout, l'un des principaux personnages du roman de Victor Hugo ; *Les Misérables* (voir p. 161).

Au cours de l'insurrection de 1832 (5 et 6 juin), le peuple se soulève contre Louis-Philippe. Gavroche se trouve derrière la barricade des insurgés (révoltés contre le roi), sous les ordres du chef des étudiants — Courfeyrac —, face aux gardes nationaux.

Courfeyrac tout à coup aperçut quelqu'un au bas de la barricade, dehors, dans la rue, sous les balles.

Gavroche avait pris un panier à bouteilles dans le cabaret, était sorti par la coupure[1] et était paisiblement occupé à vider
5   dans son panier les gibernes[2] pleines de cartouches des gardes nationaux tués sur le talus de la redoute[3].

« Qu'est-ce que tu fais là? » dit Courfeyrac.

Gavroche leva le nez :

« Citoyen, j'emplis mon panier.

10   — Tu ne vois donc pas la mitraille•? »

Gavroche répondit :

« Eh bien, il pleut. Après? »

Courfeyrac cria :

« Rentre !

15   — Tout à l'heure », fit Gavroche.

Et, d'un bond, il s'enfonça dans la rue.

On se souvient que la compagnie Fannicot[4], en se retirant, avait laissé derrière elle une traînée de cadavres.

Une vingtaine de morts gisaient çà et là dans toute la longueur
20   de la rue sur le pavé. Une vingtaine de gibernes pour Gavroche. Une provision de cartouches pour la barricade.

La fumée était dans la rue comme un brouillard. Quiconque a vu un nuage tombé dans une gorge de montagnes entre deux escarpements[5] à pic peut se figurer cette fumée resserrée et
25   comme épaissie par deux sombres lignes de hautes maisons. Elle montait lentement et se renouvelait sans cesse; de là un obscurcissement graduel[6] qui blêmissait[7] même le plein jour. C'est à peine si, d'un bout à l'autre de la rue, pourtant fort courte, les combattants s'apercevaient.

30   Cet obscurcissement, probablement voulu ou calculé par les chefs qui devaient diriger l'assaut de la barricade, fut utile à Gavroche.

Sous les plis de ce voile de fumée et grâce à sa petitesse, il put s'avancer assez loin dans la rue sans être vu. Il dévalisa• les sept
35   ou huit premières gibernes sans grand danger.

1. passage effectué dans la barricade
2. boîtes de cartouches des soldats
3. ouvrage de fortification

4. du nom du capitaine qui dirigeait cette compagnie de la garde nationale

5. versants en pente raide

6. progressif
7. faisait pâlir

Gavroche dessiné par
Victor Hugo (Hachette)

Il rampait à plat ventre, galopait à quatre pattes, prenait son
panier aux dents, se tordait, glissait, ondulait, serpentait d'un
mort à l'autre et vidait la giberne ou la cartouchière comme un
singe ouvre une noix.

40 De la barricade, dont il était encore assez près, on n'osait lui
crier de revenir, de peur d'appeler l'attention sur lui.

Sur un cadavre, qui était un caporal, il trouva une poire à
poudre[8].

« Pour la soif », dit-il en la mettant dans sa poche.

45 A force d'aller en avant, il parvint au point où le brouillard de
la fusillade devenait transparent.

Si bien que les tirailleurs de la ligne rangés et à l'affût derrière
leur levée de pavés, et les tirailleurs de la banlieue[9] massés à
l'angle de la rue, se montrèrent soudainement quelque chose qui
50 remuait dans la fumée.

Au moment où Gavroche débarrassait de ses cartouches un
sergent gisant près d'une borne, une balle frappa le cadavre.

« Fichtre[10] ! fit Gavroche. Voilà qu'on me tue mes morts. »

Une deuxième balle fit étinceler le pavé à côté de lui. Une
55 troisième renversa son panier.

Gavroche regarda et vit que cela venait de la banlieue.

8. réserve à poudre en forme de poire

9. gardes nationaux recrutés dans la banlieue parisienne

10. expression familière qui exprime un étonnement mêlé de contrariété

121

Il se dressa tout droit, debout, les cheveux au vent, les mains sur les hanches, l'œil fixé sur les gardes nationaux qui tiraient, et il chanta :

60
> *On est laid à Nanterre[11],*
> *C'est la faute à Voltaire[12],*
> *Et bête à Palaiseau[13],*
> *C'est la faute à Rousseau[14].*

Puis il ramassa son panier, y remit, sans en perdre une seule, 65 les cartouches qui en étaient tombées et, avançant vers la fusillade, alla dépouiller• une autre giberne. Là, une quatrième balle le manqua encore. Gavroche chanta :

> *Je ne suis pas notaire,*
> *C'est la faute à Voltaire,*
70
> *Je suis petit oiseau,*
> *C'est la faute à Rousseau.*

Une cinquième balle ne réussit qu'à tirer de lui un troisième couplet :

> *Joie est mon caractère,*
75
> *C'est la faute à Voltaire,*
> *Misère est mon trousseau•,*
> *C'est la faute à Rousseau.*

Cela continua ainsi quelque temps.

Le spectacle était épouvantable et charmant. Gavroche, 80 fusillé, taquinait[15] la fusillade. Il avait l'air de s'amuser beaucoup. C'était le moineau becquetant les chasseurs. Il répondait à chaque décharge par un couplet. On le visait sans cesse, on le manquait toujours. Les gardes nationaux et les soldats riaient en l'ajustant•. Il se couchait, puis se redressait, s'effaçait dans un 85 coin de porte, puis bondissait, disparaissait, reparaissait, se sauvait, revenait, ripostait à la mitraille par des pieds de nez•, et cependant pillait les cartouches, vidait les gibernes et remplissait son panier. Les insurgés[16], haletants• d'anxiété, le suivaient des yeux. La barricade tremblait; lui, chantait. Ce n'était pas un 90 enfant, ce n'était pas un homme; c'était un étrange gamin fée. On eût dit le nain invulnérable[17] de la mêlée. Les balles couraient après lui, il était plus leste• qu'elles. Il jouait on ne sait quel effrayant jeu de cache-cache avec la mort; chaque fois que la face camarde du spectre[18] s'approchait, le gamin lui donnait une pi-95 chenette.

Une balle pourtant, mieux ajustée ou plus traître que les autres, finit par atteindre l'enfant feu follet[19]. On vit Gavroche chanceler, puis il s'affaissa. Toute la barricade poussa un cri; mais il y avait de l'Antée[20] dans ce pygmée[21]; pour le gamin 100 toucher le pavé, c'est comme pour le géant toucher la terre; Gavroche n'était tombé que pour se redresser; il resta assis sur son séant, un long filet de sang rayant son visage, il éleva ses

11. commune située à l'ouest de Paris

12. écrivain du XVIIIe siècle. Il se mêla aux luttes littéraires, philosophiques et religieuses de son temps.

13. localité de l'Essonne, dans la banlieue sud de Paris

14. écrivain et philosophe du XVIIIe siècle ; les théories de son livre, *Le Contrat social*, annoncent la Révolution française.

15. narguait

16. les révoltés

17. qui ne peut être ni blessé ni tué

18. le visage de la mort, au nez écrasé

19. agile, rapide, insaisissable comme un feu follet

20. géant de la mythologie grecque qui reprenait des forces dès qu'il touchait la terre

21. homme de petite taille

deux bras en l'air, regarda du côté d'où était venu le coup, et se
mit à chanter :

105
> *Je suis tombé par terre,*
> *C'est la faute à Voltaire,*
> *Le nez dans le ruisseau,*
> *C'est la faute à...*

Il n'acheva point. Une seconde balle du même tireur l'arrêta
110 court. Cette fois il s'abattit la face contre le pavé et ne remua
plus. Cette petite grande âme venait de s'envoler.

Victor HUGO, *Les Misérables.*
Si vous désirez lire un autre extrait de ce livre, reportez-vous p. 161.

rassemblons nos idées

1. Les circonstances

a/ de lieu
— Dans quelle ville se déroule cette insurrection ?
— Dans quel lieu ? (Relevez les termes qui le précisent.)
b/ de temps
Faites un relevé des mots qui nous renseignent sur l'époque à laquelle ces événements se déroulent.

2. Les personnages annexes

a/ de la barricade
— Qui sont-ils ?
— Comment sont-ils désignés ? (Justifiez votre réponse.)
b/ Les tirailleurs
— Qui sont-ils ?
— Comment sont-ils groupés ?

3. Gavroche

a/ Un enfant étonnant
— Quel âge a-t-il, d'après vous ?
— Physiquement, comment apparaît-il face aux autres personnages ?
b/ Dans la fumée
- Spirituel et moqueur
Relevez les différentes répliques de Gavroche qui illustrent cet aspect du personnage.
— Brave
Gavroche se sert de la fumée : pour quelle raison ? Dans quel but ?
Relevez les différents verbes employés pour préciser les différentes actions de l'enfant.
Comment réagissent les camarades de Gavroche face à son comportement ?
c/ « ... où le brouillard de la fusillade devenait transparent »
— Spirituel et moqueur
Qu'y a-t-il de drôle dans la réplique de Gavroche ? (l. 53)

Pourquoi décide-t-il de chanter ?
Comment comprenez-vous sa chanson ?
De quelle façon se comporte-t-il face aux gardes nationaux ?
— Brave
« Le spectacle était épouvantable et charmant » : ces deux adjectifs vont-ils habituellement ensemble ? Que veut dire l'auteur en les rapprochant l'un de l'autre ?
De qui et de quoi se moque Gavroche ?
Cesse-t-il son action ? (Justifiez votre réponse en relevant les verbes significatifs.)
Comment apparaît-il aux yeux de tous ?
d/ La mort
— Pourquoi le héros est-il finalement atteint ?
— Qualifiez son attitude au moment de sa mort.
— Montrez l'aspect symbolique que prennent les derniers vers chantés par Gavroche.
— Que pensez-vous de la dernière phrase du texte ? Comment comprenez-vous *l'alliance* des deux adjectifs qualifiant l'âme de Gavroche ?
Quel sens donnez-vous au verbe « s'envoler » ?

lire

Les Misérables de Victor Hugo, dans une édition de petits classiques. (Vous pouvez composer une fiche biographique pour Gavroche et une autre pour Cosette.)

chercher

Avec l'aide de votre professeur d'histoire, cherchez des précisions sur l'insurrection de 1832. Était-elle isolée ? Se trouvait-elle au contraire dans un mouvement de rébellion générale ? Quelles en étaient les causes ?

Ballade de celui qui chanta dans les supplices

En 1943, Aragon publie clandestinement, sous le pseudonyme de Jacques Destaing, ce poème, destiné à soutenir les résistants français dans leur lutte contre l'occupant.

— « Et s'il était à refaire,
Je referais ce chemin... »
Une voix monte des fers
Et parle des lendemains.

On dit que dans sa cellule,
Deux hommes, cette nuit-là,
Lui murmuraient : « Capitule.
De cette vie es-tu las?

Tu peux vivre, tu peux vivre,
Tu peux vivre comme nous !
Dis le mot qui te délivre
Et tu peux vivre à genoux... »

— « Et s'il était à refaire,
Je referais ce chemin... »
La voix qui monte des fers
Parle pour les lendemains.

« Rien qu'un mot : la porte cède,
S'ouvre et tu sors ! Rien qu'un mot :
Le bourreau se dépossède...
Sésame• ! Finis tes maux !

Rien qu'un mot, rien qu'un mensonge
Pour transformer ton destin...
Songe, songe, songe, songe
A la douceur des matins ! »

— « Et si c'était à refaire
Je referais ce chemin... »
La voix qui monte des fers
Parle aux hommes de demain.

« J'ai dit tout ce qu'on peut dire.
L'exemple du Roi Henri.
Un cheval pour mon empire[1]...
Une messe pour Paris[2]...

Rien à faire. » Alors qu'ils partent !
Sur lui retombe son sang !
C'était son unique carte :
Périsse cet innocent !

Et si c'était à refaire
Referait-il ce chemin?
La voix qui monte des fers
Dit : « Je le ferai demain.

Je meurs et France demeure
Mon amour et mon refus.
O mes amis, si je meurs,
Vous saurez pourquoi ce fut ! »

Ils sont venus pour le prendre.
Ils parlent en allemand.
L'un traduit : « Veux-tu te rendre? »
Il répète calmement :

— « Et si c'était à refaire
Je referais ce chemin,
Sous vos coups, chargé de fers,
Que chantent les lendemains ! »

Il chantait, lui, sous les balles,
Des mots : « ... sanglant est levé... »
D'une seconde rafale,
Il a fallu l'achever.

Une autre chanson française[3]
A ses lèvres est montée,
Finissant la Marseillaise
Pour toute l'humanité !

ARAGON.

1. selon Shakespeare, Richard III, vaincu, s'écria : « Mon royaume pour un cheval ! » 2. pour devenir roi, Henri IV, protestant jusqu'alors, se convertit au catholicisme, disant : « Paris vaut bien une messe ! » 3. l'Internationale

124

Invincible !

Dans *Les Mots,* Jean-Paul Sartre raconte son enfance. Il vivait à Paris avec sa mère, devenue veuve très tôt, chez ses grands-parents. Il admirait beaucoup son grand-père, qui était professeur, et dont il « dévora » très jeune la bibliothèque. Jean-Paul avait un goût prononcé pour les romans d'aventures; et, dans ses jeux d'enfant solitaire, il aimait imiter ses héros préférés. Si possible, sur fond de musique, comme dans les films muets de l'époque, qu'il adorait aussi...

Mon grand-père donnait ses cours à l'Institut des langues vivantes; ma grand-mère, retirée dans sa chambre, lisait du Gyp[1], ma mère m'avait fait goûter, elle avait mis le dîner en train, donné les derniers conseils à la bonne; elle s'asseyait au
5 piano et jouait les ballades de Chopin[2], une sonate de Schumann[3], les variations symphoniques de Franck[4], parfois, sur ma demande, l'ouverture des *Grottes de Fingal*[5]. Je me glissais dans le bureau; il y faisait déjà sombre, deux bougies brûlaient au piano. La pénombre• me servait, je saisissais la règle de mon
10 grand-père, c'était ma rapière•, son coupe-papier, c'était ma dague; je devenais sur-le-champ l'image plate[6] d'un mousquetaire. Parfois, l'inspiration se faisait attendre : pour gagner du temps, je décidais, bretteur[7] illustre, qu'une importante affaire m'obligeait à garder l'incognito•. Je devais recevoir les coups
15 sans les rendre et mettre mon courage à feindre• la lâcheté. Je tournais dans la pièce, l'œil torve[8], la tête basse, traînant les pieds; je marquais par un soubresaut de temps à autre qu'on m'avait lancé une gifle ou botté le derrière, mais je n'avais garde[9]

1. auteur de romans à la mode du début du siècle

2. célèbre musicien romantique, né en Pologne en 1810, mort à Paris en 1849
3. musicien allemand (1810-1856)
4. musicien français (1822-1890)
5. œuvre romantique du musicien allemand Mendelssohn (1809-1847)
6. l'enfant s'identifie aux images qu'il voit dans les livres, et qui n'ont que deux dimensions
7. escrimeur

8. regardant de travers, d'un air menaçant

9. j'évitais

Enluminure médiévale (Nimatallah/Artephot)

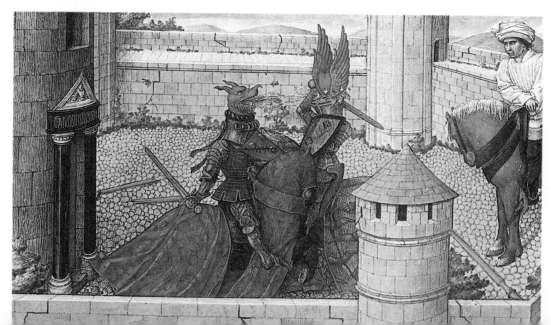

de réagir : je notai le nom de mon insulteur. Prise à dose massi-
20 ve, la musique agissait enfin. Comme un tambour vaudou[10], le
piano m'imposait son rythme. [...] J'étais possédé, le démon
m'avait saisi et me secouait comme un prunier. A cheval ! J'étais
cavale[11] et cavalier; chevauchant et chevauché, je traversais à
fond de train des landes, des guérets, le bureau, de la porte à la
25 fenêtre. « Tu fais trop de bruit, les voisins vont se plaindre »,
disait ma mère sans cesser de jouer. Je ne lui répondais pas
puisque j'étais muet. J'avise le duc, je mets pied à terre, je lui
fais savoir par les mouvements silencieux de mes lèvres que je le
tiens pour un bâtard[12]. Il déchaîne ses reîtres[13], mes moulinets•
30 me font un rempart d'acier[14], de temps en temps je transperce
une poitrine. Aussitôt, je faisais volte-face, je devenais le
Spadassin[15] pourfendu, je tombais, je mourais sur le tapis. Puis,
je me retirais en douce du cadavre, je me relevais, je reprenais
mon rôle de chevalier errant. J'animais tous les personnages :
35 chevalier, je souffletais[16] le duc; je tournais sur moi-même; duc,
je recevais le soufflet. Mais je n'incarnais• pas longtemps les méchants, toujours impatient de revenir au grand premier rôle, à
moi-même. Invincible, je triomphais de tous.

Jean-Paul SARTRE, *Les Mots* (Gallimard)

10. le vaudou est une religion antillaise, dont certaines cérémonies ont pour but d'envoûter les participants grâce au rythme du tambour
11. jument de race

12. né d'une union illégitime (et par conséquent indigne du titre de duc)
13. ses hommes de main
14. il se protège en faisant décrire des cercles rapides à la lame de son épée
15. l'homme d'épée
16. je lui donnais un soufflet, une gifle

rassemblons nos idées

1. Le jeu : réalité et imagination

a/ Relevez les objets réels dont l'enfant se sert au cours de son jeu; que deviennent-ils dans son imagination?

	réalité	imagination
lieux		
objets		

b/ Relevez les expressions qui désignent le travail de l'imagination. Celle-ci fonctionne-t-elle dès le début? Quel rôle la musique joue-t-elle?
c/ Relevez les phrases dans lesquelles l'enfant joue plusieurs rôles à la fois : que remarquez-vous sur la construction de ces phrases?

2. Le récit héroï-comique

a/ L'enfant se prend très au sérieux ; mais c'est l'adulte qui raconte, avec humour, ces exploits « pour rire ». Il emploie à la fois des expressions appartenant à un vocabulaire héroïque, et des expressions familières qui produisent un effet comique. Faites un tableau de ces deux séries d'expressions qui forment un contraste amusant :

vocabulaire héroïque	vocabulaire familier

b/ Relevez une ou deux phrases destinées à montrer que l'enfant n'a aucune difficulté à accomplir les plus grands exploits.
c/ Ce récit est au passé. Pourtant un passage est au présent. Lequel ? Pourquoi ?

chercher

1. Demandez à votre professeur de musique de vous faire entendre quelques-uns des morceaux joués par la mère de l'auteur. Lequel vous semble constituer le meilleur accompagnement pour les jeux de l'enfant?
2. Les duels. Comment se déroulaient-ils ? A partir de quand ont-ils été interdits en France? Pourquoi?

s'exprimer

1. Vous adaptez en film sonore les aventures de Jean-Paul : rédigez les dialogues.
2. Imaginez que « l'image plate d'un mousquetaire » s'est glissée dans un journal ou un magazine d'aujourd'hui, ou encore dans le volume d'une de vos bandes dessinées préférées. Racontez la rencontre du mousquetaire avec les hommes politiques ou les vedettes de notre temps, ou les héros de la bande dessinée.

Don Quichotte et les moulins à vent

La scène se passe en Espagne au XVIIᵉ siècle. Désireux d'imiter les héros de ses romans préférés, Don Quichotte de la Manche se prend pour un chevalier accompli et un redresseur de torts. Accompagné de son « écuyer », le gros Sancho Pança qui représente le bon sens et la prudence, il cherche aventure dans les déserts de Castille. Monté sur son cheval, une jument efflanquée du nom de Rossinante, il veut se battre pour l'honneur et pour mériter l'amour de sa Dulcinée, une paysanne du Toboso dont le héros a fait la « dame de ses pensées » en l'idéalisant…

En ce moment ils découvrirent trente ou quarante moulins à vent qu'il y a dans cette plaine, et, dès que don Quichotte les vit, il dit à son écuyer :

« La fortune¹ conduit nos affaires mieux que ne pourrait y
5 réussir notre désir même. Regarde, ami Sancho; voilà devant nous au moins trente démesurés² géants, auxquels je pense livrer bataille et ôter la vie à tous tant qu'ils sont. Avec leurs dépouilles³, nous commencerons à nous enrichir; car c'est prise de bonne guerre⁴, et c'est grandement servir Dieu que de faire
10 disparaître si mauvaise engeance⁵ de la face de la terre.

— Quels géants? demanda Sancho Pança.

— Ceux que tu vois là-bas, lui répondit son maître, avec leurs grands bras, car il y en a qui les ont de presque deux lieues⁶ de long.

15 — Prenez donc garde, répliqua Sancho; ce que nous voyons là-bas ne sont pas des géants, mais des moulins à vent, et ce qui paraît leurs bras, ce sont leurs ailes, qui, tournées par le vent, font tourner à leur tour la meule du moulin.

— On voit bien, répondit don Quichotte, que tu n'es pas
20 expert⁷ en fait d'aventures : ce sont des géants, te dis-je; si tu as peur, ôte-toi de là, et va te mettre en oraison⁸ pendant que je leur livrerai une inégale et terrible bataille. »

En parlant ainsi, il donne de l'éperon• à son cheval Rossinante, sans prendre garde aux avis de son écuyer Sancho, qui lui criait
25 qu'à coup sûr c'étaient des moulins à vent et non des géants qu'il allait attaquer. Pour lui, il s'était si bien mis dans la tête que c'étaient des géants, que non seulement il n'entendait point les cris de son écuyer Sancho, mais qu'il ne parvenait pas, même en approchant tout près, à reconnaître la vérité. Au contraire, et
30 tout en courant, il disait à grands cris :

« Ne fuyez pas, lâches et viles⁹ créatures, c'est un seul chevalier qui vous attaque. »

1. le sort, la chance

2. qui dépassent la mesure, immenses

3. ce qu'on enlève à l'ennemi vaincu sur le champ de bataille
4. un butin obtenu sans traîtrise
5. catégorie de personnes détestables

6. presque huit km

7. savant, compétent

8. en prière

9. méprisables, indignes

Un peu de vent s'étant alors levé, les grandes ailes commencèrent à se mouvoir•; ce que voyant don Quichotte[10], il s'écria :
35 « Quand même vous remueriez plus de bras que le géant
Briarée[11], vous allez me le payer. »

En disant ces mots, il se recommande du profond de son cœur
à sa dame Dulcinée, la priant de le secourir en un tel péril[12], puis,
bien couvert de son écu•, et la lance en arrêt•, il se précipite, au
40 plus grand galop de Rossinante, contre le premier moulin qui se
trouvait devant lui; mais, au moment où il perçait l'aile d'un
grand coup de lance, le vent la chasse avec tant de furie qu'elle
met la lance en pièces, et qu'elle emporte après elle le cheval et le
chevalier, qui s'en alla rouler sur la poussière en fort mauvais
45 état.

Sancho Pança accourut à son secours de tout le trot de son
âne, et trouva, en arrivant près de lui, qu'il ne pouvait plus
remuer, tant le coup et la chute avaient été rudes.

« Miséricorde ! s'écria Sancho, n'avais-je pas bien dit à Votre
50 Grâce qu'elle prît garde à ce qu'elle faisait, que ce n'était pas
autre chose que des moulins à vent, et qu'il fallait, pour s'y tromper, en avoir d'autres dans la tête?

– Paix, paix ! ami Sancho, répondit don Quichotte : les choses
de la guerre sont plus que toute autre sujettes à des chances
55 continuelles[13]; d'autant plus que je pense, et ce doit être la vérité, que ce sage Freston[14], qui m'a volé les livres et le cabinet[15],
a changé ces géants en moulins pour m'enlever la gloire de les
vaincre : tant est grande l'inimitié[16] qu'il me porte ! Mais en fin
de compte son art maudit[17] ne prévaudra[18] pas contre la bonté de
60 mon épée.

– Dieu le veuille, comme il le peut », répondit Sancho Pança.

Et il aida son maître à remonter sur Rossinante, qui avait les
épaules à demi déboîtées.

En conversant sur l'aventure, ils suivirent le chemin du Port-
65 Lapice, parce que, disait don Quichotte, comme c'est un lieu de
grand passage, on ne pouvait manquer d'y rencontrer toutes
sortes d'aventures.

CERVANTÈS, *Don Quichotte de la Manche*
(Coll. « Grandes Œuvres », Hachette)

10. Don Quichotte voyant cela

11. géant de la mythologie grecque à cent bras et cent têtes
12. danger

13. exposées à des bons et des mauvais moments
14. accusé d'avoir fait disparaître les livres de Don Quichotte
15. la bibliothèque
16. la haine
17. la magie
18. ne l'emportera pas (verbe « prévaloir » = valoir plus)

Don Quichotte et les moulins à vent. Gravure de Gustave Doré (Hachette)

observer pour mieux comprendre

1. Un vrai chevalier

Pour quelles raisons Don Quichotte veut-il combattre les « géants »? Comment réagit-il à cette rencontre?

2. Apparence et réalité

L'écuyer essaie de faire reconnaître son erreur à son maître.

a/ Relevez dans les lignes 5 à 21 les expressions par lesquelles Don Quichotte exprime sa certitude et celles par lesquelles Sancho cherche à lui faire comprendre son erreur.

Don Quichotte	Sancho

b/ A quelle cause Don Quichotte attribue-t-il les efforts de son valet?

c/ Relevez une phrase qui prouve que Don Quichotte s'aveugle complètement.

d/ En quoi est-il chevaleresque (relevez à ce propos des adjectifs qualifiant la bataille et les « géants »)?

A qui compare-t-il son ennemi?

e/ Quel élément naturel intervient sans que Don Quichotte s'en rende compte?

3. Sancho Pança

a/ Quel rôle joue-t-il auprès de son maître? Relevez ses principales mises en garde. Pourquoi ne peut-il convaincre son maître?

b/ Sur quoi est-il monté? Pourquoi, à votre avis?

c/ Expliquez : « il fallait, pour s'y tromper, en avoir d'autres dans la tête ».

4. Le « héros quand même »

a/ Reconnaît-il son erreur? A quels facteurs attribue-t-il son échec?

b/ Relevez les détails qui le rendent comique, pitoyable.

c/ Pourquoi ne renonce-t-il pas à l'illusion?

chercher

1. la forme des armes de l'équipement de Don Quichotte et faites-en un dessin.

2. qui était Fortuna chez les Latins, Tuchè chez les Grecs, et le nom donné par les chrétiens à la même notion (l. 4 : la fortune).

3. ce qu'on appelle aujourd'hui le « donquichottisme ».

4. la légende concernant le géant Briarée.

s'exprimer

1. Quand vous vous êtes trompé(e) et que vous devez le reconnaître, comment réagissez-vous?

2. Si vous étiez Don Quichotte, quelle engeance voudriez-vous faire disparaître de la terre?

du latin au français

1. « Expert » vient du verbe latin *experire* qui a un participe passé *expert(us)* d'où viennent expert, expertise... Trouvez des mots issus de l'autre radical *experi-*.

2. « Oraison » vient du verbe latin *orare* = prier. Cherchez les mots français issus de *ora-* ou *orat-* et signifiant :
— une petite chapelle;
— un drame lyrique religieux;
— un personnage représenté en prière.

3. « Inimitié » vient du préfixe privatif *in-*, qui signifie le contraire de, et du nom *amicus,* ami. Il désigne un ennemi personnel contrairement à *hostis,* l'ennemi public.

Trouvez quel adjectif français est issu de *hostis*.

vocabulaire

De même qu'« inimitié », « inégal » (l. 22) est composé du préfixe *in-* de sens privatif et signifie en l'occurrence, « qui n'est pas égal ». Cherchez des noms fabriqués à l'aide de ce préfixe *in-* et qui signifient le contraire des mots suivants :

mots	noms formés avec le préfixe *IN-* privatif
égalité efficacité capacité humanité justice fidélité expérience existence exactitude intelligence	

Puis essayez de deviner le sens des adjectifs suivants, sachant qu'ils sont composés de la même façon :

adjectifs	signification
indocile indivis indiscernable indolent indéniable intrépide incorrigible inavouable inouï	qui n'est pas...

Vérifiez à l'aide du dictionnaire l'exactitude de vos définitions.

Les deux Tartarins

Tartarin habite à Tarascon une maison pleine d'objets « héroïques », et entourée de plantes exotiques. Nous avons vu (p. 50) que ce décor reflétait ses rêves de voyages et d'aventures. Pourtant, il n'a jamais quitté sa petite ville natale. Il y a là un *paradoxe,* que l'auteur va essayer de résoudre en nous faisant le *portrait* de Tartarin...

Avec cette rage d'aventures, ce besoin d'émotions fortes, cette folie de voyages, de courses, de diable au vert[1], comment diantre[2] se trouvait-il que Tartarin de Tarascon n'eût jamais quitté Tarascon?

5 Car c'est un fait. Jusqu'à l'âge de quarante-cinq ans, l'intrépide Tarasconnais n'avait pas une fois couché hors de sa ville. Il n'avait pas même fait ce fameux voyage à Marseille, que tout bon Provençal se paie à sa majorité. C'est au plus s'il connaissait Beaucaire, et cependant Beaucaire n'est pas bien loin de

10 Tarascon, puisqu'il n'y a que le pont à traverser. Malheureusement ce diable de pont a été si souvent emporté par les coups de vent, il est si long, si frêle•, et le Rhône a tant de largeur à cet endroit que, ma foi! vous comprenez... Tartarin de Tarascon préférait la terre ferme.

15 C'est qu'il faut bien vous l'avouer, il y avait dans notre héros deux natures très distinctes. « Je sens deux hommes en moi », a dit je ne sais quel Père de l'Église[3]. Il l'eût dit vrai de Tartarin qui portait en lui l'âme de Don Quichotte, les mêmes élans chevaleresques, le même idéal• héroïque, la même folie du

20 romanesque[4] et du grandiose; mais malheureusement n'avait pas le corps du célèbre hidalgo[5], ce corps osseux et maigre, ce prétexte[6] de corps, sur lequel la vie matérielle manquait de prise, capable de passer vingt nuits sans déboucler sa cuirasse et quarante-huit heures avec une poignée de riz... Le corps de Tartarin,

25 au contraire, était un brave homme de corps, très gras, très lourd, très sensuel•, très douillet, très geignard[7], plein d'appétits bourgeois et d'exigences domestiques, le corps ventru et court sur pattes de l'immortel Sancho Pança.

Don Quichotte et Sancho Pança dans le même homme! vous

30 comprenez quel mauvais ménage ils y devaient faire! quels combats! quels déchirements!... Ô le beau dialogue à écrire pour Lucien[8] ou pour Saint-Évremond[9], un dialogue entre les deux Tartarins, le Tartarin-Quichotte et le Tartarin-Sancho! Tartarin-Quichotte s'exaltant aux récits de Gustave Aimard[10] et

35 criant : « Je pars ! »

Tartarin-Sancho ne pensant qu'aux rhumatismes et disant : « Je reste. »

TARTARIN-QUICHOTTE, *très exalté.* – Couvre-toi de gloire, Tartarin.

1. d'excursions lointaines
2. interjection exprimant l'étonnement

3. on appelle Pères de l'Église les premiers saints qui ont enseigné les principes du christianisme

4. des aventures extraordinaires qu'on lit dans certains romans
5. noble espagnol
6. ce semblant, ce fantôme de corps

7. qui geint, qui se plaint souvent

8. écrivain grec (v. 125 - v. 192 ap. J.-C.), auteur de nombreux dialogues
9. écrivain français (1615-1703)
10. célèbre auteur de romans d'aventures (1818-1883)

40 TARTARIN-SANCHO, *très calme.* – Tartarin, couvre-toi de flanelle.

TARTARIN-QUICHOTTE, *de plus en plus exalté.* – Ô les bons
rifles[11] à deux coups ! ô les dagues[12], les lazos[13], les mocassins[14] !

TARTARIN-SANCHO, *de plus en plus calme.* – Ô les bons gilets
45 tricotés ! les bonnes genouillères[15] bien chaudes ! ô les braves casquettes à oreillettes[16] !

TARTARIN-QUICHOTTE, *hors de lui.* – Une hache ! qu'on me
donne une hache !

TARTARIN-SANCHO, *sonnant la bonne.* – Jeannette, mon cho-
50 colat.

Là-dessus, Jeannette apparaît avec un excellent chocolat,
chaud, moiré[17], parfumé, et de succulentes grillades à l'anis•, qui
font rire Tartarin-Sancho en étouffant les cris de Tartarin-Quichotte.

55 Et voilà comme il se trouvait que Tartarin de Tarascon n'eût
jamais quitté Tarascon.

Alphonse DAUDET, *Tartarin de Tarascon.*

11. carabines ou pistolets à long canon rayé, d'origine anglaise
12. courtes épées, poignards
13. lazos : orthographe mexicaine de lassos
14. chaussures souples des Indiens d'Amérique du Nord
15. pièces d'étoffe destinées à protéger les genoux
16. rabats servant à couvrir les oreilles

17. la surface du chocolat a des reflets, comme la moire, tissu qui présente des parties mates et des parties brillantes

Couverture d'un roman de la fin du XIXe siècle (J.-L. Charmet)

Héros en tous genres

observer pour mieux comprendre

1. L'énigme (l. 1 à 14)

a/ Quels *traits de caractère* importants chez Tartarin l'auteur rappelle-t-il au début? Combien de GN utilise-t-il pour les désigner? Combien de CDN le dernier de ces GN comporte-t-il?

b/ Quel comportement de Tartarin étonne l'auteur? Comment souligne-t-il l'opposition entre les *traits de caractère* rappelés au début et ce comportement? Quel sens a la préposition *avec,* à la ligne 1? Par quelle autre préposition pourrait-on la remplacer?

c/ Rappelez-vous la description de la maison de Tartarin (p. 50). Quel contraste avions-nous déjà remarqué?

d/ Relevez dans les trois premières phrases du deuxième paragraphe deux négations. Pourquoi l'auteur insiste-t-il ainsi?

e/ Combien de GV dépendent du Groupe Sujet « ce diable de pont » (l. 11)? Combien relevez-vous d'adverbes d'intensité dans cette phrase (l. 11 à 13)? Qu'attendrait-on à la place des points de suspension (l. 13)? Pourquoi l'auteur n'a-t-il pas complété sa phrase?

f/ Quelle phrase donne une première explication à l'énigme? Est-elle suffisante? Quelle autre phrase du texte nous indiquera que l'énigme a été enfin résolue?

2. Le portrait (l. 15 à 37)

a/ Relevez dans les lignes 15 à 35 les différents emplois de l'adjectif numéral cardinal « deux ».

b/ A qui Tartarin ressemble-t-il par son caractère? En quoi? Quel mot est répété plusieurs fois pour insister sur cette ressemblance?

c/ Quel mot souligne l'opposition entre ce caractère et le physique de Tartarin?

d/ Relevez sur un tableau : d'un côté les expressions décrivant le corps de Don Quichotte; de l'autre les expressions décrivant le corps de Tartarin.

Inscrivez en regard les expressions qui s'opposent les unes aux autres. Exemple :

Don Quichotte	Tartarin
ce prétexte de corps	un brave homme de corps

e/ A qui Tartarin ressemble-t-il physiquement?

f/ A quelle forme sont les phrases du troisième paragraphe : interrogative, affirmative, exclamative, négative?

3. Le dialogue (l. 38 à 50)

a/ Quelle forme particulière le dialogue prend-il à la ligne 38?

Pourquoi, selon vous, l'auteur adopte-t-il cette disposition?

b/ Comparez chaque fois la réplique de Tartarin-Quichotte avec celle de Tartarin-Sancho; que remarquez-vous :
— sur la construction des deux phrases?
— sur la signification des deux phrases?

c/ Comparez les *indications scéniques* fournies chaque fois sur l'état d'esprit de Tartarin-Quichotte et de Tartarin-Sancho. Comment évolue l'état d'esprit de Tartarin-Quichotte? Et celui de Tartarin-Sancho?

chercher

1. Cherchez l'origine de l'expression : « au diable Vauvert », ou « au diable vert ».

2. Connaissez-vous d'autres couples de héros célèbres, qui sont toujours ensemble, mais qui s'opposent par le physique ou par le caractère (que ce soit au cinéma, dans une bande dessinée, ou dans un roman)?

3. Le style d'Alphonse Daudet : nous avons vu dans ce texte que l'auteur aime
— accumuler à la suite plusieurs mots ou groupes de mots de même fonction (voir l. 1);
— employer des phrases exclamatives (l. 43 à 48), des interjections (l. 49 et 50).
Ces deux procédés de style donnent beaucoup de vivacité à son écriture. Pourriez-vous en retrouver des exemples dans les deux autres extraits de *Tartarin de Tarascon* (p. 50 et p. 90) ?

4. Faites un compte rendu de lecture, oralement ou par écrit de *Tartarin de Tarascon* ou de *Tartarin sur les Alpes.*

5. Quels autres noms peut-on reconnaître dans le nom de Tartarin? Montrez qu'il ressemble au nom de la ville où habite le héros.

s'exprimer

1. En regroupant les détails relevés dans ce texte avec ce que nous apprenons dans les deux autres extraits de *Tartarin de Tarascon* (ou mieux, grâce à la lecture complète de ce livre), rédigez un portrait de Tartarin (voir « De la lecture à l'écriture », p. 102).

2. Racontez l'emploi du temps de Tartarin : ses occupations devront révéler les deux aspects opposés de sa personnalité.

3. « C'est au pied du mur qu'on voit le maçon » : que signifie ce proverbe? Racontez une histoire qui pourrait servir à l'illustrer.

le portrait (2)
ses techniques

Nous avons appris au chapitre précédent (voir p. 102) à reconnaître les différentes composantes d'un portrait. Nous savons que l'ordre dans lequel on présente ces éléments varie selon l'intention de l'auteur, les traits physiques ou moraux qu'il veut mettre en valeur.

Essayons de voir à présent comment on **rédige** un portrait : quelles constructions grammaticales, quel ton, quel vocabulaire, on peut employer.

la syntaxe du portrait

Si vous voulez présenter un personnage en quelques phrases, il vous faut choisir judicieusement les constructions qui vous permettront de rassembler toutes les composantes retenues sans alourdir l'expression.

1. Le verbe

La solution qui vient d'abord à l'esprit, c'est d'utiliser les verbes **être** et **avoir**. Par exemple :

« Marc **était** grand. Il **avait** des yeux bleus et des cheveux blonds. Il **avait** l'air robuste. Il **était** en bonne santé. »

Cette formulation manque d'originalité, de relief, et de concision. Il vaudrait mieux regrouper en une seule phrase toutes les composantes du portrait, en se contentant d'un seul verbe. Par exemple :

« Marc **était** un grand garçon, aux yeux bleus et aux cheveux blonds, à l'air robuste, plein de santé. »

Remarques

— Pour donner à votre phrase plus de dynamisme, vous pouvez utiliser un « présentatif »; soit au début : « **C'était** un grand garçon ... » « **Figurez-vous** un grand garçon ... » « **Imaginez** un grand garçon ... » « **Voici** venir Marc, grand garçon ... »; soit à la fin : « Ce grand garçon, ... c'était Marc. » « Un grand garçon, aux yeux bleus et aux cheveux blonds, à l'air robuste et plein de santé : c'était Marc. »

— Vous pouvez aussi employer une tournure exclamative : « Qu'il était robuste, Marc, ce grand garçon ... »; ou interrogative : « Marc? C'était un grand garçon ... »

— Vous pouvez enfin employer un verbe décrivant l'attitude dans laquelle on découvre le personnage (voir les portraits de M. Violet et de Tartarin, p. 102) : « Marc était penché sur son établi, grand, l'air robuste, plein de santé; sous ses cheveux blonds, on devinait ses yeux bleus. »

2. Les compléments déterminatifs du nom

Pour éviter la répétition des verbes **être** et **avoir** dans l'énumération des qualités et des attributs d'un personnage, on pourra recourir :

— à l'**apposition de l'adjectif qualificatif** : rappelez-vous le portrait de Tartarin : « Un homme était assis, ..., **petit, gros, trapu** ... »

— au **complément du nom** : « ... **avec** des caleçons de flanelle, une forte barbe courte, et des yeux flamboyants. »

N.B. : attention à la préposition **avec,** souvent maladroite (ici elle introduit trois GN qui ne se situent pas sur le même plan : on passe de l'habillement au visage, ce qui produit un effet de surprise). On peut la remplacer par : un **participe présent ou passé** (« portant », « arborant », « vêtu de », « couvert de » pour le vêtement, par exemple); les prépositions **à** ou **en** (« **en** caleçons de flanelle »); l'**apposition des GN** : rappelez-vous le portrait de M. Violet : « Un petit Français, poudré et frisé, **habit vert pomme,** veste de droguet, jabots et manchettes de mousseline ... ».

On peut généraliser ce procédé dans le cadre d'une phrase nominale où le sujet et le verbe sont sous-entendus. Voyez par exemple le portrait de Tartarin au moment de son départ pour l'Afrique :

« Tartarin de Tarascon, en effet, avait cru de son devoir, allant en Algérie, de prendre le costume algérien. Large pantalon bouffant en toile blanche, petite veste collante à boutons de métal, deux pieds de ceinture rouge autour de l'estomac, le cou nu, le front rasé, sur sa tête une gigantesque chechia (bonnet rouge) et un flot bleu d'une longueur !... »
(Daudet, *Tartarin de Tarascon*).

■ *Regroupez en une seule phrase les indications fournies dans les lignes suivantes, en évitant les verbes être et avoir :*

« Le jardinier avait soixante ans. Il était grand et maigre. Il avait une démarche alerte. Sa peau était brunie par le soleil. Il avait toujours le même tablier depuis ses débuts dans le métier. »

■ *Un puzzle. Voici une série de GN retenus par Eugène Le Roy pour faire le portrait d'un de ses personnages. A vous de les regrouper en une seule phrase comportant un verbe présentatif à l'imparfait :*

« Cheveux noirs grisonnants – front carré – un homme – joues charbonnées par une barbe rude de deux jours – taille haute. »

le ton du portrait

■ *Vous essaierez de communiquer à votre lecteur le jugement que vous portez sur le personnage décrit, en adoptant un certain ton, que vous ferez sentir en utilisant divers procédés.*

1. Un commentaire

Voyez par exemple la fin du portrait de Tartarin partant pour l'Afrique : « Ah ! pardon, j'oubliais les lunettes, une énorme paire de lunettes bleues **qui venaient là bien à propos** pour corriger ce qu'il y avait d'un peu farouche dans la tournure de notre héros ! » (Daudet, *Tartarin de Tarascon*).

2. Une exclamation

« Don Quichotte et Sancho Pança dans le même homme ! vous comprenez quel mauvais ménage ils y devaient faire ! » (p. 131).

3. Des adverbes

Ils peuvent renforcer une affirmation (très, vraiment, absolument, indiscutablement...) ou au contraire l'atténuer ou la corriger (vaguement, apparemment, sans doute, etc.) : « Le corps de Tartarin... était un brave homme de corps, **très gras**, **très** lourd, **très** sensuel, **très** douillet, **très** geignard... » (p. 131).

4. Une métaphore ou une comparaison

Elle permettra d'ennoblir le personnage (en le comparant par exemple à un héros, à un homme célèbre...) ou au contraire de le ridiculiser (en le comparant à un objet) ou de souligner ses aspects inquiétants (en le comparant à un animal...) : « Ses vues s'étant agrandies avec le succès, le nouvel **Orphée** porta la civilisation jusque chez les hordes sauvages du Nouveau Monde. » (p. 87) ; « Tranquille et doux **comme Socrate** au moment de boire la ciguë, l'intrépide Tarasconnais avait un mot pour chacun ! » (Daudet, *Tartarin de Tarascon*).

Le choix des **comparaisons** permettra d'aboutir soit à un portrait élogieux (flatteur) soit à une caricature, ou à un portrait-charge.

■ *Voici deux portraits. Relevez dans chacun d'entre eux les métaphores et les comparaisons, puis essayez de définir le ton sur lequel est décrit le personnage : s'agit-il plutôt d'un portrait flatteur ou d'une caricature?*

M. mon père « M. de Chateaubriand était grand et sec; il avait le nez aquilin, les lèvres minces et pâles, les yeux enfoncés, petits et pers ou glauques, comme ceux des lions ou des anciens barbares. Je n'ai jamais vu un pareil regard : quand la colère y montait, la prunelle étincelante semblait se détacher et venir vous frapper comme une balle. » (Chateaubriand, *Mémoires d'outre-tombe*).

Grand-tante Agnès « Elle a bien soixante-dix ans et elle doit avoir les cheveux blancs; je n'en sais rien; personne n'en sait rien, car elle a toujours un serre-tête noir qui lui colle comme du taffetas sur le crâne; elle a, par exemple, la barbe grise, un bouquet de poils ici, une petite mèche qui frisotte par là, et de tous côtés des poireaux comme des groseilles, qui ont l'air de bouillir sur sa figure.

Pour mieux dire, sa tête rappelle, par le haut, à cause du serre-tête noir une pomme de terre brûlée et, par le bas, une pomme de terre germée : j'en ai trouvé une gonflée, violette, l'autre matin, sous le fourneau, qui ressemblait à grand-tante Agnès comme deux gouttes d'eau. » (Vallès, *L'Enfant*).

■ *Rédigez la caricature d'un homme politique de votre choix.*

■ *Rédigez un portrait flatteur d'une de vos vedettes préférées.*

le vocabulaire

Pour communiquer votre jugement sur le personnage dont vous faites le portrait, le choix du vocabulaire est évidemment essentiel. Si vous retenez des noms et des adjectifs mélioratifs, le portrait sera flatteur; si vous choisissez des noms et des adjectifs péjoratifs, il deviendra vite une caricature.

Nous allons donc réviser le vocabulaire concernant chacune des composantes du portrait récapitulées au chapitre précédent : il doit vous permettre d'atteindre la précision et le pittoresque, et en même temps, d'exprimer vos impressions, votre jugement.

1. L'aspect général

■ *La précision*

Cherchez dans un dictionnaire les définitions de :

allure — démarche — maintien — silhouette — port — carrure — prestance — stature.

■ *Puis employez chaque mot dans une phrase destinée à introduire un portrait.*

■ *Les impressions*

Dans chaque série d'adjectifs suivants, distinguez ceux qui sont plutôt mélioratifs et ceux qui sont plutôt péjoratifs :

le portrait (2)
ses techniques

gauche – altier – désinvolte – élégant – cassé – racé – svelte – affecté – lourd – souple.

grêle – élancé – efflanqué – sec – mince – décharné – osseux – chétif – longiligne.

courtaud – trapu – râblé – ramassé.

robuste – gras – bien charpenté – pansu – musclé – ventripotent.

2. L'habillement

■ *La précision*

– *Savez-vous à quelle partie d'un vêtement correspondent les mots :*

emmanchure – épaulette – entournures – revers – parements – empiècement?

– *Quelle est la différence entre :*

des escarpins – des mules – des babouches – des brodequins – des espadrilles – des bottines – des pantoufles?

– *Qui porte habituellement :*

une livrée – une toge – une houppelande – un caban – une jaquette – un bleu – un smoking?

■ *Les impressions*

Dans chacune des séries de mots ou d'expressions suivants, distinguez ceux qui sont mélioratifs, et ceux qui sont péjoratifs :

éculé – amidonné – fripé – défraîchi – flambant neuf – élimé – râpé – fané.

parure – accoutrement – guenille – toilette.

dernier cri – seyant – soigné – étriqué – coquet – négligé – recherché – démodé – débraillé.

3. Le visage

■ *La précision*

– *Reconstituez les couples d'antonymes, et dites à quelle partie du visage ces couples s'appliquent en général :*

enfoncés – rebondies – lisse – caves – rêche – exorbités.

– *Regroupez en trois sous-ensembles les adjectifs suivants, selon qu'ils se rapportent :*

au nez – aux lèvres – aux cheveux.

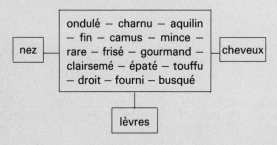

■ *Les impressions*

– *Parmi les adjectifs suivants, souvent attribués au regard, distinguez ceux qui sont mélioratifs et ceux qui sont péjoratifs :*

vague – vif – pénétrant – louche – ouvert – hébété – profond – éteint – franc – torve.

– *Même exercice pour ces adjectifs caractérisant la physionomie :*

buté – affable – sournois – riant – digne – effronté – épanoui – compassé – rayonnant – fermé.

– *Même exercice pour ces adjectifs qualifiant le teint :*

éclatant – rougeaud – livide – clair – blafard – bronzé – terreux.

4. Le caractère

■ *La précision*

Savez-vous distinguer : caractère et tempérament? humeur et état d'âme? sentiment et émotion?

■ *Les impressions*

Parmi les mots suivants, qui concernent le comportement social, distinguez ceux qui sont mélioratifs et ceux qui sont péjoratifs :

s'immiscer – bourru – duplicité – accommodant – rondeur – intriguer – enjouement – bonhomie – sauvage – discret – doucereux – timide – aménité – effacé – liant – rogue – acariâtre.

En résumé

lorsque vous avez à rédiger un portrait :

1. choisissez une syntaxe simple qui vous permette de rassembler beaucoup d'informations en peu de phrases; vous donnerez ainsi à votre portrait concision et densité.

2. choisissez le ton sur lequel vous parlerez du personnage en fonction du jugement que vous portez sur lui.

3. choisissez un vocabulaire qui vous permette de décrire avec précision les traits caractéristiques du personnage, et en même temps, d'exprimer les impressions qu'ils produisent sur vous.

5/Vivre ensemble

"Si tu diffères de moi, frère, loin de me léser, tu m'enrichis."

ST-EXUPERY

« L'homme
qui te ressemble »

J'ai frappé à ta porte
j'ai frappé à ton cœur
pour avoir bon lit
pour avoir bon feu
5   pourquoi me repousser?
Ouvre-moi mon frère !...

Pourquoi me demander
si je suis d'Afrique
si je suis d'Amérique
10   si je suis d'Asie
si je suis d'Europe?
Ouvre-moi mon frère !...

Pourquoi me demander
la longueur de mon nez
15   l'épaisseur de ma bouche
la couleur de ma peau
et le nom de mes dieux
Ouvre-moi mon frère !...

Je ne suis pas un noir
20   Je ne suis pas un rouge
je ne suis pas un jaune
je ne suis pas un blanc
mais je ne suis qu'un homme
Ouvre-moi mon frère !...

25   Ouvre-moi ta porte
Ouvre-moi ton cœur
car je suis un homme
l'homme de tous les temps
l'homme de tous les cieux
30   l'homme qui te ressemble !...

René PHILOMBÉ, *Petites Gouttes de chant pour créer l'homme*
(Inédit publié dans « Le Monde » du 8 février 1973)

Göttingen

Bien sûr ce n'est pas la Seine
Ce n'est pas le bois de Vincennes
Mais c'est bien joli tout de même
A Göttingen, à Göttingen[1].

5 Pas de quais et pas de rengaines[2]
Qui se lamentent et qui se traînent
Mais l'amour y fleurit quand même
A Göttingen, à Göttingen.

Ils savent mieux que nous je pense
10 L'histoire de nos rois de France
Herman, Peter, Helga et Hans
A Göttingen.

Et que personne ne s'offense[3]
Mais les contes de notre enfance
15 « Il était une fois » commencent[4]
A Göttingen.

Bien sûr nous, nous avons la Seine
Et puis notre bois de Vincennes
Mais Dieu que les roses sont belles
20 A Göttingen, à Göttingen.

Nous, nous avons nos matins blêmes[5]
Et l'âme grise de Verlaine[6]
Eux c'est la mélancolie[7] même
A Göttingen, à Göttingen.

25 Quand ils ne savent rien nous dire
Ils restent là, à nous sourire
Mais nous les comprenons quand même
Les enfants blonds de Göttingen.

Et tant pis pour ceux qui s'étonnent
30 Et que les autres me pardonnent
Mais les enfants ce sont les mêmes
A Paris ou à Göttingen.

Ô faites que jamais ne revienne
Le temps du sang et de la haine[8]
35 Car il y a des gens que j'aime
A Göttingen, à Göttingen.

Et lorsque sonnerait l'alarme[9]
S'il fallait reprendre les armes
Mon cœur verserait une larme
40 Pour Göttingen, pour Göttingen.

Paroles et musique de BARBARA
(Éditions Métropolitaines; Seghers)

1. vieille ville universitaire d'Allemagne occidentale
2. chansons très connues que l'on entend partout
3. se vexe
4. allusion au fait que les frères Grimm, célèbres conteurs (Blanche-Neige, etc.), étaient Allemands
5. pâles, blafards
6. poète français du XIXᵉ siècle dont l'œuvre est empreinte d'une certaine mélancolie
7. tristesse vague accompagnée de rêverie
8. allusion aux guerres de 1870-1871, 1914-1918 et 1939-1945 qui opposèrent les deux États
9. pour prévenir d'un danger, de l'approche de l'ennemi

« D'où viens-tu? »

Quitter son pays pour tenter de gagner sa vie, se séparer de ses amis et parfois même de sa famille, voilà une expérience douloureuse. C'est précisément celle que vit Djamil, un jeune Algérien qui vient d'arriver dans un petit village du Sud de la France où son père Ali a trouvé un emploi. Comment Djamil va-t-il être accueilli par les Français de son âge?

Djamil, tout à coup intimidé, reste planté à proximité, à l'angle de la petite place de la mairie. Au centre, il y a une fontaine, l'enfant s'en approche lentement, puis s'enhardit[1] jusqu'à s'asseoir sur la margelle[2] de pierre. Il n'attend pas long-
5 temps... Un bruit impressionnant naît au plus haut du village, s'enfle[3], dévale... Une cavalcade[4], accompagnée de cris aigus débouche sur la place par une ruelle en pente, dans un merveilleux vacarme. C'est une planche posée sur quatre roulettes, portant deux garçons d'une douzaine d'années, assis l'un derrière l'autre.
10 Cinq ou six enfants courent autour, criant et riant. Le chariot s'arrête.

« Comme cela doit être amusant ! » pense Djamil.

Du côté des petits villageois, un silence étonné suit la découverte du nouveau venu. Après un bref conciliabule[5], ils appro-
15 chent de la fontaine. L'un des occupants du traîneau, un garçon grand et blond aux joues rouges, l'un des plus âgés de la bande, interpelle° Djamil :

« D'où es-tu?

– Je viens d'Algérie, répond Djamil sans se laisser démonter
20 par le ton impératif[6] de la question.

– Ça, tu n'as pas l'air d'être du pays, tu ressembles plutôt à un gitan° ! Alors, tu es avec eux? »

Et le garçon indique, de son pouce relevé, l'angle de la place où s'activent Ali et ses camarades.
25 « Oui. Mon père, c'est le grand avec des moustaches... Il conduit la camionnette !

– Ouais... Alors, tu vas rester ici?

– Oui. Dès que j'aurai les papiers[7], je viendrai à l'école.

– Ah ! Eh bien, on se reverra ! Salut... Venez, vous autres,
30 nous n'avons pas de temps à perdre ! »

La troupe d'enfants s'envole, aussi vite qu'elle est venue, laissant Djamil décontenancé[8] et déçu. Le traîneau disparaît, et tous ses espoirs de jeu.

« Djamil ! »
35 Ali fait de grands signes de la main. L'enfant court à lui.

1. devient plus hardi, plus sûr de lui
2. le rebord de pierre qui entoure la fontaine

3. s'amplifie
4. un défilé rapide et bruyant

5. dialogue secret par lequel les interlocuteurs cherchent à se mettre d'accord

6. la question a été posée sur un ton de commandement

7. papiers officiels, destinés à mettre Djamil en règle avec la loi française

8. troublé, ici : un peu attristé

(C. Vioujard / Gamma)

« Il ne faut pas rester tout seul ! Va jouer avec les enfants.

— Ils ne m'ont pas dit de les suivre.

— Tu es bête ! Il faut y aller et ils joueront avec toi !

— On ne se connaît pas encore assez », répond Djamil qui
40   s'éloigne en soupirant.

Les grandes personnes ne comprennent pas toujours... Lui sait
bien que, si le garçon blond avait voulu de sa compagnie, il l'aurait dit. Disparue, la joyeuse impatience ! [...]

Djamil ferme les yeux, il est de retour au douar⁹ natal•. Quel-
45   ques brèves paroles en arabe, qu'échangent parfois Ali et ses

9. mot arabe qui désigne un
village, en Afrique du Nord

141

camarades, viennent renforcer l'illusion[10]. Le soleil a jailli par-
dessus le clocheton de la mairie et inonde la placette, le figuier
tout près de là s'échauffe et sent bon ! Oui, c'est cela... Sa main
caresse et reconnaît l'immuable[11] pierre de la fontaine, polie,
50 douce et tiède, fruste[12] d'usage séculaire[13].

« Pourquoi fermes-tu les yeux?
– Pour me retrouver chez moi ! »

Djamil a répondu machinalement, un sourire engourdi flotte
encore sur son visage. [...]
55 « C'est loin, chez toi?
– Oui, en Algérie... Et c'est beau ! ajoute Djamil avec un
soupçon d'agressivité.
– Sûr ! » approuve gravement l'être conciliant[14] qui ajoute :
« Comment t'appelles-tu?
60 – Djamil.
– Un joli nom, et pas courant avec ça ! Dans ma famille, toutes les filles se nomment Lucie. Moi comme les autres, mais je
préfère Luce parce que, tu comprends, lorsque avec grand-mère,
ma tante et maman, nous passons dans la rue, si quelqu'un
65 appelle Lucie, on se retourne toutes les quatre ! »

Djamil sourit, amusé. Décidément, cette fille est plus gentille
que le garçon de tout à l'heure.

« Tu vas habiter ici?
– Oui, je suis là-haut, sur la colline... Mon père, c'est le plus
70 grand des hommes, celui qui a une moustache ! » dit Djamil en
désignant les travailleurs.

A ce moment, Ali lève la tête, voit les enfants et leur sourit.

« Il a l'air gentil ! Mais, dis-moi, tu parles drôlement bien le
français pour un Arabe !
75 – Chez nous, la moitié des classes se font en français !
– Tu vas venir ici à l'école?
– Oui, j'attends mes papiers d'Algérie.
– Luce, Luce ! Ah, te voilà enfin ! »

Une forte femme à la face rubiconde[15] vient de déboucher sur
80 la place.

« J'arrive ! » crie Luce à son adresse[16].
Puis elle murmure, avec une grimace piteuse• :
« Je vais de nouveau me faire gronder... »

La fillette s'éloigne en courant pour rejoindre sa mère, se
85 retourne et agite le bras en signe d'adieu.

Luce n'est certainement pas unique, il doit y en avoir d'autres
de son espèce. Des tas de Luce des deux sexes, tous drôles et
gentils. Il suffit d'attendre patiemment qu'ils se montrent. Djamil attend donc avec sérénité[17], et la matinée passe.

10. impression fausse
11. qui ne change pas
12. grossièrement taillée
13. dont on se sert depuis des siècles
14. qui est prêt à se mettre d'accord
15. rouge
16. à son intention
17. calme

Michel GRIMAUD, *Le Paradis des autres*
(Coll. « Les Chemins de l'Amitié », Éditions de l'Amitié G.T. Rageot)

Vivre ensemble

rassemblons nos idées

1. Les circonstances

a/ Où se situe l'action?
b/ Ces lieux sont-ils importants pour Djamil?
c/ Quels éléments du lieu réel permettent à l'enfant de « s'échapper »?
d/ Où Luce part-elle à la fin de l'extrait?

2. Djamil

a/ Ses actions
— Comment Djamil réagit-il face aux enfants?

à leur arrivée	lors du dialogue	après le dialogue

— Justifiez chacune de ses actions.
— De quelle façon « s'échappe »-t-il du lieu réel? Qu'obtient-il ainsi?
— Relevez les mots ou expressions utilisés pour décrire les réactions de Djamil face à Luce :

lors de son arrivée	lors du dialogue	après le dialogue

b/ Ses sentiments
— Que ressent Djamil face :

au village	aux enfants en général	au porte-parole des enfants	à son père	à Luce

3. Les autres personnages

a/ Les enfants
— D'où viennent-ils?
Combien sont-ils?
Comment se manifeste leur arrivée?
Que font-ils ensemble?
— De quelle façon réagissent-ils face à Djamil?
— Pourquoi *un seul* des enfants lui parle-t-il?
Sur quel ton? Que traduisent ses paroles?

b/ Le père de Djamil
— A quel moment et pour quelle raison Ali encourage-t-il son fils? Que pensez-vous de cette attitude?
— Quel rôle jouent les paroles d'Ali et de ses camarades dans la façon d'agir de Djamil?

c/ Luce
— Sur quel ton parle-t-elle à Djamil?
Comparez-le à celui qu'employait « le porte-parole » des enfants.
— Comment se comporte-t-elle face au garçon?
De quelles qualités fait-elle preuve à son égard?
— De quelle façon réagit-elle vis-à-vis de sa mère qui vient interrompre leur dialogue?

vocabulaire

1. Voici quelques mots appartenant à une même famille :
— char   = voiture à deux ou quatre roues;
— chariot   = voiture à quatre roues;
— charretin   = petite charrette;
  (ou charreton)
— charrette   = voiture à charge à deux roues.
Faites attention à la présence d'un ou de deux *r* selon les mots.

2. Trouvez d'autres mots faisant partie de la même famille, à l'aide des définitions suivantes :
— contenu d'une charrette : (nom)...
— conducteur de charrette : (nom)...
— transporter dans un char : (verbe)...
— transport par chariot : (nom)...
— constructeur de charrettes : (nom)...

s'exprimer

1. Luce vient de partir. Djamil court raconter à son père leur dialogue et ce qu'il ressent depuis cet instant.

2. Djamil vient de recevoir ses papiers. Imaginez sa première journée d'école en précisant notamment l'attitude à son égard de Luce, des enfants entrevus sur le chariot, et du maître.

« Qu'est-ce qu'un Juif ? »

Cette question s'est brutalement posée à beaucoup d'enfants de votre âge qui se sentaient comme les autres et ont dû fuir la France dans les années 1940. Joseph Joffo, témoin et victime de cette époque de persécutions contre les Juifs, relate son expérience d'enfant menacé dans son roman autobiographique *Un sac de billes*.

Il se souvient, notamment, qu'un soir son père révéla qu'à l'âge de sept ans il avait dû, sur le conseil de son propre père, fuir son pays et abandonner toute sa famille afin de ne pas être enrôlé dans l'armée du tsar.

Joseph et son frère Maurice qui recueillirent cette terrible confidence en comprirent tout de suite le sens...

« Oui, les garçons, vous allez partir, aujourd'hui, c'est votre tour. »

Ses bras remuèrent en un geste de tendresse maîtrisée[1].

« Vous savez pourquoi : vous ne pouvez plus revenir à la maison
5   tous les jours dans cet état, je sais que vous vous défendez bien et que vous n'avez pas peur, mais il faut savoir une chose, lorsqu'on n'est pas le plus fort, lorsqu'on est deux contre dix, vingt ou cent, le courage, c'est de laisser son orgueil• de côté et de foutre le camp. Et puis, il y a plus grave. »

10   Je sentais une boule monter dans ma gorge, mais je savais que je ne pleurerais pas, la veille peut-être encore mes larmes auraient coulé, mais, à présent, c'était différent.

« Vous avez vu que les Allemands sont de plus en plus durs avec nous. Il y a eu le recensement•, l'avis sur la boutique, les
15   descentes dans le magasin, aujourd'hui l'étoile jaune, demain nous serons arrêtés. Alors il faut fuir. »

Je sursautai.

« Mais toi, toi et maman ? »

Je distinguai un geste d'apaisement[2].

20   « Henri et Albert[3] sont en zone libre[4]. Vous partez ce soir. Votre mère et moi réglons quelques affaires et nous partirons à notre tour. »

Il eut un rire léger et se pencha pour poser une main sur chacune de nos épaules.

25   « Ne vous en faites pas, les Russes ne m'ont pas eu à sept ans, ce n'est pas les nazis qui m'épingleront à cinquante berges. »

Je me détendis. Au fond, on se séparait, mais il était évident que nous nous retrouverions après la guerre qui ne durerait pas toujours.

1. le geste est arrêté, volontairement inachevé pour éviter les larmes

2. destiné à calmer, à rassurer

3. frères de Joseph et de Maurice plus âgés qu'eux

4. la France était alors divisée en deux zones : l'une occupée par les Allemands, au nord de la Loire, l'autre encore libre, au sud

Un sac de billes (Photo du film)

30 « A présent, dit mon père, vous allez bien vous rappeler ce que je vais vous dire. Vous partez ce soir, vous prendrez le métro jusqu'à la gare d'Austerliz[5] et là vous achèterez un billet pour Dax[6]. Et là, il vous faudra passer la ligne. Bien sûr, vous n'aurez pas de papiers pour passer, il faudra vous débrouiller. Tout près

35 de Dax, vous irez dans un village qui s'appelle Hagetmau, là où il y a des gens qui font passer la ligne. Une fois de l'autre côté, vous êtes sauvés. Vous êtes en France libre. Vos frères sont à Menton[7], je vous montrerai sur la carte tout à l'heure où ça se trouve, c'est tout près de la frontière italienne. Vous les retrouverez. »

40 La voix de Maurice s'élève.

« Mais pour prendre le train ?

– N'aie pas peur. Je vais vous donner des sous, vous ferez attention de ne pas les perdre ni de vous les faire voler. Vous aurez chacun cinq mille francs. »

45 Cinq mille francs !

Même les soirs de grands cambriolages je n'ai jamais eu plus de dix francs en poche ! Quelle fortune !

Papa n'a pas fini, au ton qu'il prend, je sais que c'est le plus important qui va venir.

50 – Enfin, dit-il, il faut que vous sachiez une chose. Vous êtes juifs, mais ne l'avouez jamais. Vous entendez : JAMAIS. »

Nos deux têtes acquiescent[8] ensemble.

« A votre meilleur ami vous ne le direz pas, vous ne le chuchoterez même pas à voix basse, vous nierez toujours. Vous m'entendez bien : toujours. Joseph, viens ici. »

5. gare parisienne d'où partent les trains pour le Sud-Ouest

6. ville des Landes

7. dernière ville française sur la Côte d'Azur, avant la frontière italienne

8. font signe qu'elles approuvent

Je me lève et m'approche, je ne le vois plus du tout à présent.

« Tu es Juif, Joseph ?

– Non. »

Sa main a claqué sur ma joue, une détonation• sèche. Il ne
60 m'avait jamais touché jusqu'ici.

« Ne mens pas, tu es Juif, Joseph ?

– Non. »

J'avais crié sans m'en rendre compte, un cri définitif•, assuré•.
Mon père s'est relevé.

65 « Eh bien, voilà, dit-il, je crois que je vous ai tout dit. La
situation est claire à présent. »

La joue me cuisait encore, mais j'avais une question qui me
trottait dans la tête depuis le début de l'entretien à laquelle il me
fallait une réponse.

70 « Je voudrais te demander : qu'est-ce que c'est qu'un Juif ? »

Papa a éclairé, cette fois, la petite lampe à l'abat-jour vert qui
se trouvait sur la table de nuit de Maurice. Je l'aimais bien, elle
laissait filtrer[9] une clarté diffuse[10] et amicale que je ne reverrais
plus.

75 Papa s'est gratté la tête.

« Eh bien, ça m'embête un peu de te le dire, Joseph, mais, au
fond, je ne sais pas très bien. »

Nous le regardions et il dut sentir qu'il fallait continuer, que sa
réponse pouvait apparaître aux enfants que nous étions comme
80 une reculade[11].

« Autrefois, dit-il, nous habitions un pays, on en a été chassé,
alors nous sommes partis partout, et il y a des périodes, comme
celle dans laquelle nous sommes, où ça continue. C'est la chasse
qui est réouverte, alors il faut repartir et se cacher, en attendant
85 que le chasseur se fatigue. Allons, il est temps d'aller à table, vous
partirez tout de suite après. »

Je ne me souviens plus du repas, il me reste simplement des
sons ténus[12] de cuillères heurtées sur le bord de l'assiette, des
murmures pour demander à boire, le sel, des choses de ce genre.
90 Sur une chaise paillée, près de la porte, il y avait nos deux
musettes[13], bien gonflées, avec du linge dedans, nos affaires de
toilette, des mouchoirs pliés.

Sept heures ont sonné à l'horloge du couloir.

« Eh bien, voilà, a dit papa, vous êtes parés•. Dans la poche de
95 vos musettes, celle qui a la fermeture Éclair, il y a vos sous et un
petit papier avec l'adresse exacte d'Henri et d'Albert. Je vais vous
donner deux tickets pour le métro, vous dites au revoir à maman
et vous partez. »

Elle nous a aidés à enfiler les manches de nos manteaux, à
100 nouer nos cache-nez. Elle a tiré nos chaussettes. Sans discontinuer[14], elle souriait et, sans discontinuer, ses larmes coulaient, je

9. passer faiblement

10. largement répandue, mais
atténuée

11. façon de faire marche
arrière, de reculer devant la
difficulté

12. légers, faibles

13. petits sacs

14. sans s'arrêter

sentis ses joues mouillées contre mon front, ses lèvres aussi, humides et salées.

105 Papa l'a remise debout et s'est esclaffé[15], le rire le plus faux que j'aie jamais entendu.

« Mais enfin, s'exclama-t-il, on dirait qu'ils partent pour toujours et que ce sont des nouveau-nés ! Allez, sauvez-vous, à bientôt les enfants. »

110 Un baiser rapide, et ses mains nous ont poussés vers l'escalier, la musette pesait à mon bras, et Maurice a ouvert la porte sur la nuit.

Quant à mes parents, ils étaient restés en haut. J'ai su plus tard, lorsque tout fut fini, que mon père était resté debout, se balançant doucement, les yeux fermés, berçant une douleur
115 immémoriale[16].

Dans la nuit sans lumière, dans les rues désertes à l'heure où le couvre-feu[17] allait bientôt sonner, nous disparûmes dans les ténèbres.

C'en était fait de l'enfance.

Joseph JOFFO, *Un sac de billes*
(J.-C. Lattès)

15. a éclaté de rire

16. si ancienne qu'elle remonte à une époque sortie de la mémoire

17. l'occupant interdisait de sortir dans les rues après une certaine heure et ordonnait d'éteindre les lumières dans les maisons

rassemblons nos idées

1. Les circonstances

a/ présentes : où les enfants retrouvent-ils leur père ? Pourquoi ? A quel moment de la journée ? Où se trouve leur mère pendant ce temps ? Pourquoi ?
b/ à venir : vers quel endroit les enfants doivent-ils aller ? Que vont faire leurs parents ?

2. Le parallèle entre le père et ses enfants
(à établir grâce à l'introduction et au texte de Joffo lui-même)

a/ Quelle est la définition du Juif donnée par le père ? Relevez-la.
Elle va vous permettre d'expliquer le parallèle entre la situation du père autrefois face aux Russes et celle de ses enfants aujourd'hui face aux Allemands.
b/ Dans ce but, répondez aux questions du tableau ci-contre en repérant les mots ou expressions significatifs du texte. ▶

3. L'émotion
Relevez dans le texte les expressions qui nous renseignent sur les sentiments et les émotions éprouvés par les personnages et sur la façon dont ils se manifestent.

le père face aux Russes	questions	les enfants face aux Allemands
	— Qui leur parle ?	
	— Quel âge ont-ils ? — Dans quel pays vivent-ils ?	
	— Quel homme puissant redoutent-ils ? — Quelle est alors l'ambition de cet homme ? — Quel traitement leur réserve-t-il ?	
	— Que doivent-ils faire pour éviter ce traitement ? — Comment réagissent-ils ? — Quelles qualités leur permettent de réagir ?	
	— Où vont-ils après cette séparation ?	

s'exprimer

Imaginez le voyage des deux enfants, les péripéties et les dangers qu'ils rencontrent.

Le nain et le géant

Raymond Devos est un humoriste dont une des « spécialités » consiste à prendre les mots au pied de la lettre. Il rend ainsi tout leur sens aux lieux communs ou déforme de façon amusante des formules toutes faites; c'est ce qu'il appelle mettre tout « sens dessus dessous ». Ainsi, dans ce sketch, un « gaffeur », fier de sa taille « normale », a bien du mal à vivre avec un « trop » grand et un « trop » petit.

J'ai tendance à mettre ce qu'on appelle les pieds dans le plat[1] :
Récemment, j'étais au cirque et, à l'entracte, je vais féliciter les nains et le géant.

Je me dis : « Il faut que je fasse attention à ne pas faire allu-
5 sion à leur taille. »

Je rentre dans la loge des nains. Je dis :
« Salut, les enfants !... » Enfin, quand je dis « les enfants », je veux dire que... nous sommes tous restés des enfants... de grands enfants ! Hein, mon petit père?

10 Enfin, quand je dis « mon petit père », je pourrais aussi bien dire « mon grand-père » ou... « mon père tout court »... Enfin... quand je dis « tout court », je veux dire... Bref... Enfin, bref ! »

Voyant que je ne m'en sortais pas, je dis pour faire diversion[2] :
« C'est à vous, ce grand fils?... Ah ! il a vingt ans? »

15 Eh bien, dites donc, il est déjà petit pour son âge !...

Enfin, il est petit... Le Français est petit... Nous sommes tous de petits Français ! »

Je me baisse pour être à la même hauteur :
« ...Tous égaux !... »

20 Et je sors à reculons :
« Bonjour à votre moitié ! »

Je me retourne et je vois... deux grands pieds, deux pieds immenses.

Je me dis : « C'est le géant ! Évitons la gaffe ! »

25 Je me redresse et je dis :
« Salut, Berthe[3] !... » Enfin, quand je dis "Berthe", je veux dire... que nous sommes tous... des "Berthe"... enfin, que nous vivons tous sur un grand pied, un pied d'égalité ! Nous sommes tous de grands Français, quoi !... Tous égaux ! »

30 Comme le nain sortait de sa loge, je lui dis :
« A propos, je vous félicite pour la première partie... »
Il me dit :
« Oui, mais je ne sais pas si je pourrai faire la deuxième... »
Je lui dis :
35 « Qu'à cela ne tienne... Monsieur va vous doubler ! »

1. intervenir de façon maladroite ou brutale (expression populaire)

2. pour parler d'autre chose, pour détourner l'attention

3. allusion à la mère de Charlemagne, Berthe, surnommée « aux grands pieds »

*Dessin de F. Lorioux
(Hachette)*

Et je désigne le géant. Là je dis :

« Bon ! J'en ai assez dit ! »

Et, comme je m'éloignais, je les entendais qui faisaient des réflexions sur mon compte.

40　« Il n'est pas normal, ce gars-là? » dit le nain.

Et le géant lui a répondu :

« C'est ce qu'on appelle un Français moyen ! »

Raymond DEVOS, *Sens dessus dessous*
(Stock)

L'histoire de Prue Sarn

Prue Sarn vit avec sa famille dans un hameau du Sud-Ouest de l'Angleterre, au début du XIXe siècle. Ses parents l'ont cachée aux regards des autres, car elle est née avec un bec-de-lièvre; or, cette malformation de la lèvre supérieure était considérée alors par les paysans des environs comme la marque du diable. Il arrive pourtant à Sarn d'aller à Lullingford, le bourg voisin, pour vendre au marché les produits de la ferme familiale. Son frère l'accompagne et, un jour, il l'emmène à l'auberge de la ville, devant laquelle sont assis une dizaine de vieux paysans. Sarn, qui est maintenant une jeune fille, souffre de ces regards qui la dévisagent...

Quand nous arrivâmes près de ces anciens, chacun tint sa chope• immobile, arrêta son chant, et tous restèrent bouche bée, les yeux fixés sur moi. On aurait dit une scène de ces marionnettes à la mode lorsque, le montreur ayant lâché les fils, les petites poupées s'arrêtent toutes à la fois. Ils étaient assis là, le dos à l'auberge, sous un soleil blafard• qui éclairait leurs vieilles figures rouges toutes veinées et leurs regards vaguement inquiets. Comme nous dépassions le banc, chaque tête se retourna lentement, et une vingtaine d'yeux me regardèrent à la dérobée[1], par-dessus le bord des chopes, ainsi que de jeunes hiboux vous épient en tournant la tête et vous surveillent derrière leurs plumes.

Après le seuil obscur, dont la porte était garnie de clous à la façon d'une porte de prison, et quand nous nous trouvâmes dans la salle où s'installaient les plus huppés[2], je surpris aussi les yeux fixés sur moi, quoique avec plus de retenue•. Les fermiers et leurs dames, deux ou trois autres venus par le premier coche, qui se rafraîchissaient là, le fils du châtelain, pasteur à Silverton[3], qui se rendait dans sa famille pour Noël et s'était arrêté pendant qu'on ferrait son cheval[4], tous levèrent la tête vers moi avec circonspection[5], mais aussi avec une grande curiosité. Soudain, je devinai que tous, les élégants de l'intérieur et les vieux du dehors, regardaient mon bec-de-lièvre. Selon leur éducation et leur rang, ils pensaient : « Quelle étrange créature ! » « Cette femme-là sort de la foire[6], pour sûr ! » « V'là une fille qui se change en lièvre la nuit ! » « C'est une sorcière, une horrible sorcière au bec-de-lièvre ! »

Sans doute, m'avait-on déjà dévisagée ainsi, les deux ou trois fois que j'étais venue à Lullingford, mais je n'étais alors qu'une enfant et je n'avais rien remarqué.

Je pouvais entendre les vieux du dehors croasser comme une bande de corneilles•; l'un d'eux disait : « Bois point pendant qu'elle est là. Ça t'empoisonnerait. » Un autre : « Regarde point cette drôlesse[7], elle te jettera un mauvais sort qui te desséchera et te fera périr. »

1. en cachette

2. les plus riches et les plus « distingués » (terme familier)

3. village voisin de Lullingford

4. on mettait des fers sous les sabots de son cheval
5. avec prudence

6. on l'a exposée à la foire comme une bête curieuse. Dans les foires, à cette époque, on montrait des hommes et des femmes atteints d'une certaine infirmité qui les rendait différents des autres

7. féminin de drôle; mot qui désigne une adolescente dans la langue paysanne

Prue Sarn (Iorwitz/Télé 7 jours)

35   Ceux de l'intérieur s'entre-regardaient. Je souhaitais en moi-
même de mourir. Malgré le froid piquant, malgré ma robe mince
et ma place éloignée du feu, je me sentais toute moite. Car j'aimais vraiment mes semblables et j'aurais chèrement désiré être
aimée d'eux, j'éprouvais un sentiment d'amitié pour les fermiers,
40   pour les hobereaux[8], pour l'aubergiste et sa femme; ils faisaient
partie de mon congé[9], de Lullingford, de ce vaste monde qui
avait pris mon cœur dans sa main, comme un enfant tient un
petit oiseau, effrayé et réconforté à la fois d'être tenu ainsi. J'aurais désiré m'en aller bien loin sur mon cheval pour rencontrer de
45   nouveaux visages, de nouveaux chemins, de nouveaux hameaux,
voir jouer de nouveaux enfants venus je ne sais d'où, aussi étrangers à moi qu'un peuple d'elfes[10], apparus en chantant sur des
prairies inconnues et s'enfuyant dans le crépuscule; voir d'autres
vieilles gens s'en aller à travers des prés appartenant à je ne sais
50   qui, vers des églises enfouies dans les arbres et dont les cloches
tinteraient sous l'élan d'hommes que je n'aurais jamais vus. Ah !
que j'eusse aimé cela ! Mais il eût fallu que les vieux veuillent
bien me regarder gentiment au passage, les enfants me sourire
ou me lancer une fleur, et que, à mon entrée dans une auberge ou
55   une taverne•, on dise : « Approche-toi du feu, cher cœur, la nuit
tombe. » Ah ! que j'aurais aimé cela !
    Je n'en fus que plus bouleversée en voyant comment le monde
réel me considérait, car, ayant vécu dans la solitude, je n'avais
jamais encore vraiment senti mon malheur. Mais je savais main-
60   tenant que j'étais « assujettie dans la misère et dans les fers »,
comme il est dit dans le Livre[11]. Oui, enfermée derrière une porte
près de laquelle la grande porte cloutée de l'auberge n'était que
cloison de papier !

Mary WEBB, *Sarn* (Grasset)

8. gentilhommes campagnards de petite noblesse
9. autorisée pour une fois à sortir de chez elle, Prue se sent en congé, en vacances

10. génies de l'air, dans les légendes nordiques

11. dans la Bible

Vivre ensemble

rassemblons nos idées

1. Les clients de l'auberge

a/ Relevez, dans les lignes 2 à 27, toutes les expressions se rapportant au regard des clients. Sont-elles nombreuses? Pourquoi?

b/ Relevez les compléments circonstanciels de manière qui nous renseignent sur l'attitude des consommateurs. Essayez de la définir en quelques mots.

c/ Relevez dans les paroles que Sarn prête aux clients toutes les expressions appartenant au vocabulaire de la sorcellerie.

d/ Relevez trois *comparaisons* employées à propos des vieux assis devant l'auberge. Décomposez-les comme vous avez appris à le faire en 6ᵉ, selon le modèle ci-dessous. Quelle impression produisent ces *comparaisons?*

	terme comparé	élément commun	terme comparant
lignes	les vieux	s'arrêter tous à la fois	?

2. Sarn

a/ Relevez dans les lignes 35 à 63 tous les mots qui expriment la réaction de Sarn face à l'accueil que lui font les clients de l'auberge. Quels sentiments éprouve-t-elle envers eux?

b/ A quoi compare-t-elle le monde, à la ligne 42? A quoi compare-t-elle la porte de l'auberge, à la ligne 12? A quoi compare-t-elle sa situation, à la ligne 61?

c/ Quel serait le rêve de Sarn? Où aimerait-elle aller? Pourquoi? Qui voudrait-elle rencontrer? A quels temps et à quels modes se trouvent les verbes conjugués dans les lignes 43 à 56? Quel commentaire faites-vous de cet emploi des temps et des modes?

chercher

Les sorcières. Qui appelait-on ainsi au Moyen Age? Quelles légendes racontait-on à leur propos? Quel était en réalité leur rôle? Comment les traitait-on?

lire

Faites un compte rendu du roman de Bruce Lowery *La Cicatrice* (J'ai lu) qui traite du même thème que *Sarn.*

s'exprimer

1. Vous est-il arrivé de vous sentir dévisagé? Racontez dans quelles circonstances, précisez ce que vous avez ressenti, la manière dont vous avez réagi.

2. « J'aurais désiré m'en aller bien loin sur mon cheval pour rencontrer de nouveaux visages... » Imaginez que le rêve de Sarn se réalise; racontez son aventure.

3. Vous arrive-t-il également de souhaiter vous évader de votre vie quotidienne? Quels rêves faites-vous alors?

vocabulaire

Voici quelques définitions correspondant à une dizaine de mots rencontrés dans le texte. Elles doivent vous permettre de remplir la grille.

VERTICALEMENT

I.   Café-restaurant de l'ancien temps.

II. Mot de la langue paysanne désignant une adolescente.

III. Gentilhomme campagnard de petite noblesse.

IV. Article indéfini masculin singulier.

V.   Synonyme de réserve, de discrétion.

HORIZONTALEMENT

1.   Oiseau noir qui ressemble à un petit corbeau.

2.   Génie de l'air dans les légendes scandinaves.

3.   Se dit de quelqu'un de riche et d'allure distinguée.

4.   Synonyme de prudence.

5.   Mettre une pièce de métal sous le sabot d'un cheval.

La tête vers le ciel

Simone Fabien raconte l'histoire de son fils Olivier, atteint d'une grave maladie. Elle s'adresse à lui et lui raconte la lutte qu'elle mena pour qu'il vive, s'épanouisse et devienne un petit garçon comme les autres.

Pas à pas tu effectuas ce rude et long chemin, entrecoupé• de semaines de lit, de fièvre, où les poussées du lymphangiome[1] nous tenaient – les Durieux[2] et moi – en haleine, et dont nous ignorions toujours si elles s'arrêteraient. Lutte quotidienne, sans cesse renouvelée, où j'oscillais[3] entre la patience, la colère, le désespoir, et même, parfois, le désir farouche[4] d'accepter, de courber la tête. D'enfin me laisser écraser.

Mais près de nous veillaient Durieux et sa femme. Leur aide, vivante, réelle, infatigablement innovait[5] pour conserver sa chaleur. Et, le danger écarté, de nouveau montait en moi comme un cri déchirant, la volonté forcenée[6] de rompre le barrage contre lequel je me cognais; derrière lequel, impuissant, tu te débattais. Nous reprenions la route, guettant à chaque pas le plus léger indice• qui nous aiderait à faire le pas suivant.

Et de loin en loin les jours étaient jalonnés[7] de petites victoires. Il m'arrivait de les énumérer en les dégustant comme s'il s'était agi d'un vin capiteux[8]. « Olivier sait monter à bicyclette... Olivier grimpe à l'échelle de corde... Ce qu'Olivier mettait une heure à apprendre, il l'apprend en vingt minutes... Olivier est passé dans la classe supérieure... Olivier se fait des amis... »

Et vint alors le jour où nous atteignîmes la dernière. Celle qui les contient toutes : « Olivier sait qu'il n'est pas tout à fait comme les autres, mais il se comporte comme s'il était comme les autres. »

Tu avais appris à vivre à côté, ou mieux encore, au-dessus de ton malheur. A l'accepter. Franchement. Pleinement. [...] Il ne vit plus sur toi. C'est toi qui lui as donné sa place. Aucun regard, aucune moquerie ne peuvent plus faire peser sur toi un tourment[9], dont mieux que personne tu sais que son importance ne sera que celle que tu veux bien lui donner. Que, limitée dans ton esprit, son ampleur[10] se limitera dans l'esprit des autres.

Devant nous la voie était libre. Et comme elle devenait belle notre route, Olivier ! Cette route où tu avais réappris à marcher en levant la tête vers le ciel, avec dans tes yeux toute la lumière du ciel.

Simone FABIEN, *Tu seras un homme*
(Gallimard)

1. tumeur de la colonne vertébrale
2. le médecin d'Olivier et son épouse

3. j'hésitais

4. très fort, violent

5. inventait de nouvelles façons

6. passionnée, acharnée

7. marqués

8. qui monte à la tête, enivrant

9. peine violente, grave souci

10. importance

Vivre ensemble

observer pour mieux comprendre

1. Les attitudes et les rôles des personnages

a/ La mère d'Olivier
— Qui tutoie-t-elle?
— Que ressent-elle au début du texte?

b/ Les Durieux
— Quel rôle jouent-ils?
— Que font-ils pour Olivier et pour sa mère?
— Quelle qualité manifestent-ils?

c/ Olivier
— Que subit-il?
— Comment réagit-il face à sa maladie?

2. L'évolution de la maladie

a/ Quelles sont les victoires d'Olivier? Relevez-en la liste et commentez-la.

b/ Quelle est la signification de ces victoires pour Olivier? Pour sa mère?

c/ Comment Olivier réagit-il face aux autres?

vocabulaire

Vous avez vu qu'au moment où la maladie d'Olivier n'était qu'un « rude et long chemin », sa mère oscillait entre espoir (optimisme) et désespoir (pessimisme). Dans le texte, reprenez *noms, adjectifs* et *verbes* et classez-les dans l'une des deux colonnes selon leur signification :

	espoir	désespoir
noms		
adjectifs		
verbes		

s'exprimer

Le docteur Durieux et sa femme racontent le long combat mené par la mère d'Olivier pour son fils, tel qu'ils l'ont vécu.

Bougres d'ânes ! Bogres d'ases !

L'auteur raconte son enfance dans un village situé au nord de Nîmes et qu'il appelle « La Bargelle ».
Cet extrait, à valeur de témoignage, montre de

quelle manière le narrateur et ses camarades découvrent une langue et une culture qui leur sont
presque étrangères...

La langue occitane, si vivante pourtant,
était complètement déconsidérée[1] par
l'école qui avait pour but, depuis sa
création, de la tuer en enseignant
exclusivement[2] le français. Les armes de
Jean Baragnol[3], il ne les avait pas inventées
– ce qui me fait dire que c'était sûrement
un bon diable. On les lui avait données à
l'école. Les supérieurs[4] conseillaient parfois
quelques recettes, qu'il se sentait contraint
d'employer.

J'étais dans mes neuf ans quand le
maître appliqua « le signe », ce moyen de
répression[5] déjà ancien. Il donna, un matin,
une bobine de fil vide à un élève; il avait
marqué dessus : « bon pour cent lignes ».
Et la chasse était ouverte. Une chasse où le
gibier était du côté du chasseur par le
moyen de la dénonciation forcée[6]. Quand
vous aviez la bobine, vous vous débrouilliez
pour trouver un camarade qui parlât occitan. Vous n'aviez pas trop de mal à le faire,
et vous lui donniez le signe. Chaque matin
à huit heures, le premier travail de Jean
Baragnol était de demander le titulaire de
la bobine. Il savait déjà, celui-là, qu'il en
était pour ses cent lignes et il rouvrait la
chasse au « patois[7] ».

Le but était de nous faire croire qu'il
était aussi honteux de parler occitan que de
voler dans le jardin du voisin; c'est pourquoi la cérémonie du signe constituait l'ouverture de la journée de travail, précédait
la leçon de morale. On passait tout naturellement de la faute majeure[8] du « patois », à
la liste des fautes imprimées dans le grand

La lenga occitana, tan viva pasmens, èra
mai que mai desconsiderada pèr l'escòla
qu'aviá per tòca, desempuèi sa creacion, de
la tuar amb l'ensenhament exclusiu dau
francés. Leis armas de Joan Baranhòl, leis
aviá pas engimbradas, çò que me fai dire
qu'èra de segur un bòn diable. Leis i avián
balhadas a l'escòla. Leis superiors consel-
havan de còps quàuquei recetas que se sen-
tiá constrench d'emplegar.

Ere dins mei nòu ans quora lo mèstre
apliquèt « lo signe », aquel mejan repressiu
ja vièlh. Balhèt un matin una bobina de fiu
voida a un escolan; i aviá marcat dessús :
« Bon pour cent lignes ». E la caça èra du-
bèrta. Una caça ont lo gibièr èra dau costat
dau caçaire pèr lo biais de la delacion for-
çada. Quora aviatz la bobina vos entancha-
viatz de trobar un cambarada que parlèsse
occitan. Aviatz pas tròp de lagui per aquò
faire, e i balhaviatz lo signe. Cada matin a
uèch oras, lo trabalh primièr de Joan Baranhòl èra de demandar lo titulari de la
bobina. Sabiá ja aquel d'aquí que n'èra pèr
sei cènt linhas e durbissiá mai la caça au
« patoés ».

La tòca èra de nos far parèisser lo parlar
occitan aitan vergonhós coma la rapina
dins l'òrt dau vesin; pèr aquò la ceremoniá
dau signe èra a l'intrada de la batuda, da-
vançava la leiçon de morala. Se passava tot
naturalament de la fauta màger dau « patoés », a la tièra dei fautas estampadas dins
lo libre grand que gardaviam coma un

1. privée de considération, d'estime 2. uniquement 3. instituteur
du narrateur 4. ses chefs : le directeur de l'école, l'inspecteur,
etc. 5. de punition 6. le « gibier », c'est l'élève coupable de parler occitan. Il est « du côté du chasseur », le maître, car il doit
se débarrasser de la bobine en la remettant à un autre coupable

qu'il dénonce ainsi et qui devra en faire autant à son tour
7. parler local employé par une population peu nombreuse et
souvent rurale, qui n'est pas considéré comme une langue véritable 8. la plus grande, la plus importante

livre que nous gardions comme un catéchisme• pendant six ans.

40 Donc la morale officielle• était là pour condamner la langue de nos parents. C'était pour moi un gros problème. J'avais beau me forcer à parler français, ma langue se rebiffait[9] vite. Le naturel ne dispa-
45 raît pas sans regimber[10]. De toute façon, notre vocabulaire scolaire était d'une grande pauvreté, et les mots occitans venaient boucher les trous. Souvent, il ne nous était pas possible de distinguer l'occitan du français. Personne, de l'équipe
50 que nous étions, et personne à la Bargelle, à part l'instituteur et le prêtre, n'était assez savant pour dire en français *engavachar* (enrouer) ou *una tavèla* (billot d'une charrette) et tant et tant de mots que nous pen-
55 sions français.

Le prestige[11] du maître nous faisait don-
ner priorité à la langue de l'école. Nous nous dénaturions[12] peu à peu en dénaturant l'occitan – et le français aussi. Et j'ai cru
60 longtemps que *mascarer*[13] était du bon français. J'avais plus de vingt ans quand je dis à un Monsieur le Directeur à nœud papillon : « J'ai reçu ma billette[14] ». C'est comme cela que nous disions tous.

65 Comment distinguer entre les deux lan-
gues, si l'on ne parle jamais de l'occitan que pour le jeter aux orties ?

catechisme sièis ans de tèmps.

Adonc la morala oficiala èra aquí per condemnar la lenga de nòstri gènts. Aquò m'engarçava pro. Aviái bèu me forçar de parlar francés, ma lenga se rebifava lèu. Lo naturau s'esvanís pas sens repetar. De tot biais nòstre vocabulari escolar èra pauràs e lei mots occitans venián tapar lei traucs. Nos èra sovèntei fes pas possible de des-
triar l'occitan dau francés. Res de la banda que siám, e res a La Bargèla, levat lo re-
gènt e lo capelan, èra pron saberut pèr dire en francés « engavachar », o « una tavèla », e tant e tant de mots que cresiam francés.

Lo prestigi dau mèstre nos fasiá balhar tota prioritat a la lenga de l'escòla. Nos desnaturaviam a cha pauc en desnaturant l'occitan, e lo francés tanbèn. E ai cresegut de tèmps que « mascarer » èra de bòn francés. Aviái vint ans passats que diguère a un monsur director bèn emparpalhonat : « J'ai reçu ma billette ». Es ansin que disiam tó-
tei.

Coma far la triada dei doas lengas, se jamai se parla de l'occitan se de non per lo mandar ais ortigas ?

Amat SERRA, *A tots*
(Institut d'études occitanes 1974, trad. Philippe Martel)

9. refusait de se laisser humilier   10. se révolter   11. l'autorité
12. déformions   13. barbouiller   14. pour « mon billet »

---

rassemblons nos idées

1. Le meurtre d'une langue

a/ La « tuer ». Cherchez les trois « armes » dont se sert le maître pour la tuer ?
Quand a lieu la punition ? Pourquoi ? Que pensez-vous de ces méthodes ?

b/ « Le naturel ». Donnez les trois raisons pour lesquelles les enfants parlent quand même l'occitan.
Relevez les verbes qui expriment cette révolte en français et cherchez-les dans le texte occitan.

c/ Il est « honteux » de parler occitan
Relevez toutes les expressions qui condamnent la langue occitane :

adjectifs	noms	verbes

A quelle faute la pratique de l'occitan est-elle com-
parée ?
Quel terme *péjoratif* (entre guillemets dans le texte occitan) la désigne dans le texte ?
Relevez les expressions qui montrent l'aspect solennel de cette condamnation.

2. Les Messieurs français

a/ Qui parle occitan à la Bargelle ? Qui parle français ? Qui parle les deux langues ?

b/ Quels sont les différents personnages qui inter-viennent pour tuer l'occitan? Qu'ont-ils en com-mun? En quoi Jean Baragnol est-il quand même un « bon diable »?

3. Le narrateur

a/ Quel âge avait-il à l'époque? Discutait-il alors les méthodes de son maître? Pourquoi?

b/ Quelles conséquences a eues sur ses camarades et sur lui-même cette interdiction, d'après la fin du texte ?

c/ Pourquoi à votre avis écrit-il aujourd'hui ses sou-venirs en occitan?

chercher

1. L'occitan : d'après ce texte où était-il parlé, par qui? De nos jours où est-il parlé et par qui?

2. Qu'appelait-on langue d'oc et langue d'oïl au Moyen Age en France?

3. Quelles autres langues ont été interdites en France à l'école?

4. Que réclament les mouvements régionalistes aujourd'hui en France pour défendre leurs langues?

lire

A ce propos ce que P.-J. Hélias nous raconte sur « la vache », punition semblable à « la bobine » dans *Le Cheval d'orgueil* (Coll. « Terre humaine », Plon).

s'exprimer

1. Imaginez (ou racontez) les difficultés d'un nou-veau camarade (ou les vôtres) étranger, immigré, soudain obligé de suivre tous les cours en français.

2. Être bilingue, est-ce pour vous un rêve, un avan-tage?

du latin au français et à l'occitan

Le latin a donné naissance aux langues dites *romanes,* qui tirent leur origine de la langue des Romains, parlée à travers tout l'Empire romain. Ces langues romanes — le français, l'italien, l'espagnol, le portugais, le roumain, parlées de nos jours par près de 280 millions de personnes — conservent encore des ressemblances, en dépit de différences d'orthographe et de prononciation.

Issues d'une langue « mère », le latin, ces langues sont appelées des « langues sœurs ».

Regardez maintenant le titre de ce texte :

Bogres d'ases : en occitan, langue du Sud;
Bougres d'ânes : en français, ou francien,
langue d'Ile de France.

L'occitan comme le francien étaient à l'origine des langues locales, mais le francien devint langue offi-cielle sous le nom de « français ». La langue occi-tane du Sud, réduite à un usage oral, possède ce-pendant une littérature riche et ancienne qui se poursuit aujourd'hui.

Comparez maintenant les mêmes mots, tirés de ce texte, en latin, en français et en occitan, et complé-tez si possible la colonne en français :

latin	occitan	français
scola	escola	école
securus	segur	sûr
asinus	ase	âne
trovare	trobar	trouver
	(troubadour)	(trouvère)
hortus	ort	(horticulture)
liber	libre	livre
gens, gentis	gents	gens
dicere	dire	....
lingua	lenga	....
superior	superior	....
recepta	receta	....
annus	an	....
magister	mestre	....
naturalis	naturau	....
rapina	rapina	....
major	mager	....
urtica	ortiga	....

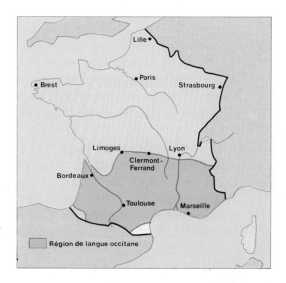

L'Occitanie

Comment traiter
les esclaves

Dans la Rome antique, les esclaves étaient la propriété de leurs maîtres qui avaient sur eux tous les droits. Ils pouvaient les faire mourir, les vendre, mais aussi les affranchir. Un esclave qui avait économisé beaucoup d'argent pouvait acheter sa liberté à son maître. Sous l'Empire, le luxe se répand, et les maîtres, qui ont de plus en plus d'esclaves, les traitent souvent encore plus durement que par le passé. Le philosophe Sénèque (4 av. J.-C. à 65 ap. J.-C.) proteste contre cette attitude, et encourage son ami Lucilius à considérer ses esclaves comme des égaux...

Sénèque salue son ami Lucilius.

Je suis heureux d'apprendre de ceux qui viennent de chez toi que tu vis en famille avec tes esclaves, conduite bien digne de ta sagesse et de ta culture. « Ce sont des esclaves ! – Non, ce sont des hommes. » « Ce sont des esclaves ! – Non, des compagnons. »
5 « Ce sont des esclaves ! – Non, mais d'humbles amis. » « Ce sont des esclaves ! – Esclaves comme nous, si tu songes que le destin étend son pouvoir aussi bien sur nous que sur eux. »

C'est pourquoi je ris de ces gens du monde• qui considèrent comme un scandale de souper avec leur esclave. Pourquoi? Parce
10 qu'une mode insolente• exige au souper du maître toute une troupe d'esclaves debout autour de lui. Il mange plus qu'il ne peut digérer; glouton insatiable•, il surcharge son estomac dilaté, qui ne sait plus faire son travail; il vomit tout, avec plus de peine encore qu'il n'en avait eue à manger. Cependant, les pauvres
15 esclaves n'ont pas le droit de remuer les lèvres, même pour parler. Le fouet étouffe tout murmure. Il n'y a pas d'exception, même pour les bruits involontaires : accès de toux, éternuement, hoquet. Tout manquement à la règle du silence est puni d'un châtiment brutal. Ils passent la nuit entière debout, à jeun et
20 muets.

Voici la conséquence : ils parlent du maître, ces esclaves à qui vous défendez de parler en présence du maître. Jadis ils causaient en présence du maître, et avec lui; on ne les tenait pas bouche cousue : ils étaient prêts, ceux-là, à s'offrir au bourreau
25 pour le maître, à détourner sur leur tête le péril qui le menaçait. Ils parlaient à table; ils se taisaient sous les tortures.

Et puis on va répétant ce proverbe, inspiré du même orgueil dédaigneux : « autant d'esclaves, autant d'ennemis ». Ils ne sont pas nos ennemis; c'est nous qui les rendons tels. Et encore,
30 je laisse de côté d'autres exemples de notre barbarie, de notre inhumanité : nous les traitons – quel abus ! –, non comme des hommes, mais comme des bêtes de somme; quand nous sommes

étendus sur nos lits de festin, un esclave essuie les crachats, un autre, accroupi, ramasse les restes des convives éméchés•. Un
35 autre encore découpe des oiseaux rares; sa main experte•, passant par une suite de mouvements précis du bréchet• au croupion, secoue au bout du couteau les morceaux. C'est un malheureux dont la vie a pour tout emploi de débiter de la volaille. Mais l'homme qui dresse à un tel métier dans l'intérêt de son plaisir
40 n'est-il pas vraiment plus à plaindre que celui qui subit ce dressage par nécessité? [...]

Veux-tu bien te dire que cet être que tu appelles ton esclave est fait de la même pâte que toi, qu'il jouit du même ciel, qu'il respire le même air, qu'il vit et meurt comme toi? Tu peux un
45 jour le voir libre, comme il peut un jour te voir esclave. Lors du désastre de Varus[1], bon nombre de personnages de la plus illustre naissance, qui comptaient sur leur carrière militaire pour entrer au Sénat[2], ont été humiliés par le destin : de l'un il a fait un berger, de l'autre un gardien de cabane. Méprise donc, si le cœur
50 t'en dit, un homme dont la condition peut devenir la tienne, au moment même où tu le méprises !

Je ne voudrais pas me lancer dans un sujet aussi vaste, ni te faire un discours en bonne et due forme sur la conduite à avoir envers ces esclaves que nous traitons avec tant d'orgueil et de
55 cruauté, que nous accablons d'outrages. Je résume ma leçon : traite ton inférieur comme tu voudrais être traité par ton supérieur. Chaque fois que tu penses à tous les droits que tu as sur ton esclave, songe que ton maître a sur toi des droits identiques. « Mais moi, répondras-tu, je n'ai pas de maître. – C'est le bon
60 temps; mais peut-être un jour en auras-tu un ! » [...]

Traite avec bienveillance, avec amabilité, ton serviteur. Associe-le à tes conversations, à tes décisions, à tes relations. Ici, tous les gens de bon ton[3] vont me huer• : « Quelle bassesse ! Quelle honte ! [...] Quoi ! j'inviterais tous mes esclaves à ma table? »
65 Non, pas plus que tu n'y invites tous les hommes libres. Mais, pour ma part, je n'en exclurai personne sous prétexte qu'il exerce un métier grossier : muletier, par exemple, ou bouvier[4]. Je jugerai d'eux non pas d'après leur emploi, mais d'après leur moralité. De sa moralité, chacun est responsable ; pour ce qui est de
70 l'emploi, le hasard en dispose. [...] La pire folie est de juger un homme soit sur son habit, soit sur sa condition, qui n'est qu'un habit jeté sur nous.

1. il s'agit de la défaite subie par les légions romaines commandées par Varus en Germanie (9 ap. J.-C.)
2. assemblée réservée aux hommes d'État et aux officiers parvenus au terme de leur carrière exerçant un contrôle sur les lois

3. distingués, qui donnent le ton à la société, font la mode

4. gardien de bœufs

SÉNÈQUE, *Lettres à Lucilius*
(Trad. remaniée par les auteurs. Coll. « Budé », Les Belles Lettres)

Vivre ensemble

Scène de théâtre comique : le maître battant son esclave, Pompei (Naples, Musée national, Archives Snark)

rassemblons nos idées

1. Quels reproches Sénèque adresse-t-il aux maîtres qui suivent la mode de son époque?

2. Récapitulez les différents *arguments* qu'il emploie en faveur d'un meilleur traitement pour les esclaves? Distinguez ceux qui montrent que Sénèque est un philosophe, un moraliste, et ceux qui montrent qu'il est un maître habile, intelligent, également soucieux de son propre intérêt.

3. Relevez quelques formules de cette lettre qui vous ont particulièrement frappé, et expliquez-les.

du latin au français

Les lettres portaient toujours en tête une formule de salutation comme celle que vous trouvez au début du texte de Sénèque, et dont voici le texte original :

Seneca Lucilio suo salutem (dat).
Sénèque à son Lucilius (donne) salut.

Voici deux passages de cette lettre en latin, avec leur traduction mot à mot :

« Servi sunt.   — Immo homines. »
« (Ce) sont des esclaves. — Non, des hommes. »

« Servi sunt.   — Immo contubernales. »
« Ce sont des esclaves. — Non, des compagnons. »

« Servi sunt.   — Immo humiles amici. »
« Ce sont des esclaves — Non, (mais) d'humbles amis »

« At, ego, inquis, nullum habeo dominum.
« Mais, moi, dis-tu, je (n') ai aucun maître.

— Bona aetas est :
— (C') est le bon temps :

forsitan habebis. »
peut-être tu (en) auras (un) (un jour). »

Regroupez sur un tableau les quelques mots ci-dessous et cherchez quels mots français ont été formés à partir de leur radical.

latin	sens	radical	mots français
servus, i	l'esclave	serv-	
humilis, is, e	humble	humili-	
amicus, i	l'ami	amic-	
nullus, a, um	aucun	nul(l)-	
dominus, i	le maître	domin-	

chercher

1. L'esclavage. Dans quelles civilisations l'a-t-on pratiqué? Depuis quand l'a-t-on aboli dans les différents pays où il était en vigueur? Subsiste-t-il encore aujourd'hui sous d'autres formes? Lesquelles?
Constituez un dossier détaillé sur l'esclavage. Renseignez-vous sur la révolte de Spartacus en 73 avant Jésus-Christ.

2. « La pire folie est de juger un homme soit sur son habit, soit sur sa condition » : cherchez un proverbe français qui correspond à cette idée.

L'évêque et le forçat

La scène se passe à Digne, dans les Alpes du Sud, en 1815, un soir, chez l'évêque de la ville, Monseigneur Myriel, un homme charitable et généreux. Madame Magloire, la servante, informe Mademoiselle Baptistine, la sœur de l'évêque, des bruits inquiétants qui circulent en ville : un vagabond suspect a été aperçu rôdant dans les rues à la tombée de la nuit. Madame Magloire reproche à son maître de n'avoir pas fait poser des verrous à sa porte...

En ce moment, on frappa à la porte un coup assez violent.

« Entrez », dit l'évêque.

La porte s'ouvrit.

Elle s'ouvrit vivement, toute grande, comme si quelqu'un la
5   poussait avec énergie et résolution•.

Un homme entra. [...]

Il entra, fit un pas, s'arrêta, laissant la porte ouverte derrière lui. Il avait son sac sur l'épaule, son bâton à la main, une expression rude, hardie, fatiguée et violente dans les yeux. Le feu
10   de la cheminée l'éclairait. Il était hideux•. C'était une sinistre apparition.

Mme Magloire n'eut pas même la force de jeter un cri. Elle tressaillit, et resta béante[1].

Mlle Baptistine se retourna, aperçut l'homme qui entrait et se
15   dressa à demi d'effarement•, puis, ramenant peu à peu sa tête vers la cheminée, elle se mit à regarder son frère, et son visage redevint profondément calme et serein.

L'évêque fixait sur l'homme un œil tranquille.

Comme il ouvrait la bouche, sans doute pour demander au
20   nouveau venu ce qu'il désirait, l'homme appuya ses deux mains à la fois sur son bâton, promena ses yeux tour à tour sur le vieillard et les femmes, et, sans attendre que l'évêque parlât, dit d'une voix haute :

« Voici. Je m'appelle Jean Valjean. Je suis un galérien. J'ai
25   passé dix-neuf ans au bagne. Je suis libéré depuis quatre jours et en route pour Pontarlier qui est ma destination. Quatre jours que je marche depuis Toulon. Aujourd'hui, j'ai fait douze lieues• à pied. Ce soir, en arrivant dans ce pays, j'ai été dans une auberge, on m'a renvoyé à cause de mon passeport jaune[2] que j'avais
30   montré à la mairie. Il avait fallu. J'ai été à une autre auberge. On m'a dit : « Va-t'en ! » Chez l'un, chez l'autre. Personne n'a voulu de moi. J'ai été à la prison, le guichetier[3] n'a pas ouvert. J'ai été dans la niche d'un chien. Ce chien m'a mordu et m'a chassé, comme s'il avait été un homme. On aurait dit qu'il savait qui
35   j'étais. Je m'en suis allé dans les champs pour coucher à la belle étoile. Il n'y avait pas d'étoile. J'ai pensé qu'il pleuvrait, et qu'il n'y avait pas de bon Dieu pour empêcher de pleuvoir, et je suis rentré dans la ville pour y trouver le renfoncement• d'une porte.

1. bouche bée, dans une expression de stupeur et d'effroi

2. les anciens forçats devaient présenter au maire de chaque ville où ils passaient une carte d'identité jaune, marquée d'un F, qui signalait leur situation. Leur réinsertion dans la société en était rendue plus difficile

3. le gardien de la porte d'entrée

Là, dans la place, j'allais me coucher sur une pierre. Une bonne
40 femme m'a montré votre maison et m'a dit : « Frappe là. » J'ai
frappé. Qu'est-ce que c'est ici ? êtes-vous une auberge ? J'ai de
l'argent. Ma masse[4]. Cent neuf francs quinze sous que j'ai gagnés
au bagne pour mon travail en dix-neuf ans. Je payerai. Qu'est-ce
que cela me fait ? j'ai de l'argent. Je suis très fatigué, douze
45 lieues à pied, j'ai bien faim. Voulez-vous que je reste ?

— Madame Magloire, dit l'évêque, vous mettrez un couvert de
plus. »

L'homme fit trois pas et s'approcha de la lame qui était sur la
table. « Tenez, reprit-il, comme s'il n'avait pas bien compris, ce
50 n'est pas ça. Avez-vous entendu ? Je suis un galérien. Un forçat.
Je viens des galères. » Il tira de sa poche une grande feuille de
papier jaune qu'il déplia. « Voilà mon passeport. Jaune, comme
vous voyez. Cela sert à me faire chasser de partout où je vais.
Voulez-vous lire ? Je sais lire, moi. J'ai appris au bagne. Il y a une
55 école pour ceux qui veulent. Tenez, voilà ce qu'on a mis sur le
passeport : « Jean Valjean, forçat libéré, natif de... » cela vous est
égal... » Est resté dix-neuf ans au bagne. Cinq ans pour vol avec
effraction. Quatorze ans pour avoir tenté de s'évader quatre fois.
Cet homme est très dangereux. » Voilà ! Tout le monde m'a jeté
60 dehors. Voulez-vous me recevoir, vous ? Est-ce une auberge ?
Voulez-vous me donner à manger et à coucher ? avez-vous une
écurie ?

— Madame Magloire, dit l'évêque, vous mettrez des draps
blancs au lit de l'alcôve[5]. »
65 Mme Magloire sortit pour exécuter ces ordres.

L'évêque se tourna vers l'homme.

« Monsieur, asseyez-vous et chauffez-vous. Nous allons souper
dans un instant, et l'on fera votre lit pendant que vous souperez. »

Ici l'homme comprit tout à fait. L'expression de son visage,
70 jusqu'alors sombre et dure, s'empreignit[6] de stupéfaction, de
doute, de joie, et devint extraordinaire. Il se mit à balbutier
comme un homme fou :

« Vrai ? quoi ? vous me gardez ? vous ne me chassez pas ! un
forçat ! Vous m'appelez *monsieur !* vous ne me tutoyez pas !
75 Va-t'en, chien ! qu'on me dit toujours. Je croyais bien que vous
me chasseriez. Aussi j'avais dit tout de suite qui je suis. Oh ! la
brave femme qui m'a enseigné ici[7] ! Je vais souper ! un lit ! Un lit
avec des matelas et des draps ! comme tout le monde ! il y a un
dix-neuf ans que je n'ai couché dans un lit ! Vous voulez bien que
80 je ne m'en aille pas ! Vous êtes de dignes gens ! D'ailleurs j'ai de
l'argent. Je payerai bien. Pardon, monsieur l'aubergiste,
comment vous appelez-vous ? Je payerai tout ce qu'on voudra.
Vous êtes un brave homme. Vous êtes aubergiste, n'est-ce pas ?

— Je suis, dit l'évêque, un prêtre qui demeure ici.
85 — Un prêtre ! reprit l'homme. Oh ! un brave homme de prêtre !
Alors vous ne me demandez pas d'argent ? Le curé, n'est-ce pas ?

4. ce qui reste du salaire d'un forçat après diverses retenues, la somme qui lui est remise à la sortie du bagne

5. enfoncement autrefois ménagé dans une pièce pour y placer un lit

6. passé simple du verbe « s'empreindre » : s'emplit

7. qui m'a indiqué cette maison

le curé de cette grande église ? Tiens ! c'est vrai, que je suis bête !
je n'avais pas vu votre calotte• ! »

Tout en parlant, il avait déposé son sac et son bâton dans un
90   coin, puis remis son passeport dans sa poche, et il s'était assis.
Mlle Baptistine le considérait avec douceur. Il continua :

« Vous êtes humain, monsieur le curé. Vous n'avez pas de
mépris. C'est bien bon un bon prêtre. Alors vous n'avez pas
besoin que je paye ?

95   — Non, dit l'évêque, gardez votre argent. Combien avez-
vous ? ne m'avez-vous pas dit cent neuf francs ?

— Quinze sous, ajouta l'homme.

— Cent neuf francs quinze sous[8]. Et combien de temps avez-
vous mis à gagner cela ?

100   — Dix-neuf ans.

— Dix-neuf ans ! »

L'évêque soupira profondément. [...]

Mme Magloire rentra. Elle apportait un couvert qu'elle mit
sur la table.

105   « Madame Magloire, dit l'évêque, mettez ce couvert le plus
près possible du feu. » Et se tournant vers son hôte : « Le vent de
nuit est dur dans les Alpes. Vous devez avoir froid, monsieur ? »

8. cette somme est très modeste

Les Misérables. Jean Gabin et Fernand Ledoux dans le film de Le Chanois

Chaque fois qu'il disait ce mot *monsieur,* avec sa voix doucement grave et de si bonne compagnie, le visage de l'homme
110 s'illuminait. [...]

« Voici, reprit l'évêque, une lampe qui éclaire bien mal. »

Mme Magloire comprit, et elle alla chercher sur la cheminée de la chambre à coucher de monseigneur les deux chandeliers d'argent qu'elle posa sur la table tout allumés.

115 « Monsieur le curé, dit l'homme, vous êtes bon. Vous ne me méprisez pas. Vous me recevez chez vous. Vous allumez vos cierges[9] pour moi. Je ne vous ai pourtant pas caché d'où je viens et que je suis un homme malheureux. »

L'évêque, assis près de lui, lui toucha doucement la main.
120 « Vous pouviez ne pas me dire qui vous étiez. Ce n'est pas ici ma maison, c'est la maison de Jésus-Christ. Cette porte ne demande pas à celui qui entre s'il a un nom, mais s'il a une douleur. Vous souffrez ; vous avez faim et soif ; soyez le bienvenu. Et ne me remerciez pas, ne me dites pas que je vous reçois chez moi.
125 Personne n'est ici chez soi, excepté celui qui a besoin d'un asile[10]. Je vous le dis à vous qui passez, vous êtes ici chez vous plus que moi-même. Tout ce qui est ici est à vous. Qu'ai-je besoin de savoir votre nom ? D'ailleurs, avant que vous me le disiez[11], vous en avez un que je savais. »
130 L'homme ouvrit des yeux étonnés.

« Vrai ? Vous saviez comment je m'appelle ? »

– Oui, répondit l'évêque, vous vous appelez mon frère. »

Victor HUGO, *Les Misérables.*

9. il s'agit de chandelles ou de bougies, mais le forçat se croit à l'église

10. d'un abri, d'un refuge

11. subjonctif imparfait du verbe « dire » = que vous me le disiez

Quelques personnages des Misérables. Gravure du XIXe siècle (J.-L. Charmet)

Vivre ensemble

observer pour mieux comprendre

Chacune des séries de questions ci-dessous correspond à une partie du texte : donnez un titre à chacune d'elles, et précisez à quelle ligne elle commence et à quelle ligne elle se termine.

1re partie : ligne ... à ligne ...?

1. Observez la longueur des phrases aux lignes 1 à 6.

a/ Pourquoi l'auteur revient-il à la ligne? Quel effet cherche-t-il à produire sur le lecteur?

b/ Relevez dans le portrait du visiteur, lignes 9 et 10 tous les adjectifs qualificatifs. Correspondent-ils à ce qu'avait annoncé Mme Magloire ?

c/ Comparez les réactions de Mme Magloire, de Mlle Baptistine et de l'évêque aux lignes 12 à 18.

d/ Pourquoi Jean Valjean a-t-il laissé la porte ouverte derrière lui?

2. Récapitulez les différentes étapes de la recherche entreprise par Jean Valjean depuis son arrivée à Digne; sa situation s'est-elle plutôt améliorée ou dégradée?

« Ce chien m'a mordu et m'a chassé, comme s'il avait été un homme » : que veut dire Jean Valjean par cette comparaison? Pourquoi le chasse-t-on? Pourquoi, selon vous, révèle-t-il à l'évêque sa situation exacte ? Pourquoi ne comprend-il pas le sens des paroles de Mgr Myriel à la ligne 46 ?

3. Relevez dans les propos de Jean Valjean des expressions appartenant à un niveau de langage familier. Fait-il de longues phrases?

2e partie : ligne ... à ligne ... ?

a/ Relevez les mots qui expriment l'*émotion*, de Jean Valjean. Comment se traduit-elle ? A quelle forme sont ses phrases aux lignes 73 à 88 ?

b/ A quelle marque de respect est-il particulièrement sensible? Pourquoi?

c/ Comment l'évêque le reçoit-il. Que pensez-vous de l'attitude de Mme Magloire à la ligne 112 ?

d/ Que signifie : « Personne n'est ici chez soi, excepté celui qui a besoin d'un asile »? De quelles qualités l'évêque fait-il preuve?

chercher

1. La prison, hier et aujourd'hui. Constituez un dossier et préparez un débat, en essayant de répondre par exemple aux questions suivantes : comment sont organisées les prisons françaises aujourd'hui? Le bagne existe-t-il encore? Qu'est-ce qui a remplacé le « passeport jaune » (supprimé en 1863, en partie grâce à l'influence des *Misérables* dans l'opinion)? Quels sont les salaires des détenus? Y-a-t-il une école pour ceux qui souhaitent s'instruire? Comment s'effectue la réinsertion des anciens détenus dans la société?

2. Jean Valjean : lisez dans la première partie des *Misérables,* les chapitres 6, 7, 8, 9 et 10 du livre premier; résumez l'histoire de Jean Valjean, et faites de lui un portrait.
Mgr Myriel : lisez dans la première partie des *Misérables* le livre premier *Un juste,* consacré à Mgr Myriel; puis rédigez le portrait de ce personnage (dont l'original inspiré d'un personnage historique a existé : il s'appelait Mgr Miollis, et fut évêque de Digne de 1810 à 1843).

s'exprimer

1. Réalisez une adaptation théâtrale de cette scène.

2. « Vous vous appelez mon frère » : racontez une histoire qui pourrait illustrer cette formule de Mgr Myriel.

3. Pasteur, biologiste français du XIXe siècle (1822-1895), a écrit : « Je ne te demande pas quel est ton pays, je ne te demande pas quelle est ta religion, ce que tu penses, ce que tu as fait, je te demande quelle est ta souffrance. »
Commentez cette phrase.

lire

— *Les Misérables,* de V. Hugo.
A propos de Mgr Myriel : livre I, chapitre 1; livre II, chapitres 3, 11 et 12.
A propos de Jean Valjean : livre II, chapitres 6 et 10.
— Résumez l'histoire de chacun de ces personnages et faites leur portrait.

l'analyse des sentiments (1)

Le plus souvent, lorsqu'on vous invite à raconter ce qui vous est arrivé en telles ou telles circonstances, on vous demande aussi de dire quelles ont été vos **réactions.** Vous êtes donc conduits à faire l'**analyse** de vos **sentiments** et de vos émotions.

Ce n'est pas facile, car bien traiter un tel sujet suppose que l'on s'observe soi-même ; cela pose aussi un problème de rédaction, parce qu'on ne sait pas toujours à quel moment du récit doit intervenir l'analyse des sentiments. C'est ce problème que nous allons essayer de traiter en relisant quelques textes de ce chapitre qui accordent une place importante à l'analyse des sentiments.

la notion de point de vue

Pour que le lecteur puisse s'intéresser à l'histoire qui lui est racontée, il doit avoir l'impression d'y participer. Il faut donc que le récit soit fait d'un certain **point de vue,** que les événements soient vécus « de l'intérieur » par un des personnages. C'est à travers les yeux de ce personnage que le lecteur découvrira les diverses actions et circonstances du récit, ce sont les sentiments de ce personnage qu'il sera amené à partager.

Deux cas principaux se présentent.

1. Dans un récit fait à la première personne, c'est le plus souvent le point de vue du **narrateur** (celui qui dit **je** et raconte l'histoire) qui est adopté :
— par exemple, dans *L'histoire de Prue Sarn* (p. 150), c'est Prue Sarn qui s'exprime, et ce sont ses propres sentiments qu'elle analyse.

■ *Recherchez, dans le chapitre, d'autres récits à la première personne, dans lesquels le narrateur analyse ses propres sentiments.*

N.B. : c'est le cas de la plupart des sujets d'expression qui vous sont proposés, où l'on vous demande de raconter une chose qui vous est personnellement arrivée, et d'analyser vos propres sentiments.

■ *— Par exemple (p. 152) : « Vous est-il arrivé de vous sentir dévisagé ? Racontez dans quelles circonstances, ce que vous avez ressenti, la manière dont vous avez réagi ». Relevez dans cet énoncé ce qui concerne : d'une part le récit, d'autre part l'analyse des sentiments.*

2. Dans un récit à la troisième personne (où tous les personnages sont des « ils » ou des « elles »), il y a le plus souvent un personnage que nous connaissons mieux que les autres : nous savons quels sont ses réactions, ses pensées, ses sentiments.
On dira que le récit est fait « du point de vue de » ce personnage.

■ *Relisez par exemple « D'où viens-tu ? » (p. 140). Du point de vue de quel personnage le récit est-il fait, dans ce texte ?*

Dans un cas comme dans l'autre, cela ne veut pas dire que les sentiments des autres personnages ne soient jamais évoqués. Mais c'est de façon plus incomplète, car nous n'en connaissons que ce que le personnage-narrateur (le « je » du premier cas) ou ce que le personnage principal (dans le second cas) peut en deviner.

— Relisons par exemple l'extrait suivant du texte de Michel Grimaud :

« Cinq ou six enfants courent autour, criant et riant. Le chariot s'arrête.
« Comme cela doit être amusant ! », pense Djamil.
Du côté des petits villageois, un silence étonné suit la découverte du nouveau venu ! » (p. 140).

Le récit est fait « du point de vue de » Djamil : nous savons même ce qu'il se dit en lui-même, comme si nous étions « dans sa tête ». C'est Djamil qui interprète les réactions des autres personnages : comme ils font « silence » après avoir crié et ri, il devine qu'ils sont surpris par sa présence.

— De même, après avoir remarqué l'attitude des clients de l'auberge, Prue Sarn finit par deviner leurs pensées :

« Soudain, **je devinai** que tous, les élégants de l'intérieur et les vieux du dehors, regardaient mon bec-de-lièvre. Selon leur éducation et leur rang, ils pensaient :
— Quelle étrange créature !... » (p. 150).

la place de l'analyse dans le récit

Pour simplifier, deux solutions se présentent.

1. L'analyse occupe une place à part : le narrateur interrompt le cours des événements pour nous communiquer ses réactions ou les réactions de son personnage principal, dans une sorte de « parenthèse », plus ou moins longue.

■ *Relisez **L'Histoire de Prue Sarn**. Relevez le passage où Prue Sarn nous confie ses réactions face aux clients de l'auberge. Des événements nouveaux se produisent-ils dans ce passage?*

2. L'analyse est intégrée au récit : le narrateur nous fait part de ses réactions ou de celles de son personnage principal au fur et à mesure du déroulement des événements.

■ *Relisez : « **D'où viens-tu?** ». Vous constaterez que le narrateur fait souvent alterner dans la même phrase le récit des actions et l'analyse des sentiments.*
– Dans le passage ci-dessous, relevez les membres de phrases consacrées aux sentiments du héros :

« Djamil, tout à coup intimidé, reste planté à proximité, à l'angle de la petite place de la mairie. Au centre, il y a une fontaine. L'enfant s'en approche lentement, puis s'enhardit jusqu'à s'asseoir sur la margelle de pierre. » (p. 140).

N.B. : les deux solutions peuvent bien sûr être combinées. Par exemple, Michel Grimaud interrompt parfois son récit de courtes parenthèses où il nous communique les pensées de Djamil :
« On ne se connaît pas encore assez, répond Djamil, qui s'éloigne en soupirant.
Les grandes personnes ne comprennent pas toujours... Lui sait bien que si le garçon blond avait voulu de sa compagnie, il l'aurait dit... » (p. 141).

■ *Vous traiterez le sujet d'expression page 152 (« Vous est-il arrivé de vous sentir dévisagé ? ») de deux manières distinctes :*
– en exprimant vos sentiments au fur et à mesure du récit des événements;
– en racontant d'abord ce qui s'est passé; et en récapitulant à la fin tout ce que vous avez éprouvé au cours de cette scène.

Puis vous comparerez les deux « versions » obtenues ainsi. Laquelle a été la plus facile à rédiger? Laquelle vous paraît la plus intéressante, la plus réussie?

les formes de l'analyse

Selon la place choisie pour l'analyse des sentiments, celle-ci prendra des formes différentes, et recourra à des procédés différents.

1. Quand l'analyse est traitée à part, sous forme d'une « parenthèse » plus ou moins longue (qu'on prendra soin de délimiter en allant à la ligne et en faisant un alinéa), on fera notamment usage :

a/ de **verbes,** qui exprimeront les sentiments du narrateur ou du personnage, et la **conscience** que celui-ci en prend :
« Je **souhaitais** en moi-même mourir. Malgré le froid piquant, malgré ma robe mince et ma place éloignée du feu, **je me sentais** toute moite. Car **j'aimais** vraiment mes semblables, et j'aurais chèrement désiré être aimée d'eux. **J'éprouvais** un sentiment d'amitié pour les fermiers, pour les hobereaux, pour l'aubergiste et sa femme » (p. 151).

b/ du **« monologue intérieur »,** qui consiste à rapporter les pensées d'un personnage sous la forme de paroles qu'il est censé se dire à lui-même :

– soit avec des guillemets et un verbe introductif (songea-t-il, pensa-t-il, se dit-il, etc.) :
« Comme cela doit être amusant », pensa Djamil.

– soit sans guillemets :
« La fillette s'éloigne en courant pour rejoindre sa mère, se retourne et agite le bras en signe d'adieu.
Luce n'est certainement pas unique, il doit y en avoir d'autres de son espèce. Des tas de Luce des deux sexes, tous drôles et gentils. Il suffit d'attendre

l'analyse des sentiments (1)

patiemment qu'ils se montrent. Djamil attend donc avec sérénité, et la matinée passe. » (p. 142).

■ *Dans l'extrait ci-dessus, distinguez les phrases qui correspondent au récit, et celles qui correspondent au « monologue intérieur » de Djamil.*

2. Quand l'analyse est intégrée aux mêmes phrases que le récit, on pourra utiliser notamment :

a/ des **adjectifs** ou des **participes,** épithètes ou apposés :

« Djamil, tout à coup **intimidé,** reste planté à proximité. »
« La troupe d'enfants s'envole, aussi vite qu'elle est venue, laissant Djamil **décontenancé** et **déçu.** »
« Puis, tout à coup, il sursaute, **surpris,** et dévisage son interlocuteur. » (p. 140).

b/ des **compléments circonstanciels de manière,** ou des **gérondifs :**

« – « Je viens d'Algérie », répond Djamil **sans se laisser démonter** par le ton impératif de la question...
– On ne se connaît pas encore assez, répond Djamil qui s'éloigne **en soupirant...**
– C'est loin, chez toi?
– Oui, en Algérie... Et c'est beau ! ajoute Djamil **avec un soupçon d'agressivité.**
– Sûr ! approuve **gravement** l'être conciliant ».

■ *Un puzzle. Voici dans le désordre quelques phrases d'un récit. Remettez-les dans l'ordre après les avoir complétées à l'aide des expressions encadrées qui servent à l'analyse des sentiments du personnage principal (Jacques).*

– ..., il finit... son déjeuner, lui...
– ... fatigué, car il a mal dormi.
– D'ailleurs, ... Après tout les professeurs n'ont pas besoin d'élèves endormis.
– Ce matin, Jacques s'est réveillé ...
– Il s'habille ...
– ..., il sort de chez lui, et s'en va à l'école ...
– Mais il voit passer dans la rue son ami Jean.
– Il ... que, si cela continue, il va dormir en classe toute la journée.
– Tout d'un coup, il ... il doit jouer aux billes avec lui à la récréation.
– Il déjeune ...

il se sent
pourquoi aller à l'école?
se rappelle qu'
de mauvaise humeur
en sautillant
plein d'impatience
sans appétit
se dit
tout joyeux
qui tout à l'heure n'avait pas faim
goulûment
machinalement

6/ Sacré Charlemagne

- *D'une discipline à l'autre*
- *L'école buissonnière*
- *Dossier : les machines et l'école*

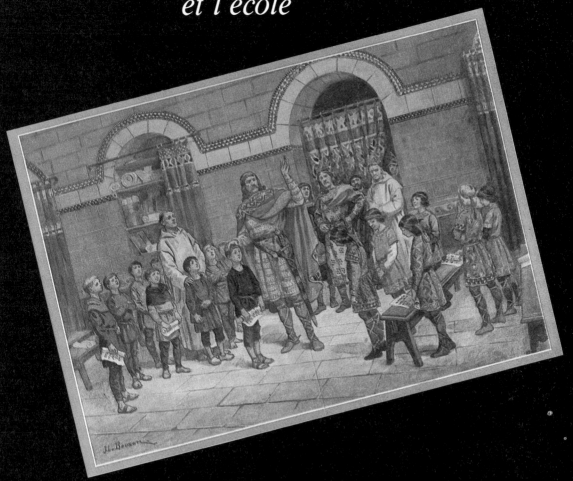

1940

1940 : Adolf Hitler, au sommet de sa puissance, vient d'envahir la France. Dans le monde et même en Allemagne, les ennemis du nazisme, comme Bertolt Brecht, désespèrent de voir la fin de la guerre et de l'oppression. Dans un univers de violence et de mort, à quoi peut encore servir la culture ?

Mon jeune fils m'a dit : « Dois-je apprendre les mathématiques? »
J'ai pensé répondre : « A quoi bon ! Deux morceaux de pain
Sont plus qu'un seul, tu t'en apercevras sans étude. »
Mon jeune fils m'a dit : « Dois-je apprendre le français? »
5   J'ai pensé répondre : « A quoi bon ! Ce pays, la France,
Est près de succomber*. Tu n'as qu'à frotter ton ventre
Avec ta main et puis gémir, on te comprendra. »
Mon jeune fils m'a dit : « L'histoire, dois-je l'apprendre? »
J'ai pensé répondre : « A quoi bon ! Apprends à rentrer
10   Ta tête sous terre et peut-être survivras-tu.
Oui, apprends les mathématiques, ai-je
Dit, apprends le français, apprends l'histoire. »

Bertolt BRECHT, *Poèmes* (Trad. Maurice Regnaut, L'Arche)

rassemblons nos idées

1. La structure du poème
a/ Qui parle à qui dans ce poème?
b/ Sous quelle forme se présente ce poème?
c/ Que fait l'enfant?

2. Que faut-il apprendre?
Sous forme de tableau, comparez :
à quoi serviraient d'après l'auteur les trois matières considérées? Pourquoi?
Quelles connaissances seraient plus utiles? A quoi?

	matières proposées	utilité	connaissances plus utiles	leur usage
1 2 3				

3. La réponse du père
a/ Quel problème revient comme une obsession dans le poème? Relevez les termes qui le posent.
b/ Que peut espérer le fils, d'après son père? Relevez un verbe à ce propos. A quelles conditions?
c/ Quelle formule exprime la résignation du père? Que répond-il finalement à son fils? Expliquez ses paroles.

4. Le poème
Il a été traduit de l'allemand, cependant sa structure reste visible.
Relevez trois expressions du père et une expression du fils qui reviennent comme un refrain.

chercher

1. Quelle était la situation de la France, « ce pays près de succomber », en 1940?
2. « Rentrer sa tête sous terre » : qu'est-il arrivé aux opposants allemands hostiles au régime nazi d'Hitler?

s'exprimer

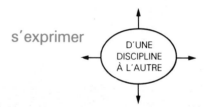

1. De quelle manière le fait d'apprendre l'histoire peut-il nous aider à comprendre et à améliorer la réalité actuelle?
2. A quoi peuvent vous servir les mathématiques, l'histoire, les langues, plus tard?

Rosa la rose
et Jules César

André Chamson nous montre à sa façon que l'enseignement peut être ouvert sur le monde, la vie, le concret. L'exemple du latin est, à ce propos, très significatif : il sert, bien sûr, à mieux comprendre la langue française, mais quand on apprend que Jules César parle du pays où l'on vit, le désir de découvrir le latin devient alors encore plus fort…

Avèze[1] est à trois kilomètres du Vigan[1] si l'on passe par la route, et l'on gagne cinq ou six cents mètres en prenant par les bords de la rivière ou par le sentier du chemin de fer. Chaque jeudi, je variais mes itinéraires. S'il pleuvait, je prenais la route,
5 la rivière s'il faisait beau et, quand j'étais en retard, le petit chemin du ballast[2]. Tous ces chemins s'ouvrent sur le même paysage. Ils mènent peut-être à Rome, comme tous les chemins du monde, mais en passant par un vaste amphithéâtre[3] que domine une muraille de hautes crêtes. Du Lingas au Cap-de-Coste, de
10 Puéchagut à Grimals[4], elle barre le ciel, à quatorze cents mètres d'altitude et, nulle part ailleurs, on ne peut mieux voir les Cévennes[5], dressées comme un mur, sur un horizon de nuages brassés par le vent.

« Tu vois, César[6] a traversé ces montagnes avec ses légions[7],
15 m'avait dit le pasteur[8] d'Avèze, le premier jour où j'étais allé le voir, avec maman, alors, tu comprends, il te faut apprendre le latin. Un jour, tu traduiras le passage où il parle de notre pays. »

Cette révélation m'avait bouleversé. L'histoire avait pris possession de l'espace. Je m'étais demandé d'où César avait pu
20 venir. Sans doute de Nîmes[9], comme le chemin de fer. Nîmes était, du reste, une ville des Romains et j'étais Nîmois, du moins, j'étais né à Nîmes. Je devais donc être avec les Romains. Mais les gens d'ici avaient fait la guerre à César et j'étais d'ici. Donc j'étais contre César. Mais j'aurais voulu être avec lui quand il
25 avait franchi nos montagnes. J'étais avec tous ceux qui franchissaient la Luzette ou le Cap-de-Coste. En tout cas, le pasteur d'Avèze avait raison. Il fallait que je sache le latin.

Sur le chemin du retour, trottinant auprès de ma mère, j'avais regardé la muraille de nos montagnes comme je ne l'avais jamais
30 fait jusqu'à ce jour. C'est là-haut que César était passé ! Il avait franchi ce massif alors qu'il était encore sans routes et qu'on y rencontrait des loups et des ours ! Il me tardait de savoir assez le latin pour lire le passage où cette merveilleuse aventure était racontée.

1. localités du Gard : le narrateur habite Le Vigan mais il se rend dans une bourgade voisine : Avèze, chez le pasteur

2. gravier et pierres concassées qui soutiennent les traverses de chemin de fer
3. vaste enceinte ronde ou ovale avec des gradins où se tenaient des spectacles
4. montagnes et lieux-dits situés non loin d'Avèze

5. montagnes situées au sud-est du Massif central

6. général romain qui fit la conquête des Gaules de 59 à 51 avant J.-C.
7. corps de troupes romains groupant 6 000 hommes
8. responsable religieux d'un groupe de protestants

9. ancienne ville romaine

35 « *Rosa* la rose », me dit le pasteur Abel, le jeudi suivant.

La première leçon était commencée. J'allais savoir le latin.

« *Rosa* veut dire : « la rose ». Tu comprends? »

Oui, je comprenais. *Rosa,* rose. Mais comment faisait-on le « la »? J'avais eu honte de le demander et nous étions allés plus
40 avant[10], comme si j'avais compris. Je m'étais mis dans la tête toutes les déclinaisons[11] : *Dominus,* le maître. *Templum,* le temple. Encore une fois, *dominus* pouvait dire maître et *templum* temple, mais comment faisait-on le « le »? Je comprenais un peu mieux avec les *zibus.* Ça faisait « par ». C'était facile à compren-
45 dre. Je me mis à faire des thèmes[12] et des versions[13], avec des bonheurs statistiques[14], un peu comme on fait les mots croisés qui n'existaient pas encore. Mais mon véritable souci était de traduire Jules César.

« Je suis assez fort pour traduire le passage? » demandai-je un
50 jour au pasteur Abel qui commençait à se demander lui-même si j'avais un esprit assez logique[15] pour tirer un profit• quelconque de l'étude du latin.

« Quel passage ? me répondit-il, l'air étonné. »

– Celui de César... quand il traverse notre montagne.

55 – Oh ! mais c'est dans le *De bello Gallico*[16]. On ne le traduit qu'en quatrième. Il te faut encore trois ans d'études... si tu travailles... et je ne sais pas si tu fais vraiment tout ce que tu peux ! Quelquefois, tu as l'air d'avoir compris mais, d'autres fois... »

Devant ma déception•, il me promit pourtant de me faire tra-
60 duire ce fameux passage avant la fin de l'année, si je travaillais comme un Romain. Ce serait ma récompense, mon premier prix de version latine. Je ferais d'abord le mot à mot, avec son aide, s'il le fallait. Mais, après, nous ferions ensemble une belle traduction, une traduction littéraire.

65 Je continuai donc à apprendre le latin, sans comprendre ce que j'apprenais. Avec le « je » c'était comme avec le « le » ou le « la ». *Sum :* je suis. Je voyais bien ce qui pouvait faire « suis », mais je ne comprenais pas comment on faisait le « je ». Quand on traduisait du latin, il fallait mettre des tas de mots qui n'étaient pas
70 dans le texte et les mots qu'on y trouvait n'étaient pas à la bonne place.

J'expliquais parfois ces difficultés à mes camarades de l'école de tout le monde[17], où l'on n'apprenait pas le latin. Ils étaient arrivés à fort bien comprendre tous ces problèmes. Ils les com-
75 prenaient même aussi bien que moi.

« C'est comme un genre de télégramme » avait dit La Sisse, après une longue méditation.

« De télégramme? Où tu vas prendre ça? » avait répondu Abric qui ne pensait pas aussi vite.

10. nous avions continué la leçon
11. système de modification des terminaisons des mots selon leur fonction

12. traduction de la langue maternelle (ici le français) à la langue apprise (ici le latin)
13. traduction inverse : ici, du latin au français
14. dont les résultats s'évaluent mathématiquement (ici, les résultats sont dus au hasard, selon les lois de la probabilité)

15. cohérent

16. œuvre dans laquelle Jules César raconte « La Guerre des Gaules »

17. l'école laïque, par opposition à l'école religieuse

Vercingétorix se rendant à César (C. Amalvi)

80 « Quand tu fais une dépêche, tu n'y mets pas tous les mots. Tu dis, par exemple : arriverai train six heures... C'est en plein comme le latin. »

Après un moment de réflexion pendant lequel il avait plissé ses yeux, La Sisse reprit, l'air triomphant :

85 « Ça ressemble au patois d'ici. Pour dire tu sais, tu dis « sas ». Le « tu » est dans le « sas », comme c'est dans le latin. »

Ces réflexions m'avaient fait comprendre plus de choses que des mois de thèmes et de versions. La Sisse avait le génie de la langue de Virgile[18], mais il ne devait jamais l'apprendre.

18. célèbre poète latin (70-19 av. J.-C.), auteur des *Bucoliques,* des *Géorgiques* et de l'*Énéide*

André CHAMSON, *Le Chiffre de nos jours* (Gallimard)

D'une discipline à l'autre

rassemblons nos idées

1. Les circonstances

a/ Dans quelle région se situe l'histoire?

b/ L'auteur la connaît-il?

c/ Comment résonnent en vous les noms de localités cités par Chamson?

2. Le narrateur

a/ Quel âge doit-il avoir environ?

b/ Quels sentiments éprouve-t-il pour son pays?

c/ Quelle est sa position face à César?

d/ Quel rôle joue-t-il vis-à-vis de ses camarades aux lignes 72 à 89?

3. L'apprentissage du latin

a/ Les raisons

— Qui lui conseille cet apprentissage?

— Quel est l'argument utilisé pour le convaincre?

— L'enfant est-il vraiment convaincu? (Relevez les mots significatifs.)

b/ Les méthodes

— Qui dirige cet apprentissage?

— Comment fonctionnent leçons et exercices?

— Comment l'enfant réagit-il à cet apprentissage? Que comprend-il? Quelles sont ses difficultés? (Comment les expliquez-vous?)

— Qui lui donne finalement une explication satisfaisante? De quelle manière? Est-ce important pour lui?

c/ La finalité

— Qu'espère l'enfant? Quel est son but principal? Pourquoi est-ce particulièrement important pour lui?

du latin au français

Voici le texte latin que convoita si longtemps André Chamson, accompagné de sa traduction mot à mot. (L'ordre des mots est différent en français et en latin; les mots entre crochets sont rajoutés dans la traduction française pour plus de clarté.)

— **Etsi mons Cevenna qui Arvernos ab Helviis discludit**

Bien que le mont des Cévennes qui sépare les Arvernes[1] des Helviens[2]

— **durissimo tempore anni, altissima nive, iter impediebat**

à cause de l'époque de l'année la plus rude et de la neige profonde, barrât la route,

— **tamen discussa nive VI in altitudinem pedum**

cependant, la neige épaisse de six pieds [une fois] écartée,

— **atque ita viis patefactis, summo militum labore**

et la route étant ainsi frayée, grâce au labeur acharné des soldats,

— **ad fines Arvernorum pervenit. Quibus oppressis inopinantibus,**

[César], aux frontières des Arvernes parvint. Et ces derniers [furent] écrasés inopinément[3]

— **quod se Cevenna, ut muro, munitos existimabant.**

parce que, par les Cévennes, comme par un mur, ils s'estimaient défendus.

1. aujourd'hui les Auvergnats   2. les gens de l'Ardèche   3. sans qu'ils s'y attendent

chercher

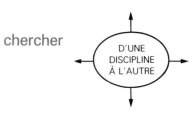

Avec l'aide de votre professeur d'histoire et géographie, faites :

— un résumé de la conquête de la Gaule par les Romains;

— un résumé de la carrière de Jules César.

s'exprimer

1. Imaginez le narrateur maîtrisant parfaitement le latin, son livre de César à la main et contemplant le paysage décrit par le général romain lors de sa campagne.

2. André, joyeux d'avoir résolu ses problèmes en latin, grâce à La Sisse, décide d'enseigner cette langue à son ami en guise de remerciement. Racontez.

3. Avez-vous déjà eu envie de vous initier à une science ou à une langue pour mieux comprendre le monde qui vous entoure?

Une leçon de dessin mouvementée

Nous sommes dans un pensionnat de jeunes filles, au début du siècle. Claudine, élève de la classe préparant au brevet, nous raconte les rivalités et les amitiés qui animent la vie de cette école...

Leçon de dessin, sous la direction de Mlle Aimée Lanthenay[1]. « Reproduction linéaire[2] d'un objet usuel[3]. » Cette fois, c'est une carafe taillée• que nous devons dessiner, posée sur le bureau de Mademoiselle. Toujours gaies, ces séances de dessin, parce
5 qu'elles fournissent mille prétextes[4] pour se lever; on trouve des « impossibilités[5] », on fait des taches d'encre de Chine partout où le besoin ne s'en fait pas sentir. Tout de suite, les réclamations commencent. J'ouvre le feu :
« Mademoiselle Aimée, je ne peux pas dessiner la carafe d'où
10 je suis, le tuyau de poêle me la cache ! »
Mlle Aimée se tourne vers moi :
« Penchez la tête en avant, vous la verrez, je pense.
— Mademoiselle, continue Anaïs, je ne peux pas du tout voir le modèle[6], parce que la tête de Claudine est devant !
15 — Oh ! que vous êtes agaçantes; tournez un peu votre table, alors vous verrez toutes les deux. »
A Marie Belhomme, maintenant. Elle gémit :
« Mademoiselle, je n'ai plus de fusain[7], et puis la feuille que vous m'avez donnée a un défaut au milieu, et alors je ne peux pas
20 dessiner la carafe.
— Oh ! grince Mlle Sergent, énervée, avez-vous fini, toutes, de nous ennuyer? Voilà une feuille, voilà du fusain, et maintenant, que je n'entende plus personne, ou je vous fais dessiner tout un service de table ! »
25 Silence épouvanté. On entendrait respirer une mouche... pendant cinq minutes. A la sixième minute, un bourdonnement léger renaît, un sabot tombe, Marie Belhomme tousse, je me lève pour aller mesurer, à bras tendu[8], la hauteur et la largeur de la carafe. La grande Anaïs en fait autant, après moi, et profite de ce qu'on
30 doit fermer un œil pour plisser sa figure en horribles grimaces qui font rire Marie. Je finis par esquisser[9] la carafe au fusain, et je me lève pour aller prendre l'encre de Chine dans le placard derrière le bureau des deux institutrices.
En passant, je regarde le dessin d'Anaïs : sa carafe lui res-
35 semble, trop haute, avec un goulot trop mince et trop long. Je veux l'en prévenir, mais elle n'entend pas, tout occupée à préparer sur ses genoux du « gougnigougna » pour l'envoyer à la nouvelle dans une boîte à plumes, la grande chenille ! (Du « gougni-

1. l'institutrice, Mlle Lanthenay, est assistée de la directrice, Mlle Sergent
2. dessin où seul le contour est marqué
3. dont on se sert fréquemment dans la vie courante
4. de fausses raisons
5. elles prétendent qu'il est impossible de dessiner pour telle ou telle raison

6. la carafe à dessiner

7. crayon fait avec du charbon de bois

8. elle prend les proportions de la carafe en se servant de son crayon tenu verticalement au bout de son bras tendu, comme d'une règle et en fermant un œil
9. dessiner les grandes lignes

Jean-Baptiste Chardin, Les Débris d'un déjeuner (Paris, Musée du Louvre. Hachette)

gougna », c'est du fusain pilé dans l'encre de Chine, de manière à
faire un mortier[10] presque sec, qui tache les doigts sans
défiance[11], intensément[12], et les robes et les cahiers.) Cette pauvre petite Luce va noircir ses mains, salir son dessin en ouvrant la
boîte, et sera grondée. Pour la venger, je m'empare du dessin
d'Anaïs vivement, je dessine à l'encre une ceinture avec une boucle, qui enserre la taille de la carafe, et j'écris au-dessous : « Portrait de la Grande Anaïs ». Elle relève la tête à l'instant où je
finis d'écrire, et pousse son « gougnigougna » en boîte à Luce,
avec un gracieux sourire. La petite devient rouge et remercie.
Anaïs se repenche sur son dessin et pousse un « oh ! » retentissant
d'indignation•.

« Eh bien, Anaïs, vous devenez folle, je pense?

— Mademoiselle, regardez ce que Claudine a fait sur mon
dessin ! »

Elle le porte, gonflée de colère, sur le bureau; Mlle Sergent y
jette des yeux sévères et, brusquement, éclate de rire. Désespoir
et rage d'Anaïs qui pleurerait de dépit[13] si elle n'avait la larme si
difficile. Reprenant son sérieux, la directrice prononce : « Ce
n'est pas ce genre de plaisanteries qui vous aidera à passer un

10. mélange (habituellement
de sable, d'eau et de ciment)
11. méfiance
12. fortement

13. à la fois de chagrin et de
colère

60 examen satisfaisant, Claudine; mais vous avez fait là une critique assez juste du dessin d'Anaïs qui était en effet trop étroit et trop long. » La grande bringue[14] revient à sa place, déçue, ulcérée[15]. Je lui dis :

« Ça t'apprendra à envoyer du gougnigougna à cette petite qui ne t'a rien fait ! »

14. grande fille maigre (expression populaire)
15. profondément blessée et en colère

WILLY et Colette WILLY, *Claudine à l'école* (Albin Michel)

observer pour mieux comprendre

1. Les prétextes
a/ Quelles sont les différentes « impossibilités » qu'inventent les élèves pour ne pas dessiner?
b/ Comment réagissent les deux adultes?
c/ Quels mouvements et quels bruits renaissent après la menace?

2. Anaïs et Claudine
a/ Quelle est la première réaction de Claudine face au dessin d'Anaïs?
b/ Pourquoi change-t-elle d'avis? Comment venge-t-elle Luce?
c/ Pourquoi Anaïs fait-elle cette mauvaise « farce » à Luce? Qu'est-ce qui distingue Luce des autres élèves?

3. Réactions diverses
a/ Relevez et expliquez deux adjectifs qui qualifient les attitudes d'Anaïs et de Luce lors du « cadeau » de la boîte.
b/ Pourquoi Anaïs crie-t-elle à la ligne 49? Qu'es-père-t-elle en portant son dessin à Mlle Sergent?
c/ Comment réagit Mlle Sergent? Que contient sa remarque à Claudine?
d/ Relevez trois noms et deux adjectifs qui caracté-risent les sentiments d'Anaïs.
e/ Que ressent finalement Claudine? Relevez deux surnoms que Claudine dans son discours intérieur applique à Anaïs.

rassemblons nos idées

Définissez par quelques noms les qualités et les défauts de :

	Claudine	Anaïs	Luce	Mlle Sergent
qualités				
défauts				

s'exprimer

1. Aimez-vous le dessin? Pourquoi? Préférez-vous le dessin figuratif (celui qui représente des per-sonnes ou des objets) ou non figuratif (qui ne représente aucun objet précis, mais joue sur les formes, les lignes, les ombres…)?
2. Imaginez les réactions de Luce, la nouvelle, à l'égard d'Anaïs et de Claudine lorsqu'elle a ouvert la boîte.
3. En tant que « nouveau », vous avez peut-être été victime de méchantes farces ou en tant qu'« an-cien » il vous est arrivé d'en faire. Racontez.
4. Faites le dessin d'Anaïs corrigé par Claudine.

chercher

Le « gougnigougna ». Étudiez les phonèmes qui composent ce mot : comment sont-ils disposés? Connaissez-vous d'autres mots formés de façon comparable?

vocabulaire

La défiance : ce mot vient du latin *fides* = la foi, la loyauté. Trouvez un nom et un adjectif formés sur le radical *-fid-*. Cherchez deux noms et trois verbes de la même famille que « défiance », formés à partir de *-fi-* précédé d'un préfixe.

Un sujet « idiot »

Galla a quatorze ans. Elle est interne au lycée de sa ville. Elle possède un bien précieux : sa bicyclette qui lui permet de rentrer chez ses parents qui habitent en pleine campagne, à trente-cinq kilomètres du lycée. Cette bicyclette rappelle précisément un souvenir à Galla...

Ça m'a rappelé la dernière rédaction que j'ai faite au lycée. Le sujet était : « Si vous étiez obligé de partir au désert en emportant un seul objet, lequel choisiriez-vous? Justifiez votre choix. » C'était un sujet complètement crétin, comme d'habitude. Parce que, moi, par exemple, si on m'obligeait à aller au désert avec un seul objet, je demanderais à ce qu'on me permette de ne rien emporter du tout. Mais le professeur voulait absolument qu'on emporte une chose au moins. Elle est maniaque•. Bien sûr, elle attendait qu'on dise qu'on souhaiterait toutes emporter un des livres dont elle parle ou un disque. Les filles de la classe l'ont dit, pour lui faire plaisir et pour avoir une bonne note. Elles voulaient toutes emporter *Le Petit Prince*[1] ou *Le Grand Meaulnes*[2] ou *Le Vieil Homme et la mer*[3]. Enfin des livres comme ça. Je trouve ces idées idiotes. Si j'ai lu un livre et si je l'ai aimé, je me le rappelle. Ce n'est plus la peine de l'emmener au désert, je peux me le raconter, si j'en ai envie. Même je peux m'inventer des histoires si je n'ai aucun livre. Pour les disques, c'est pareil. Je chante et c'est toujours comme si quelqu'un d'autre chantait. Ma voix est une voix étrangère. Quand je me vois aussi, je vois une étrangère.

J'ai dit cela dans mon devoir puisque je savais ce que le professeur voulait. Les professeurs veulent toujours qu'on leur parle de ce qu'ils aiment, eux.

Ensuite, j'ai réfléchi à ce que je pourrais bien emporter puisqu'il fallait choisir quelque chose. Plusieurs idées me sont venues. J'ai pensé à un grand chapeau à cause du soleil qui dévore, et puis, je me suis dit que c'était bien de mourir au soleil. Puis j'ai pensé à un drap pour me couvrir, la nuit. Je ne peux pas dormir découverte, surtout avec la tête découverte. Mais un drap est encombrant, et puis, au désert, j'aurais vite fait de mourir de soif. Alors. A moins qu'une caravane passe et me recueille, sur le chemin des marchés de chameaux, au bord du désert. Mais il vaut mieux ne pas y compter. Finalement, la seule bonne idée qui me soit venue, c'était ma brosse à dents. Une brosse à dents, c'est utile, ce n'est pas encombrant. Je m'imagine très bien marchant dans les dunes du désert, ma brosse à dents à la main. Dans les moments de repos, je la poserais près de moi, elle ne me gênerait pas. A la réflexion, j'ai renoncé• à l'emporter, pour des raisons très simples.

D'abord, au désert, il n'y a pas d'eau. Je ne pourrais pas me laver les dents. Ça ne m'empêcherait pas d'emporter ma brosse,

1. livre de Saint-Exupéry (1900-1944) qui raconte l'histoire d'un petit prince d'une autre planète, ami d'une rose et d'un renard
2. roman d'Alain-Fournier (1886-1914) dont vous avez pu lire un extrait dans *Au plaisir des mots 6ᵉ*, page 84
3. roman d'Ernest Hemingway (1898-1961) qui raconte le combat d'un vieil homme avec un gigantesque espadon

d'ailleurs. Mais le plus grave, qui m'a décidée à renoncer à elle, c'est que je risquerais de la perdre à chaque tempête de sable. Retrouver une brosse à dents, même rouge, sous une dune de sable, ce ne doit pas être facile. Le professeur de sciences nous a
45 expliqué que les dunes se déplacent, au cours des tempêtes de sable. Comment savoir, alors, quelle dune a emporté ma brosse? Et moi, je me connais. Jamais je ne consentirais à continuer ma route en abandonnant un objet dont je me serais chargée et qui m'aurait fidèlement suivie. Je serais obligée de rester longtemps
50 à retourner le sable pour retrouver ma brosse. Ce serait une aventure épouvantable. Si je ne la retrouvais pas, je devrais rester là, indéfiniment[4], au pied de la dune. La prochaine tempête de sable m'ensevelirait moi aussi. Peut-être elle découvrirait ma brosse qui, à son tour, resterait à m'attendre. Des choses
55 comme celles-là sont terribles.

    J'étais très énervée en écrivant ce devoir. Alors, parce que vraiment j'en avais assez de toutes ces histoires que fait notre professeur, j'ai dit que si je devais partir au désert avec un seul objet, ce serait avec ma bicyclette. Que c'était comme ça. Sans
60 aucune raison. Que c'était ça ou rien. D'ailleurs, je déteste ce professeur.

Inès CAGNATI, Un jour de congé (Denoël)

4. éternellement

rassemblons nos idées

1. « En emporter un seul objet »
a/ Relevez les différentes hypothèses que fait la narratrice en précisant à chaque fois l'objet qu'elle pense emporter, son utilité, les raisons pour lesquelles elle le rejette.
b/ Qu'est-ce que les autres élèves voudraient emporter? Pourquoi?
c/ Pour quelles raisons la narratrice élimine-t-elle ces objets-là?
d/ Qu'est-ce que ce détail nous révèle sur son caractère?

2. Le professeur
Relevez toutes les phrases qui nous révèlent l'opinion que la narratrice a d'elle, puis des professeurs en général.

3. La brosse à dents
Pourquoi la narratrice choisit-elle cet objet? Pourquoi renonce-t-elle à l'emporter? Pour quelles raisons ne pourrait-elle pas l'abandonner?

4. Le désert
a/ Comment Galla l'imagine-t-elle? Relevez les noms et les verbes qui le dépeignent.

b/ Quel sort y attend Galla d'après elle? Qu'en pense-t-elle?

5. Le choix final
Est-il fait « sans aucune raison » comme la narratrice le prétend?
Quels sont les motifs de ce choix d'après vous?

6. Le langage
Quels sont les *niveaux de langue* employés par Galla? Relevez quelques tournures familières. Qu'expriment-elles?

s'exprimer

1. « Et moi je me connais ». Faites le *portrait* de la narratrice d'après ce que nous en apprend ce texte.
2. « Même je peux m'inventer des histoires si je n'ai aucun livre ». Vous arrive-t-il aussi d'inventer des histoires pour votre plaisir? Dans quelles circonstances? Racontez une de ces histoires...
3. « Les professeurs veulent toujours qu'on leur parle de ce qu'ils aiment, eux ». Qu'en pensez-vous? Avez-vous fait cette expérience? Racontez.
4. « Retrouver une brosse à dents, même rouge, sous une dune de sable ». Imaginez d'autres tâches difficiles...

Mathématiques

Quarante enfants dans une salle,
Un tableau noir et son triangle,
Un grand cercle hésitant et sourd
Son centre bat comme un tambour.

5   Des lettres sans mots ni patrie
Dans une attente endolorie.

Le parapet dur d'un trapèze,
Une voix s'élève et s'apaise
Et le problème furieux
10   Se tortille et se mord la queue.

La mâchoire d'un angle s'ouvre.
Est-ce une chienne? Est-ce une louve?

Et tous les chiffres de la terre,
Tous ces insectes qui défont
15   Et qui refont leur fourmilière
Sous les yeux fixes des garçons.

Jules SUPERVIELLE, *Gravitations* (Gallimard)

rassemblons nos idées

1. De la comparaison à la métaphore

La *comparaison* est un procédé qui consiste à mettre en rapport, grâce à un mot outil, un terme comparé avec un terme comparant sur la base d'une ressemblance entre les choses que désignent ces deux mots (élément commun).

Cherchez dans ce poème une *comparaison,* puis décomposez-la comme vous avez appris à le faire en 6ᵉ :

terme comparé	élément commun	terme comparant

Dans la *métaphore*, le terme comparé et le terme comparant ne sont pas mis en rapport de la même façon; plusieurs cas se présentent.

a/ Le comparé devient CDN du comparant :

« le <u>trapèze</u> a la forme d'un <u>parapet</u> »
   comparé   comparant

« le <u>parapet</u> dur d'un <u>trapèze,</u> »
   comparant   comparé

Trouvez dans le poème un autre exemple de *métaphore* dans laquelle le comparé est CDN du comparant.

b/ Le comparant est mis en apposition au comparé :

« les <u>chiffres</u> ressemblent à des <u>insectes</u> »
   comparé   comparant

« Et tous les <u>chiffres de la terre,</u>
   <u>Tous ces insectes</u> … »

c/ Le comparant peut être sous-entendu :

« Et le problème furieux
   Se tortille et se mord la queue. »

A quoi le problème est-il ici comparé?

Wassily Kandinsky, Croix blanche (Roger-Viollet/A.D.A.G.P., 1987)

N.B. : on parle de *métaphore filée,* quand l'auteur ajoute au comparant un ou plusieurs mots qui lui sont apparentés et qui précisent la ressemblance :

> « Et tous les chiffres de la terre,
> Tous ces <u>insectes</u> qui défont
> Et qui refont leur <u>fourmilière</u>... »

2. Les sonorités

a/ En fin de vers

— Tous les vers de ce poème ne sont pas rimés : trouvez deux fins de vers qui n'ont aucune sonorité en commun.

On parle d'*assonance* quand deux fins de vers ont en commun un *phonème vocalique,* qui n'est pas forcément la dernière sonorité du vers :

> « La mâchoire d'un angle s'*ouv*re.
> Est-ce une chienne? Est-ce une l*ouv*e? »

— Les autres vers du poème sont rimés :

ces rimes sont-elles ici toujours disposées de la même façon (voir p. 288)? Donnez un exemple de *rime plate ou suivie,* et un exemple de *rimes alternées.*

On a coutume de distinguer trois sortes de rimes selon le nombre de phonèmes communs aux deux fins de vers.

1. On parle de *rime pauvre,* lorsque les deux fins de vers ont en commun un seul phonème (vocalique) :

> « Et le problème furi*eux*
> Se tortille et se mord la q*ueue*. »

Quel phonème vocalique ces deux fins de vers ont-elles en commun? Trouvez dans le poème un autre exemple de rime « pauvre ».

2. On parle de *rime suffisante,* lorsque les deux fins de vers ont en commun deux phonèmes (un vocalique + un consonantique)

> « Un grand cercle hésitant et sourd
> Son centre bat comme un tambour. »

Quels sont les deux phonèmes communs à ces deux fins de vers?

Trouvez dans le poème deux autres exemples de rimes « suffisantes ».

3. On parle de *rime riche,* lorsque les deux fins de vers ont en commun au moins trois phonèmes :

> « Le parapet dur d'un trapèze,
> Une voix s'élève et s'apaise... »

Combien de phonèmes les deux fins de vers ont-elles en commun?

Y a-t-il dans le poème d'autres exemples de rimes « riches »?

b/ A l'intérieur des vers

Rappel : on nomme *assonance* la répétition d'un même phonème vocalique à l'intérieur d'un ou plusieurs vers qui se suivent.

Quel est le phonème vocalique qui est répété quatre fois dans le premier vers? Le retrouve-t-on dans les vers suivants?

Rappel : on nomme *allitération* la répétition d'un même phonème consonantique à l'intérieur d'un ou plusieurs vers qui se suivent.

Quel phonème consonantique est répété cinq fois dans les quatre derniers vers du poème?

Certains effets combinent les deux procédés. Dans le vers 7, par exemple, combien de phonèmes (vocaliques et consonantiques) les mots « parapet » et « trapèze » ont-ils en commun?

3. Le mètre et le rythme

a/ Le *mètre,* c'est le nombre de syllabes prononcées (ou pieds) que comportent les vers d'un poème. Combien de *pieds* les vers de ce poème comportent-ils?

Attention : rappelez-vous que le *e muet* est prononcé en poésie devant une consonne.

Comment faut-il lire « furieux » au vers 9?

b/ Le *rythme* dépend de la place des *accents.* Dans les vers de ce poème, comme dans le cas des alexandrins (voir p. 288), les deux accents principaux se trouvent :

— l'un d'eux toujours à la fin du vers;

— l'autre souvent au milieu du vers :

> « Quarante enfants dans une salle
> Un tableau noir et son triangle
> Un grand cercle hésitant et sourd
> Son centre bat comme un tambour. »

A quoi fait penser ce retour régulier de l'accent? (Songez au dernier vers.)

Accentuez les quatre derniers vers du poème.

N.B. : quand il n'y a pas d'accent principal au milieu du vers, on trouve deux accents secondaires répartis entre le deuxième et le sixième vers :

> « Des lettres sans mots ni patrie ».

Accentuez les vers suivants :

> « Une voix s'élève et s'apaise »
> « Se tortille et se mord la queue. »
> « La mâchoire d'un angle s'ouvre. »

poètes, à vous de jouer !

1. Rédigez un bref poème qui ne comportera que des rimes très riches (du genre : « trapèze » — « apaise »).

N.B. : certains poètes se sont amusés à écrire des vers dont toutes les sonorités rimaient les unes avec les autres.

Ex. : « Gal, amant de la reine, alla, tour magnanime,

> Galamment de l'arène à la Tour Magne, à
> Nîmes. »
> (Victor Hugo)

Faites-en autant, si le cœur vous en dit !

2. Écrivez un poème qui évoquera les aventures de quelques signes algébriques, ou de quelques ensembles (la guerre et la paix : intersections et réunions...).

3. Rédigez et dessinez un *calligramme* ayant la forme d'une figure géométrique de votre choix.

l'image

1. Quels éléments empruntés à l'arithmétique et à la géométrie peut-on reconnaître sur ce tableau?

2. Quels sont les deux grands axes qui dominent la composition?

3. Quels procédés (traitement des formes, des couleurs) viennent compenser l'aspect géométrique des éléments relevés ci-dessus, et introduire la vie et le mouvement dans le tableau?

Leçon de physique sur la plage

Lullaby aime l'école, mais aussi la mer. Comme elle vit au bord de la mer, elle décide, par un matin d'octobre, d'emprunter le « chemin des contrebandiers » plutôt que celui des écoliers…

Le jour où Lullaby[1] décida qu'elle n'irait plus à l'école, c'était encore très tôt le matin, vers le milieu du mois d'octobre. Elle quitta son lit, elle traversa pieds nus sa chambre et elle écarta un peu les lames des stores pour regarder dehors. Il y avait beau-
5 coup de soleil, et en se penchant un peu, elle put voir un morceau de ciel bleu. En bas, sur le trottoir, trois ou quatre pigeons sautil-laient, leurs plumes ébouriffées[2] par le vent. Au-dessus des toits, des voitures arrêtées, la mer était bleu sombre, et il y avait un voilier blanc qui avançait difficilement. Lullaby regarda tout
10 cela, et elle se sentit soulagée d'avoir décidé de ne plus aller à l'école. [...]

Dehors, le soleil était chaud, le ciel et la mer brillaient. Lul-laby chercha des yeux les pigeons, mais ils avaient disparu. Au loin, très près de l'horizon, le voilier blanc bougeait lentement,
15 penché sur la mer. [...]

Elle regardait la mer en plissant les yeux parce qu'elle n'avait pas pensé à prendre ses lunettes noires. Le voilier blanc semblait suivre la même route qu'elle, avec sa grande voile isocèle[3] gonflée dans le vent. En marchant, Lullaby regardait la mer et le ciel
20 bleus, la voile blanche, et les rochers du cap, et elle était bien contente d'avoir décidé de ne plus aller à l'école. Tout était si beau que c'était comme si l'école n'avait jamais existé. [...]

Lullaby avançait sur le chemin des contrebandiers, et elle vit que la mer était plus forte. Les vagues courtes cognaient contre
25 les rochers, lançaient une contre-lame[4], se creusaient, revenaient. La jeune fille s'arrêta dans les rochers pour écouter la mer. Elle connaissait bien son bruit, l'eau qui clapote et se déchire, puis se réunit en faisant exploser l'air, elle aimait bien cela, mais aujour-d'hui, c'était comme si elle l'entendait pour la première fois. Il
30 n'y avait rien d'autre que les rochers blancs, la mer, le vent, le soleil. C'était comme d'être sur un bateau, loin au large, là où vivent les thons et les dauphins.

Lullaby ne pensait même plus à l'école. La mer est comme cela : elle efface ces choses de la terre parce qu'elle est ce qu'il y
35 a de plus important au monde. [...]

Elle continua sa route. C'était plus difficile à présent, parce que le chemin des contrebandiers avait été détruit, peut-être pen-dant la dernière guerre, par ceux qui avaient construit le bunker[5]. Il fallait escalader et sauter d'un rocher à l'autre, en

1. ce surnom veut dire « berceuse » en anglais

2. hérissées

3. qui a deux côtés égaux

4. vague allant dans le sens opposé à celui des autres

5. abri en béton armé servant de protection contre les tirs d'artillerie et les attaques aériennes

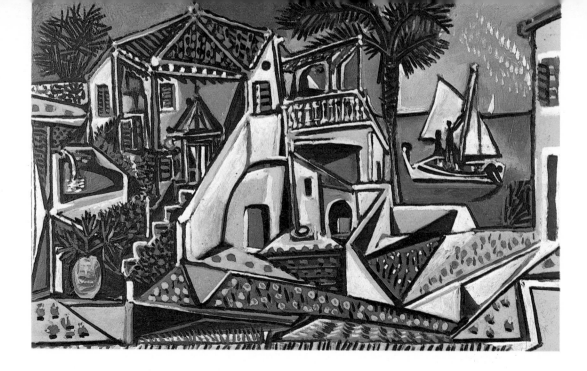

40   s'aidant des mains pour ne pas glisser. La côte était de plus en
plus escarpée, et tout en bas, Lullaby voyait l'eau profonde, couleur d'émeraude, qui cognait contre les rocs.

Heureusement, elle savait bien marcher dans les rochers,
c'était même ce qu'elle savait le mieux. Il faut calculer très vite
45   du regard, voir les bons passages, les rochers qui font des escaliers ou des tremplins, deviner les chemins qui vous conduisent
vers le haut; il faut éviter les culs-de-sac, les pierres friables[6], les
crevasses, les buissons d'épines.

6. qui s'effritent facilement

C'était peut-être un travail pour la classe de mathématiques.
50   « Étant donné un rocher faisant un angle de 45° et un autre
rocher distant de 2,50 m d'une touffe de genêts, où passera la
tangente[7]? » Les rochers blancs ressemblaient à des pupitres[8], et
Lullaby imagina la figure sévère de Mlle Lorti[9] trônant au-dessus
d'un grand rocher en forme de trapèze, le dos tourné à la mer.
55   Mais ce n'était peut-être pas vraiment un problème pour la
classe de mathématiques. Ici, il fallait avant tout calculer les
centres de gravité[10]. « Tracez une ligne perpendiculaire à l'hori-
zontale   pour   indiquer   clairement   la   direction »,   disait
M. Filippi[11]. Il était debout, en équilibre sur un rocher penché, et
60   il souriait avec indulgence[12]. Ses cheveux blancs faisaient une
couronne dans la lumière du soleil, et derrière ses lunettes de
myope[13], ses yeux bleus brillaient bizarrement.

7. droite qui touche en un seul
point une surface, une courbe
8. petites tables dont la partie
supérieure est en plan incliné
9. son professeur de
mathématiques

10. centre des forces exercées
par la gravité sur toutes les
parties d'un corps
11. son professeur de
physique
12. compréhension, bienveillance

13. qui ne voit pas bien de loin

Lullaby était contente de découvrir que son corps trouvait
aussi facilement la solution des problèmes. Elle se penchait en
65   avant, en arrière, elle se balançait sur une jambe, puis elle sautait
avec souplesse, et ses pieds atterrissaient exactement au point
voulu.

« C'est très bien, très bien, mademoiselle, disait la voix de
M. Filippi dans son oreille. La physique est une science de la

70 nature, ne l'oubliez jamais. Continuez comme cela, vous êtes sur la bonne voie. »

En effet, elle ne savait pas très bien où cela la conduisait. Pour reprendre son souffle, elle s'arrêta encore et elle regarda la mer, mais là aussi il y avait un problème, car il s'agissait de calculer
75 l'angle de réfraction[14] de la lumière du soleil sur la surface de l'eau. [...]

Mais les rayons du soleil jaillissaient sans cesse de la mer, et l'on passait si vite de l'état de réfraction à l'état de réflexion[15] totale que Lullaby n'arrivait pas à faire des calculs. Elle pensa
80 qu'elle écrirait plus tard à M. Filippi, pour lui demander.

14. angle selon lequel le rayon de lumière se brise en rencontrant la surface de l'eau
15. changement de direction des ondes qui rencontrent un corps interposé, une partie de l'onde lumineuse étant renvoyée dans son premier milieu

Jean-Marie G. LE CLÉZIO, *Lullaby* (Coll. « Folio Junior », Gallimard)

observer pour mieux comprendre

1. Dehors (l. 4)

a/ Que voit Lullaby par la fenêtre ce matin-là? Avait-elle déjà décidé de ne plus aller à l'école?
b/ Quels sont ses sentiments?
c/ Relevez trois phrases concernant la place de l'école dans les pensées de Lullaby.

2. La mer (l. 8)

a/ Relevez tous les verbes qui décrivent :
— ses mouvements;
— ses bruits;
b/ Recherchez dans le texte une définition de la mer donnée par Lullaby.
c/ Notez deux *comparaisons* qui tentent de rendre les impressions de Lullaby face à la mer.

3. Elle savait (l. 43)

a/ Relevez tous les verbes à l'infinitif qui nous apprennent ce que Lullaby sait faire.
b/ Quels obstacles pourraient empêcher sa progression?

4. Les problèmes (l. 50 à 80)

a/ Quel problème de mathématiques pourraient poser les rochers?
b/ Quel problème de physique paraît plus important?

5. Les deux professeurs (l. 53 à 62)

a/ Relevez deux expressions qui caractérisent l'attitude de Mlle Lorti, imaginée par Lullaby. Que pense-t-elle de ce professeur d'après vous?
b/ Comment Lullaby se représente-t-elle M. Filippi? En quoi semble-t-il proche d'elle?
c/ Relevez un adjectif concernant Mlle Lorti et un complément circonstanciel de manière appliqué à M. Filippi qui les opposent totalement.

6. « L'élève » (l. 63 à 80)

a/ Réussit-elle? Grâce à quoi? Qui la félicite?
b/ A quoi ressemblent les paroles de M. Filippi aux lignes 69-71?

7. Les lois de la nature (l. 72 à 80)

a/ Pourquoi était-ce un problème pour la classe de physique? Cherchez dans un dictionnaire l'étymologie du mot « physique ».
b/ Quel nouveau problème se pose Lullaby? Quels éléments du paysage concerne-t-il cette fois?

rassemblons nos idées

1. Est-ce en réfléchissant que Lullaby a réussi à comprendre les lois de la nature? Sinon, de quelle façon? A quels moments et pour quelles raisons pense-t-elle ou ne pense-t-elle plus à l'école face à la mer, selon vous?
2. Comment résout-elle finalement les problèmes qu'elle s'est posés?

s'exprimer

1. De retour à l'école, Lullaby raconte son escapade à M. Filippi. Imaginez les réactions, les explications, les questions de ce dernier.
2. Vous est-il arrivé comme à Lullaby de chercher dans votre savoir scolaire la solution à un problème de la vie courante. Racontez.

Une école de plein ciel

Isabelle est institutrice dans une petite ville de province où tout le monde est heureux. Elle a décidé, avec l'approbation des citoyens de la ville, de faire la classe en plein air, dans un bois. Mais l'inspecteur n'est pas d'accord; il vient assister à un cours d'Isabelle, bien décidé à mettre fin à cette expérience. Le maire, le droguiste, et le contrôleur des poids et mesures sont venus apporter leur appui à l'institutrice...

L'INSPECTEUR. LE CONTRÔLEUR. LE DROGUISTE.
LE MAIRE, ISABELLE, PUIS LES PETITES FILLES.

ISABELLE. – Vous m'avez demandée, monsieur l'inspecteur?

L'INSPECTEUR. – Mademoiselle, les bruits les plus fâcheux courent sur votre enseignement. Je vais voir immédiatement s'ils sont fondés[1] et envisager la sanction•.

5 ISABELLE. – Je ne vous comprends pas, monsieur l'inspecteur.

L'INSPECTEUR. – Il suffit ! Que l'examen commence... Entrez, les élèves... *Elles rient.* Pourquoi rient-elles ainsi?

ISABELLE. – C'est que vous dites : « Entrez », et qu'il n'y a pas de porte, monsieur l'inspecteur.

10 L'INSPECTEUR. – Cette pédagogie• de grand air est stupide... Le vocabulaire des inspecteurs y perd la moitié de sa force... *Chuchotements.* Silence, là-bas... La première qui bavarde balayera la classe, le champ, veux-je dire, la campagne. *Rires...* Mademoiselle, vos élèves sont insupportables !

15 LE MAIRE. – Elles sont très gentilles, monsieur l'inspecteur, regardez-les.

L'INSPECTEUR. – Elles n'ont pas à être gentilles. Avec leur gentillesse, il n'en est pas une qui ne prétende avoir sa manière spéciale de sourire ou de cligner•. J'entends que l'ensemble des

20 élèves montre au maître le même visage sévère qu'un jeu de dominos.

LE DROGUISTE. – Vous n'y arriverez pas, monsieur l'inspecteur.

L'INSPECTEUR. – Et pourquoi?

25 LE DROGUISTE. – Parce qu'elles sont gaies.

L'INSPECTEUR. – Elles n'ont pas à être gaies. Vous avez au programme le certificat d'études et non de fou rire. Elles sont gaies parce que leur maîtresse ne les punit pas assez.

ISABELLE. – Comment les punirais-je? Avec ces écoles de plein

30 ciel, il ne subsiste presque aucun motif• de punir. Tout ce qui est faute dans une classe devient une initiative• et une intelligence au milieu de la nature. Punir une élève qui regarde au plafond? Regardez-le, ce plafond?

LE CONTRÔLEUR. – En effet. Regardons-le.

1. s'ils correspondent à la réalité

35　L'INSPECTEUR. – Le plafond, dans l'enseignement, doit être compris de façon à faire ressortir la taille de l'adulte vis-à-vis de la taille de l'enfant. Un maître qui adopte le plein air avoue qu'il est plus petit que l'arbre, moins corpulent• que le bœuf, moins mobile que l'abeille, et sacrifie la meilleure preuve de sa dignité.

40　*Rires...* Qu'y a-t-il encore?

LE MAIRE. – C'est une chenille qui monte sur vous, monsieur l'inspecteur !

L'INSPECTEUR. – Elle arrive bien... Tant pis pour elle !

ISABELLE. – Oh ! monsieur l'inspecteur... Ne la tuez pas. C'est
45　la *Collata azurea*[2]. Elle remplit sa mission de chenille !

L'INSPECTEUR. – Mensonge. La mission de la *Collata azurea* n'a jamais été de grimper sur les inspecteurs. *Sanglots.* Qu'ont-elles maintenant? Elles pleurent?

LUCE. – Parce que vous avez tué la *Collata azurea* !

50　L'INSPECTEUR. – Si c'était un merle qui emportât la *Collata azurea,* elles trouveraient son exploit superbe, évidemment, elles s'extasieraient•.

LUCE. – C'est que la chenille est la nourriture du merle !...

LE CONTRÔLEUR. – Très juste. La chenille en tant qu'aliment
55　perd toute sympathie.

L'INSPECTEUR. – Ainsi, voilà où votre enseignement mène vos élèves, mademoiselle, à ce qu'elles désirent voir un inspecteur manger les chenilles qu'il tue ! Eh bien, non, elles seront déçues. Je tuerai mes chenilles sans les manger, et je préviens tous vos
60　camarades de classe habituels, mes petites, insectes, reptiles et rongeurs, qu'ils ne s'avisent pas d'effleurer mon cou ou d'entrer dans mes chaussettes, sinon je les tuerai !... Toi, la brune, veille à tes taupes, car j'écraserai les taupes, et toi, la rousse, si un de tes écureuils passe à ma portée je lui romps sa nuque d'écureuil, de
65　ces mains, aussi vrai que, quand je serai mort, je serai mort... *Elles s'esclaffent...*

LES PETITES FILLES. – Pff...

L'INSPECTEUR. – Qu'ont-elles à s'esclaffer•?

ISABELLE. – C'est l'idée que quand vous serez mort, vous serez
70　mort, monsieur l'inspecteur...

LE MAIRE. – Si nous commencions l'examen?

L'INSPECTEUR. – Appelez la première. *Mouvements.* Pourquoi ces mouvements?

ISABELLE. – C'est qu'il n'y a pas de première, monsieur l'ins-
75　pecteur, ni de seconde, ni de troisième, vous ne pensez pas que j'irais leur infliger des froissements d'amour-propre[3]. Il y a la plus grande, la plus bavarde, mais elles sont toutes premières.

L'INSPECTEUR. – Ou toutes dernières, plus vraisemblablement. Toi, là-bas, commence !

2. nom savant d'une espèce de chenilles, de couleur bleue

3. les vexer

Jean GIRAUDOUX, *Intermezzo* (Grasset)

L'école buissonnière

(J. L. Charmet)

comprendre pour mieux jouer

1. Une école pas comme les autres

a/ Qu'est-ce qui dans cette école tient lieu :
— de parquet?
— de porte?
— de plafond?
b/ Qui sont les camarades des petites filles?
c/ Quel genre de pédagogie semble pratiquer l'institutrice? Relevez trois détails caractéristiques pour justifier votre réponse.

2. L'inspecteur

a/ Montrez qu'il ne parvient pas à adapter ses gestes et son langage à ce milieu scolaire inhabituel.
b/ Quels doivent être selon lui les rapports entre le maître et ses élèves?
c/ Semble-t-il aimer la nature? Notez un comportement révélateur à cet égard?

3. Le comique

On a coutume de distinguer différentes sortes de comique : *comique de gestes, comique de mots, comique de situation* (cf. pp. 255-256). Cherchez dans cette scène un ou deux exemples correspondant à chacune de ces sortes de comique.

s'exprimer

1. Montez cette scène en « décor naturel »...
2. Inventez la suite de cette inspection : comment « l'examen » se déroule-t-il?
3. Imaginez que votre classe se transporte en plein air. Quelles modifications cette situation inhabituelle apporte-t-elle à la pédagogie des professeurs, à l'attitude des élèves?

Document n° 1

L'histoire
et le petit écran

L'école est-elle le seul endroit où l'on puisse s'instruire? Est-il possible, par exemple, de considérer la télévision non pas uniquement comme un passe-temps mais comme une source d'instruction? Voilà le problème dont débattent, dans le langage familier cher à Raymond Queneau, trois enfants, Lucet, Sigismonde et Yoland.

« C'est vrai, dit tout à coup Lucet, pourquoi que vous avez pas la télé? Ça distrait.

— Ça instruit même, dit Yoland.

— Tes mômes, demande Sigismonde, tu les laisseras regarder
5   tant qu'ils voudront?

— Rien que ce qui est instructif[1], répond Yoland. Surtout les actualités•. Ça leur apprendra l'histoire de France, l'histoire universelle[2] même.

— Comment ça? dit Lucet.

10   — Eh bien oui, les actualités d'aujourd'hui, c'est l'histoire de demain. C'est ça de moins qu'ils auront à apprendre à l'école, puisqu'ils la connaîtront déjà.

— Là, mon vieux, tu déconnes, dit Lucet. L'histoire, ça n'a jamais été les actualités, et les actualités, c'est pas de l'histoire.
15   Faut pas confondre.

— Mais si, justement ! au contraire ! faut confondre ! Regarde un peu voir. Suppose que tu es devant la télé, tu vois, je dis bien et je répète : tu vois, Lucien Bonaparte[3] qui agite sa sonnette, son frère[4] dans un coin, les députés qui gueulent, les grenadiers qui
20   se ramènent; enfin quoi tu assistes au dix-neuf brumaire[5]. Après ça, tu vas te coucher, tu dors pendant cent ans et puis tu te réveilles; alors, à ce moment-là, le dix-neuf brumaire c'est devenu de l'histoire et tu n'as pas besoin de regarder dans les livres pour savoir cexé[6].

25   — C'est idiot, dit Sigismonde, il n'y avait pas la tévé[7] dans ce temps-là.

— Mettons, dit Yoland; mais regarde alors les actualités au cinéma; des fois on t'en repasse des vieilles. Tu vois alors le tsar Nicolas[8] qui serre la main de Poincaré[9], les taxis de la Marne[10],
30   Guillaume II[11], le kronprinz[12], Verdun[13] : c'est pas de l'histoire, ça? Pourtant ça a été des actualités.

1. ce qui instruit

2. du monde entier

3. l'un des frères de Napoléon Ier, président du Conseil des Cinq-Cents, qui l'aida dans sa montée au pouvoir
4. Bonaparte, le futur Napoléon Ier
5. jour où Bonaparte triompha des conseils, le 10 novembre 1799 (la veille, revenu d'Égypte, il avait renversé le Directoire)
6. ce que c'est
7. abréviation du mot « télévision »
8. Nicolas II, dernier tsar de Russie, assassiné par les bolcheviks en 1918
9. président de la République française de 1913 à 1920
10. taxis réquisitionnés par l'armée française et qui jouèrent un grand rôle dans la victoire sur l'Allemagne durant la Première Guerre mondiale
11. empereur d'Allemagne qui abdiqua après la défaite de son pays en 1918
12. titre donné au prince héritier d'Allemagne
13. lieu de combats entre les Français et les Allemands en 1916

(Camera Press London / Parimage)

    — Ça reste des actualités, dit Lucet. A preuve[14], c'est que tu   14. la preuve
les vois dans un cinéma et qu'on te prévient : c'est des actualités.
    — C'est idiot, dit Yoland. Alors l'histoire pour toi, qu'est-ce
35 que c'est?
    — C'est quand c'est écrit. »

               Raymond QUENEAU, *Les Fleurs bleues* (Gallimard)

Les machines et l'école

rassemblons nos idées

Relisons le texte de Queneau et plaçons-nous du point de vue de chacun des personnages.

1. La télévision

a/ Sigismonde
— Sa famille a-t-elle la télévision? (Justifiez votre réponse.)
— Quelle question pose-t-elle? Pourquoi?
— Que pense-t-elle donc de la télévision?
— Êtes-vous d'accord avec Sigismonde?

b/ Lucet
— Sa famille a-t-elle la télévision?
— Comment réagit-il face aux propos de Sigismonde sur la télévision? Que prouve sa réaction?
— Que représente pour lui la télévision? Lui pose-t-elle les mêmes problèmes qu'à Sigismonde?
— Que pensez-vous de sa façon de concevoir la télévision?

c/ Yoland
— De quelle façon considère-t-il la télévision? Comparez sa position avec celle de Lucet.
— Pour lui, que faut-il regarder de préférence à la télévision? Pour quelle raison?

2. L'histoire

a/ Sigismonde
— Pourquoi ne parle-t-elle presque plus lorsqu'il s'agit d'histoire et de télévision?
— Aux lignes 25 et 26, Sigismonde intervient dans la conversation. Que veut-elle dire? Que pensez-vous de ses paroles?

b/ Lucet
— Pour lui, qu'est-ce que l'histoire?
— En a-t-il la même idée que Yoland? Comment lui parle-t-il?
— Quel est selon lui le rapport entre l'histoire et les actualités? Êtes-vous d'accord avec lui?

c/ Yoland
— Comment considère-t-il, pour sa part, les actualités face à l'histoire? Qu'en pensez-vous?
— Relevez tous les exemples de situation historique donnés par Yoland et classez-les dans le tableau ci-dessous :

histoire lointaine	histoire contemporaine

— Yoland a de nombreuses connaissances historiques : que prouve cette précision?
— A votre avis, donne-t-il de bons exemples? Est-il convaincant?

les niveaux de langue

1. Les trois personnages n'emploient pas un langage très académique; ce qui s'explique par le fait qu'il s'agit d'un dialogue parlé rapporté tel quel à l'écrit.

2. A ce propos, rappelons les divers niveaux de langue en réfléchissant sur les termes pouvant désigner garçon et fille :

niveaux de langue	« garçon »	« fille »
1. soutenu	jeune homme	jeune fille
2. courant	garçon	fille
3. familier	type, gars	nana
4. argotique		
vulgaire	mec	gonzesse

Rappelons également qu'il n'est pas recommandé d'employer les niveaux 3 et 4 surtout en société et à l'écrit.

3. Classez les expressions du texte, selon qu'elles appartiennent à un niveau de langue soutenu, courant, familier ou argotique.

chercher

Préparez des questions pour un sondage à faire parmi vos camarades, sur la place de la télévision dans leur vie (temps d'écoute, émissions, etc.)

s'exprimer

1. Prenez un événement du passé que votre professeur d'histoire vous a expliqué (par exemple, la bataille de Waterloo). Imaginez que, à l'époque, la télévision existait. Vous suivez cet événement en direct. Racontez.

2. Avez-vous l'impression d'avoir déjà vécu des événements « historiques »? Racontez à quelle occasion.

3. Imaginez que vous passiez à la télévision. Précisez les angoisses qui précèdent cet événement, le passage lui-même (plateau, caméras, décors, personnel, …).

4. Vos parents (ou des adultes en général) discutent entre eux de ce qu'il faut laisser regarder à des enfants de votre âge. Rapportez leurs propos en donnant votre opinion.

5. Comment préférez-vous apprendre l'histoire? En suivant le fil des événements? Par thèmes? En étudiant la vie des grands personnages? La vie quotidienne des peuples?

Document n° 2

Face à l'ordinateur

Josette Alia présente les résultats d'une expérience faite en 1980 à l'école Bossuet, à Paris : on a introduit dans les classes, depuis l'école primaire jusqu'à la terminale, de petits ordinateurs qui proposent aux élèves des exercices de toutes sortes...

Quant au fameux mythe• de l'ordinateur-roi, de la machine-dieu, il est dans la tête des adultes plus que dans celle des enfants. Pour eux, l'ordinateur est une machine à leur portée, un jouet, un complice. A Bossuet, un petit garçon embrassait son
5 ordinateur avant de partir le soir.

« Il ne faut pas l'embrasser, voyons, c'est une machine, pas un être vivant !

– Je le sais, que c'est une machine; et alors? J'embrasse bien mon ours en peluche et il n'est pas vivant non plus ! »
10 A cette approche, si différente de la nôtre, correspond une pratique qui n'est pas du tout celle décrite dans les colloques[1]. Rencontre du troisième type[2] entre Thomas, neuf ans, et un des mini-ordinateurs de la C.G.I. conçus pour l'école primaire. Thomas n'a jamais vu d'ordinateur. Il s'approche; touche le clavier[3],
15 l'écran[4] : c'est là que ça s'écrit? Oui. Seconde question : comment ça marche? « C'est relié à la grosse machine, derrière, explique un démonstrateur de Didao. On y met des mémoires, les voici, tous les chiffres sont dedans et ça lui permet de calculer très vite. Et puis, on lui met des opérations qui sont là, sur ces
20 disques, et qu'il va te poser. On y va? »

On y va. Thomas a quelques difficultés au début avec le clavier. Où sont les A? Est-ce qu'on peut faire des fautes d'orthographe? Non. Zut ! alors... Le programme démarre. Il s'agit de calculs simples, additions, multiplications, petits problèmes,
25 correspondant au niveau de sa classe : « Sophie a un ruban de onze mètres... » Dix minutes plus tard, Thomas est « dedans ». Concentré, réfléchi, il tape sur son clavier. Quelques erreurs de calcul au début; mais ensuite tous les problèmes sont bons : il a compris en cours de route comment ça fonctionnait. A la sortie,
30 commentaire : « C'est comme en classe, sauf que l'ordinateur est plus sympa. Il te laisse recommencer, il dit : « Essaie encore », quand c'est raté. Il ne te gronde pas. Il explique le problème autrement, plusieurs fois; et quand j'ai réussi, il m'a dit : « Thomas, tu es formidable. » Au fond, on fait ce qu'on veut. C'est
35 super. »

1. dans les réunions où des spécialistes se rencontrent
2. on appelle ainsi, dans les livres et les films de science-fiction, les rencontres avec des êtres ou des phénomènes qui échappent aux lois connues et familières de notre univers
3. l'ordinateur possède un clavier comparable à celui d'une machine à écrire
4. sur cet écran apparaissent les questions posées et les réponses aux questions

Les machines et l'école

Pendant l'expérience au cours Bossuet (Télé 7 jours)

Si j'étais professeur, j'accorderais plus d'attention aux réflexions de Thomas qu'aux théories* apaisantes du ministère[5]. D'abord, l'ordinateur reconnaît à chacun le droit à l'erreur : « Essaie encore », dit-il. Il ne gronde pas : pas de jugement de valeur.
40 Il explique et indique le bon résultat à la fin si on cale : le prof n'est plus la source du savoir (d'ailleurs, Thomas n'a pas jeté un seul coup d'œil sur le maître, derrière son dos). Surtout, « on fait ce qu'on veut » : c'est Thomas qui frappe, qui appuie sur le bouton « Go ! » pour démarrer ou sur shift* « Z » pour arrêter, qui
45 décide donc de son rythme. Plus tard, c'est lui qui fournira l'information, surveillera l'exécution d'un programme que la machine exécutera.

5. le ministère de l'Éducation nationale cherche à rassurer les professeurs en affirmant que les ordinateurs ne pourront jamais les remplacer

Josette ALIA avec la collaboration de Dominique THIEBAUT
(« Le Nouvel Observateur » du 15 décembre 1980)

rassemblons nos idées

1. L'enfant et l'ordinateur

a/ Comment les enfants semblent-ils considérer l'ordinateur, d'après Josette Alia? Et les adultes?
b/ Quelles difficultés Thomas rencontre-t-il pour utiliser l'ordinateur?

2. L'ordinateur et le professeur

Énumérez les différents avantages que présente l'ordinateur, selon Josette Alia, par rapport aux méthodes classiques d'enseignement? Qu'en pensez-vous?

Les machines et l'école

3. Le style journalistique

a/ Relevez dans cet article des mots anglais : que signifient-ils? Pourquoi la journaliste les emploie-t-elle?

b/ Relevez quelques expressions appartenant à un *niveau de langage* familier. Dans quel but Josette Alia les emploie-t-elle, selon vous?

c/ Relevez une expression appartenant au vocabulaire de la science-fiction.

d/ Relevez un sigle•.

e/ Relevez des exemples de phrases sans verbe (phrases nominales).

chercher

1. Qu'est-ce que l'informatique? Quels sont, selon vous, les avantages et les inconvénients de son utilisation?

2. Cherchez le sens des expressions suivantes : un terminal — un programme — un composant — un microprocesseur — une banque de données — la télématique.

s'exprimer

Pendant que son maître a le dos tourné, Thomas s'amuse à poser à l'ordinateur des questions saugrenues. L'ordinateur lui répond. Imaginez leur dialogue.

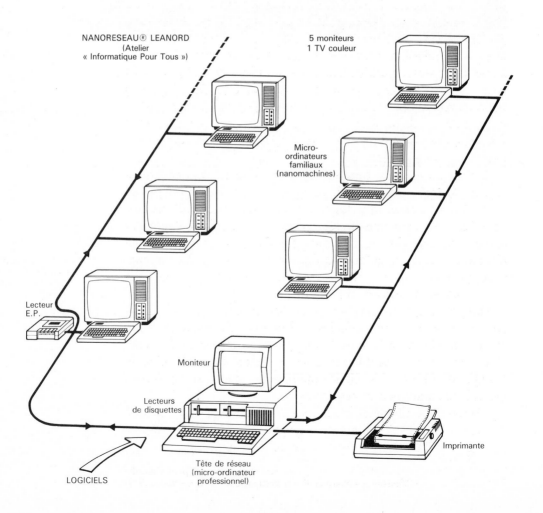

NANORESEAU® LEANORD
(Atelier
« Informatique Pour Tous »)

5 moniteurs
1 TV couleur

Micro-
ordinateurs
familiaux
(nanomachines)

Lecteur
E.P.

Moniteur

Lecteurs
de disquettes

LOGICIELS

Tête de réseau
(micro-ordinateur
professionnel)

Imprimante

194

Document n° 3

L'école en 2155

Une école sans classe, sans professeur, sous la conduite d'un ordinateur : le rêve?... Telle est, en tout cas, l'école de l'avenir, selon Isaac Asimov.

Margie avait toujours détesté l'école, mais maintenant elle la détestait plus encore. Le maître mécanique lui avait fait subir test• sur test en géographie et elle s'en était tirée de plus en plus mal. Finalement sa mère avait secoué tristement la tête et fait
5   venir l'inspecteur régional.

L'inspecteur, un petit homme rond à la figure rougeaude, était venu avec une boîte pleine d'ustensiles, d'appareils de mesure et de fils métalliques. Il avait fait un sourire à l'enfant et lui avait donné une pomme. Puis il avait mis le maître en pièces déta-
10   chées. Margie avait espéré qu'il ne saurait pas le remonter mais son espoir avait été déçu. Au bout d'une heure environ, le maître était là de nouveau, gros, vilain, noir, avec un grand écran sur lequel les leçons apparaissaient et les questions étaient posées. Et ce n'était pas le pire. Ce qu'elle maudissait le plus, c'était la
15   fente où elle devait introduire ses devoirs du soir et ses composi-tions. Elle devait les écrire en un code perforé• qu'on lui avait fait apprendre quand elle avait six ans, et le maître calculait les points en moins de rien.

Son travail terminé, l'inspecteur avait souri et avait caressé la
20   tête de Margie, puis il avait dit à sa mère : « Ce n'est pas sa faute, à cette petite, Mrs Jones. Je crois que le secteur• géogra-phie était réglé sur une vitesse un peu trop rapide. Ce sont des choses qui arrivent. Je l'ai ralenti pour qu'il corresponde au niveau moyen d'un enfant de dix ans. En fait, le diagramme[1]
25   général du travail de votre fille est tout à fait satisfaisant. » Et il avait tapoté de nouveau la tête de Margie [...].

1. schéma explicatif destiné à représenter les notes de Margie, son niveau scolaire

Margie était donc rentrée dans la salle de classe. Celle-ci était voisine de la chambre à coucher. Le maître mécanique avait été mis en marche et l'attendait. On le branchait toujours à la même
30   heure, chaque jour, sauf le samedi et le dimanche, car la mère de Margie disait que les filles apprenaient mieux si les leçons avaient lieu à des heures régulières.

L'écran était allumé et proclamait : « La leçon d'arithmétique d'aujourd'hui concerne l'addition des fractions. Veuillez insérer
35   votre devoir d'hier soir dans la fente qui convient. »...

Isaac ASIMOV, *Ce qu'on s'amusait*
(Cité dans la « Nouvelle Revue pédagogique » n° 2, novembre 1979)

Les machines et l'école

rassemblons nos idées

1. Qui et où?

Après une lecture globale du texte, remplissez le tableau suivant :

qui?	où?
Énumérez les différents personnages du texte : 1 — 2 — 3 — 4 — De tous ces personnages, lequel (ou lesquels) vous semble(nt) le (les) plus chaleureux? A quels détails le voyez-vous? L'inspecteur régional correspond-il à l'image traditionnelle d'un inspecteur? Pourquoi? Relevez les adjectifs qualifiant le maître mécanique.	Où se situe cette scène? Dans une école? (relisez l'avant-dernier paragraphe)

2. Un maître très critiqué

Dans ce texte, Asimov adresse implicitement des critiques aux machines à enseigner. Nous vous énumérons ici certains de ses reproches; vous en chercherez d'autres et vous les classerez selon qu'ils vous semblent plus ou moins graves.

a/ Ces machines sont susceptibles de tomber en panne et nécessitent de constantes réparations.
b/ Ces machines ne sont pas adaptées au niveau de chaque enfant : elles vont trop vite ou trop lentement.
c/ Ces machines sont inhumaines : elles ne savent pas rassurer (ce que fait l'inspecteur).
d/ Ces machines nécessitent l'utilisation d'un code.
e/ Ces machines ne peuvent permettre qu'un jeu de questions-réponses et excluent tout débat.

s'exprimer

1. Préféreriez-vous apprendre chez vous ou dans une école? Énumérez vos arguments.

2. Dans votre collège, quelles machines, quels appareils avez-vous à votre disposition? Qu'en pensez-vous?
Si vous avez un laboratoire de langues, dites également ce que vous en pensez.

3. « Ah, si seulement nos professeurs étaient des robots... » ou bien : « Dieu ! que l'école serait belle s'il n'y avait plus de professeurs... »
Prenez l'une ou l'autre de ces phrases comme début d'un texte d'une dizaine de lignes.

vocabulaire

1. L'adjectif « rougeaude » est formé de « rouge » et du suffixe *-aude :*
Citez des mots comportant ce suffixe *-aud(e)* au sens péjoratif.

2. Cherchez des mots comportant les racines *géo :* terre, et *graphie :* écrire.

l'analyse des sentiments (2)

Nous avons vu au chapitre précédent le rôle et la place de l'analyse des sentiments dans le récit. Nous allons examiner à présent en quoi consiste plus précisément cette analyse, et de quelle façon on peut la conduire. Elle répond en général aux exigences suivantes :
— **nommer** les sentiments et émotions éprouvés par tel ou tel personnage.
— **décrire** les manifestations de ces sentiments et émotions.
— **expliquer** pourquoi ils se font jour et quels sont leurs effets.

nommer

Donner un nom à l'émotion ou au sentiment éprouvé, c'est déjà le définir, en le distinguant d'autres états affectifs voisins. Il importe donc de bien choisir les termes qui désigneront ce sentiment ou cette émotion afin de bien exprimer la nuance particulière qui lui est propre.

— Relisons par exemple le paragraphe où Colette décrit les réactions d'Anaïs :

« Elle le porte, gonflée de **colère,** sur le bureau; Mlle Sergent y jette des yeux sévères et, brusquement, éclate de rire. **Désespoir** et **rage** d'Anaïs qui pleurerait de **dépit** si elle n'avait la larme si difficile. Reprenant son sérieux, la Directrice prononce : « Ce n'est pas ce genre de plaisanteries qui vous aidera à passer un examen satisfaisant, Claudine; mais vous avez fait là une critique assez juste du dessin d'Anaïs qui était en effet trop étroit et trop long. » La grande bringue revient à sa place, **déçue, ulcérée.** » (p. 176).

Dans ce bref paragraphe, Colette n'utilise pas moins de six termes pour traduire le mécontentement d'Anaïs, afin de suggérer les différentes phases et nuances par lesquelles passe ce sentiment :
— d'abord la « colère », dirigée contre la farceuse : c'est encore un sentiment actif, Anaïs va chercher à obtenir la punition de la coupable;
— « désespoir », « rage », « dépit » expriment la violence de la déception provoquée par l'échec de sa tentative;
— enfin « déçue » et « ulcérée » désignent un état d'esprit plus durable : profondément blessée et

désormais impuissante, Anaïs va « remâcher » un moment sa déconvenue.

■ *Complétez chacune des phrases suivantes par un des termes soulignés dans le texte de Colette, en choisissant chaque fois celui qui vous semble le mieux adapté.*

— Mon père est arrivé dans ma chambre, très en ... Il m'a demandé des explications sur ma conduite.
— Après tant d'efforts, échouer si près du but ! J'en aurais pleuré de ...
— Depuis quelques jours, il ne desserre pas les lèvres. Il est encore ... par la façon dont on l'a traité mercredi.
— Cette prétentieuse a été remise à sa place. Elle en a éprouvé un violent ...
— J'attendais mieux de cette soirée. A la réflexion, je suis plutôt ...
— Il ne sait plus quoi faire pour redresser la situation. Le ... le guette.

■ *Employez chacun des mots ci-dessous dans une phrase de votre invention, en essayant de préciser à chaque fois à quelle nuance particulière de mécontentement ce mot correspond :*
aigreur — amertume — désappointé — jalousie — rancœur — rancune — ressentiment.

■ *Quel nom donneriez-vous au sentiment éprouvé par le narrateur de Rosa la rose... dans cette phrase :*
« **Il me tardait** de savoir assez le latin pour lire le passage où cette merveilleuse aventure était racontée » (p. 171).

■ *Par quels verbes synonymes pourrait-on remplacer l'expression « il me tardait »?*

■ *Parmi les adjectifs suivants, synonymes de « surpris », relevez ceux qui vous paraissent exprimer une surprise particulièrement violente. Vous indiquerez ceux qui appartiennent à un langage familier :*
étonné — ébahi — désorienté — ébaubi — déconcerté — ahuri — décontenancé — stupéfait.

■ *Répartissez les noms ci-dessous en deux catégories, selon qu'ils sont antonymes ou synonymes de « joie ». A l'intérieur de chaque catégorie, indiquez ceux qui expriment un sentiment particulièrement intense :*
chagrin — liesse — accablement — ennui — jubilation — triomphe — abattement — mélancolie —

l'analyse des sentiments (2)

plaisir – béatitude – peine – consternation – tourment – satisfaction – désenchantement – agrément – gaieté – désolation.

décrire

Émotions et sentiments se traduisent par diverses manifestations, qu'il convient de décrire précisément, pour associer le lecteur à l'état affectif des personnages (pour qu'il « se mette à leur place », s'« identifie » à eux).

1. Les manifestations physiques

Rappelons-nous la façon dont Victor Hugo décrit les réactions de ses personnages à l'arrivée de Jean Valjean :

« Madame Magloire **n'eut pas même la force de jeter un cri.** Elle **tressaillit** et resta **béante.**
Mademoiselle Baptistine se retourna, aperçut l'homme qui entrait et **se dressa à demi d'effarement,** puis, **ramenant peu à peu sa tête vers la cheminée,** elle se mit à regarder son frère et **son visage redevint profondément calme et serein.** » (p. 161).

Dans un premier temps, l'émotion de Mme Magloire et de Mlle Baptistine se trahit par un certain **état physique** (elle tressaillit), par une interruption de la **parole** (n'eut pas même la force de jeter un cri), par un **geste,** une **attitude** (se dressa à demi). Puis le changement d'attitude de Mlle Baptistine (ramenant peu à peu sa tête vers la cheminée) et l'**expression de son visage** (calme et serein) nous montre qu'elle a retrouvé son sang-froid sous l'influence de son frère qui est resté « tranquille ».

On notera donc :

a/ **les modifications de l'état physique** des personnages, qui accompagnent très souvent les émotions violentes. Par exemple, dans le cas de la peur : sensation de chaleur ou de froid, tremblement, accélération des battements cardiaques, hérissement de la peau, des cheveux, gêne respiratoire, gorge serrée, paralysie des membres, modification du teint, des traits du visage...

■ *A quelle modification de l'état physique parmi celles qui sont énumérées ci-dessus correspond chacun des verbes ou GV suivants :*
frémir – s'écarquiller – verdir – se dresser sur la tête – battre la chamade – avoir des sueurs froides – fléchir – être oppressé – pâlir – avoir les jambes coupées?

b/ **les attitudes et les gestes révélateurs** (souvent accomplis de façon involontaire, voire inconsciente).

■ *A quels sentiments ou émotions peuvent correspondre les attitudes suivantes :*
se blottir – passer la tête haute – tourner le dos – trépigner – lever les bras au ciel – tomber à la renverse – lever la main – rentrer la tête dans les épaules?

c/ **l'expression du visage.** Nous avons déjà constaté son importance à propos du portrait (voir p. 103) : le visage porte la marque du caractère, mais il reflète aussi les dispositions d'esprit les plus passagères :
– **par son aspect général** que l'on évoque par des formules comme : « l'air », « une expression », une « physionomie », etc.
N.B. : on décrira tout particulièrement les changements de physionomie qui traduisent le passage d'un sentiment à un autre.
« L'expression de son visage, jusqu'alors sombre et dure, **s'empreignit** de stupéfaction, de doute, de joie, et devint extraordinaire. » (p. 162).
Pour décrire ces changements vous pourrez vous servir du verbe « s'empreindre » que V. Hugo utilise dans la phrase ci-dessus, mais aussi d'expressions comme :
– prendre un air (de) ...
– s'emplir de ...   – emplir
– s'éclairer d'une lueur de ...   – éclairer
– se voiler de ...   – s'emparer de
– **par des jeux de physionomie** obtenus par les mouvements qui animent les traits du visage.

■ *A quelles réactions correspondent en général les expressions suivantes :*
froncer les sourcils – lever les yeux au ciel – plisser les yeux – faire la moue – sourire – serrer les mâchoires – pincer les lèvres?
– **par l'intermédiaire du regard,** toujours expressif :
« L'évêque **fixait** sur l'homme **un œil tranquille.** » (p. 161).

d/ la parole. Tout ce qui concerne la parole est significatif :

— **le fait même de parler (ou de se taire)** : le silence, en particulier, en dit souvent long sur les réactions d'un personnage !
« **Silence épouvanté.** On entendrait respirer une mouche... » (p. 175).

— **l'intensité** (du murmure au hurlement), **le débit** (la rapidité) et le **son** de la voix (de l'aigu au grave) :
« Elle pousse un « oh ! » **retentissant d'indignation.** » (p. 176).

— **le ton** sur lequel les paroles sont prononcées :
« Après un moment de réflexion pendant lequel il avait plissé les yeux, La Sisse reprit, **l'air triomphant :** « Ça ressemble au patois d'ici... » (p. 173).

■ *Classez les mots ci-dessous, selon qu'ils nous renseignent : sur le son de la voix – sur le débit – sur le ton.*
Puis employez quelques-uns d'entre eux dans un dialogue où vous ferez deviner les sentiments des personnages d'après leur façon de parler :
ironique – rauque – saccadé – voilé – chaleureux – coupant – neutre – étranglé – amer – précipité – méprisant – aigu – lent – hésitant – sourd – volubile – monocorde – criard – étouffé – sec.

2. La perception de la réalité

a/ **L'état d'esprit** dans lequel se trouve un personnage modifie la façon dont il voit les choses. A la limite, les choses paraissent éprouver les mêmes émotions que les personnages.

« Quarante enfants dans une classe
Un tableau noir et son triangle
Un grand cercle hésitant et sourd
Son centre **bat** comme un tambour. » (p. 180).

En fait, ce sont les enfants, aux prises avec un difficile problème de géométrie qui sont « hésitants », et dont le cœur « bat comme un tambour ».

« Le paysage ne venait pas à nous, il s'ouvrait de toutes parts, et un peu au-delà du glissement **hagard** de la route, tournait majestueusement sur lui-même. » (p. 217).

En fait, c'est le passager de la moto qui est « hagard » lorsqu'il voit « glisser » la route à toute vitesse.

Pour exprimer ce changement dans la façon de voir les choses, vous utiliserez des *hypallages* (comme « le glissement **hagard** de la route », p. 217), des *métaphores,* des *comparaisons,* des verbes comme : « sembler », « paraître »...

Rappelez-vous par exemple les réactions de Prue Sarn qui compare la « porte garnie de clous » de l'auberge à « une porte de prison » (p. 150), puis à la porte de l'enfer.

■ *Évoquez un moment de tristesse ou de joie, en imaginant que les objets familiers de votre chambre partagent vos sentiments.*

b/ **Le temps** qu'il fait contribue à notre humeur. Voyez par exemple son effet sur le narrateur (p. 218) :
« Nous sommes revenus au presbytère plus sagement. Le ciel s'était couvert, il soufflait une petite brise aigre. J'ai bien senti que je m'éveillais d'un rêve. »

■ *Vous évoquerez un jour de pluie ou de soleil, en prêtant aux éléments les sentiments que vous inspire ce type de temps.*

expliquer

C'est peut-être le rôle essentiel de l'analyse, mais aussi le plus difficile. Il consiste en général à dégager :

1. **Les causes** des sentiments éprouvés par un personnage

a/ **Causes immédiates.** Ce sont le plus souvent les événements que l'on vient de raconter qui provoquent en réaction tel ou tel sentiment ou émotion chez les héros du récit. Par exemple, l'intérêt que le narrateur porte aux montagnes environnantes a été provoqué par les leçons du pasteur :

« Cette révélation **m'avait bouleversé.** L'histoire avait pris possession de l'espace. » ((p. 171).

l'analyse des sentiments (2)

b/ Ce peut être aussi les **circonstances :**
Rappelez-vous aussi comment Michel Grimaud explique l'illusion ressentie par Djamil, qui se croit revenu au pays natal, parce que la place du village est envahie par le soleil :
« Djamil ferme les yeux, il est de retour au douar natal. Quelques brèves paroles en arabe, qu'échangent parfois Ali et ses camarades, **viennent renforcer l'illusion.** Le soleil a jailli par-dessus le clocheton de la mairie et inonde la placette, le figuier tout près de là s'échauffe et sent bon ! Oui, c'est cela ! » (p. 141).

N.B. : vous remarquerez qu'aucun procédé particulier n'est employé ici pour souligner le lien entre les événements ou circonstances et les réactions des personnages, mis à part ceux qu'on utilise couramment pour l'enchaînement des actions d'un récit.

c/ **Causes lointaines.** Ce sont celles qui tiennent au caractère, au passé, à l'éducation du personnage.
« Désespoir et rage d'Anaïs qui pleurerait de dépit **si elle n'avait la larme si difficile** » (la narratrice insinue qu'Anaïs n'a pas assez de cœur pour pleurer !) (p. 176).
« Je n'en fus que plus bouleversée en voyant comment le monde réel me considérait, car, **ayant vécu dans la solitude,** je n'avais jamais encore vraiment senti mon malheur. » (p. 151).
N.B. : l'analyse de ces causes lointaines peut nécessiter un retour en arrière (« flash-back » en termes de cinéma) qui interrompra l'ordre chronologique du récit :
« Je me disais que vingt ans plus tôt, rien qu'à caresser de la main, comme je le faisais, le long réservoir tout frémissant des lentes pulsations du moteur, je me serais évanoui de plaisir. Et pourtant, je ne me souvenais pas d'avoir, enfant, jamais osé seulement désirer posséder un de ces jouets, fabuleux pour les petits pauvres, un jouet mécanique, un jouet qui marche. Mais ce rêve était sûrement au fond de moi, intact. Et il remontait du passé... » (p. 217).

d/ **Causes générales.** Certaines réactions peuvent s'expliquer par des « lois psychologiques » qui valent pour tous les individus et qui s'expriment sous forme de **maximes.**
« C'était pour moi un gros problème. J'avais beau me forcer à parler français, ma langue se rebiffait vite. **Le naturel ne disparaît pas sans regimber. »** (p. 156).

■ *Vous inventerez un bref récit au cours duquel les réactions des personnages illustreront une des expressions proverbiales suivantes : « Il n'y a que la vérité qui fâche », « Hurler avec les loups », « Qui aime bien, châtie bien ».*

■ *Vous avez réagi à un événement d'une façon qui vous a surpris vous-même. Vous vous interrogez, en vous demandant si votre passé, votre éducation, ou tel trait de votre caractère peut expliquer cette réaction.*

2. Les effets des dispositions d'esprit du personnage

Selon les sentiments qu'il éprouve, le personnage va modifier son comportement, agir de manière différente.
« **J'avais eu honte** de le demander, et nous étions allés plus avant. » (p. 172).

N.B. : vous voyez qu'un **et** peut suffire à marquer le lien entre un sentiment et le comportement qu'il provoque. Mais vous disposez aussi de tous les moyens grammaticaux exprimant la conséquence, révisés dans *Au plaisir des mots 6e* (p. 157).

3. Les contradictions

N'oubliez pas qu'un personnage peut passer par des sentiments opposés; n'hésitez pas à souligner ces contradictions, qui font la **vie** d'un personnage.
« J'oscillais entre la patience, la colère, le désespoir, et même, parfois, le désir farouche d'accepter, de courber la tête. » (p. 153).
« Ce vaste monde qui avait pris mon cœur dans sa main, comme un enfant tient un petit oiseau, **effrayé et réconforté à la fois d'être tenu ainsi.** » (p. 151).
N.B. : pour souligner ces contradictions, vous disposez de tous les moyens grammaticaux exprimant l'opposition, révisés dans *Au plaisir des mots 6e* (p. 157).

■ *Avant une grande décision, vous vous êtes senti partagé entre deux sentiments contradictoires. Analysez les tendances rivales qui se sont alors opposées en vous. Comment avez-vous tranché le débat?*

7/Le corps
en fête

- *Dossier : le sport,
  hier et aujourd'hui*
- *Sensations*

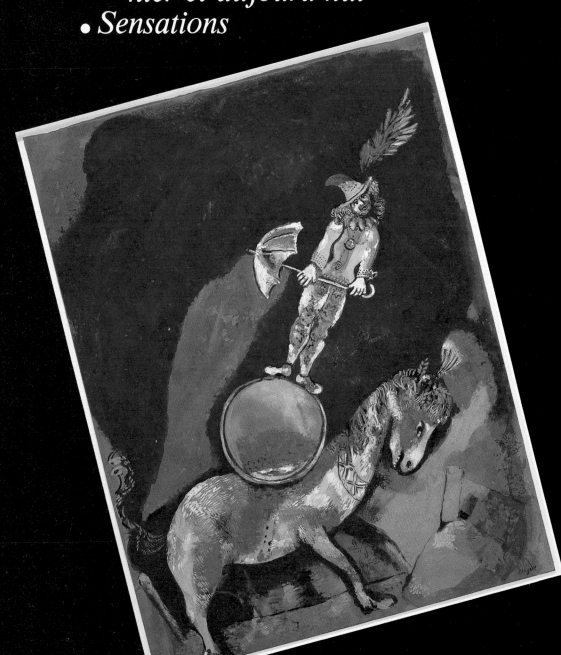

Un pugilat

Le pugilat est l'ancêtre de la boxe. Dans l'Antiquité, c'était un combat opposant deux athlètes dont les poings avaient été enveloppés d'un ceste (courroie de cuir garnie de lames de plomb). Le pugilat auquel nous allons assister se déroule en Sicile, à l'occasion des jeux donnés par Énée, le chef des Troyens, en l'honneur de son père Anchise, mort l'année précédente. Énée a proposé deux prix aux concurrents : pour le vainqueur, un jeune taureau, orné de bandelettes à fils d'or, et une épée avec un casque magnifique, pour consoler le vaincu. Le Troyen Darès s'est présenté le premier. Personne n'ose l'affronter. Les Siciliens demandent alors à un de leurs héros, Entelle, de relever le défi. Celui-ci finit par accepter, malgré sa vieillesse, et le combat commence...

Aussitôt l'un et l'autre, dressés sur la pointe des pieds, levèrent leurs bras d'un air intrépide. Ils ont rejeté leur haute tête bien loin en arrière pour éviter les coups, ils entremêlent leurs mains et engagent le combat. L'un, plus agile et plus souple, compte sur
5 sa jeunesse; l'autre est fort de sa masse; mais ses genoux lents et tremblants fléchissent, son haleine entrecoupée secoue ses vastes membres. Les deux rivaux se portent en vain• des coups redoublés; bien des coups aussi tombent sur leurs flancs creux, et retentissent profondément sur leurs poitrines; leur main passe et
10 repasse sans arrêt autour des oreilles et des tempes; les mâchoires craquent sous les rudes atteintes du ceste. Entelle, grâce à sa masse, reste debout immobile dans la même posture : une légère inflexion[1] du corps, un coup d'œil adroit lui suffisent pour esquiver• les coups. L'autre, comme un guerrier qui bat de ses
15 machines les remparts élevés d'une ville, ou investit[2] de ses armes un fort bâti sur une montagne, tente tous les points accessibles, tourne en tous sens autour de la place, et presse en vain l'ennemi d'assauts multipliés. Entelle, se dressant, allonge le bras droit, le soulève de toute sa hauteur; mais l'agile Darès a vu venir le coup
20 prêt à tomber sur lui, et s'effaça d'un brusque écart. L'effort d'Entelle se perdit dans les airs, le pesant vieillard tomba lourdement à terre, entraîné par son propre poids. Tel on voit, sur l'Érymanthe[3] ou sur le vaste Ida[4], s'abattre un pin miné• par les ans et sapé• dans ses racines. Troyens et jeunes Siciliens se lèvent
25 à la fois avec des sentiments divers, leur clameur monte au ciel; Aceste[5] accourt le premier, il relève son vieil ami, dont il plaint le sort. Mais le héros, sans être ralenti ni effrayé par sa chute, n'en retourne que plus bouillant au combat, et puise de nouvelles forces dans sa colère; la honte, la conscience de sa valeur réveillent
30 ses forces : il pousse devant lui avec ardeur Darès dans toute l'étendue de l'arène[6], frappe sur lui à coups redoublés, tantôt de la droite, tantôt de la gauche. Point de repos, point de trêve• : comme les nuées d'orage versent une grêle épaisse sur nos toits

1. mouvement qui consiste à fléchir le corps

2. assiège

3. montagne du Péloponnèse
4. mont qui surplombait la ville de Troie

5. ami d'Entelle, qui l'a encouragé à prendre part au combat

6. ici : la plaine où se déroulent les jeux

Décor de vase grec
(Giraudon)

retentissants, ainsi le héros, à coups pressés, heurte sans cesse de
35 ses deux poings et fait culbuter Darès.

Le grand Énée ne laissa pas la colère aller plus loin ni Entelle
s'abandonner à son aveugle fureur; il fit cesser le combat, arracha Darès épuisé des mains de son rival, et le consola en lui
disant : « Malheureux ! quel délire a saisi ton âme? Ne sens-tu
40 pas que tes forces ne sont plus les mêmes, et que les dieux ont
tourné[7]? Cède à la divinité. » Il dit, et sa voix sépara les combattants. De fidèles compagnons reconduisent aux navires Darès qui
traîne ses genoux endoloris, laisse tomber sa tête d'une épaule
sur l'autre, et vomit à pleine bouche un sang épais avec ses dents
45 mêlées au sang. Rappelés par Énée, ils reçoivent le casque et
l'épée, laissant à Entelle la palme et le taureau.

7. ont changé de camp

VIRGILE, *Énéide* (Trad. légèrement remaniée par les auteurs, L. G. F.)

rassemblons nos idées

1. Le reportage sportif
Comme un bon reporter sportif, Virgile :
a/ nous renseigne sur les points forts et les points
faibles de chaque combattant. Reportez-les sur un
tableau; qui semble, au départ, devoir l'emporter?

	Darès	Entelle
+		
−		

b/ nous donne des détails très précis sur les différentes phases du combat. Relevez quelques termes
anatomiques ou techniques qui nous renseignent sur
les coups que se donnent les adversaires et sur leur
tactique.

c/ nous fait revivre le *suspense* de l'épreuve. Relevez dans le récit un effet de surprise, un renverse-
ment spectaculaire de situation, une phrase sans
verbe exprimant l'acharnement des combattants.
d/ nous plonge dans l'atmosphère des jeux, en
nous faisant entendre les réactions des combattants
et celles de la foule. Relevez-en quelques exemples.

2. La poésie épique
Virgile est aussi un poète, qui donne une dimension
supplémentaire à son récit, en faisant allusion à la
guerre, à la nature, et aux dieux.
a/ Relevez une *comparaison* rapprochant ce combat sportif d'un épisode guerrier.
b/ Relevez deux *comparaisons* rapprochant les événements du combat de certains phénomènes naturels.
c/ Que pensez-vous des comparaisons que vous
venez de relever? L'auteur consacre-t-il plus de

mots au comparant ou au comparé? Est-ce habituel? On appelle ce genre de comparaisons, comparaison *épique*.

d/ Comment Énée explique-t-il le retournement de situation en faveur d'Entelle? Que demande-t-il à Darès? Pourquoi?

e/ Qu'est-ce que le vainqueur, selon vous, doit faire du taureau qui lui est remis en récompense?

chercher

1. des renseignements sur la vie et l'œuvre de Virgile.

2. des documents sur l'évolution de la boxe à travers les âges. Pourquoi appelle-t-on ce sport le « noble art »?

3. des informations sur l'organisation des « jeux » sportifs dans l'Antiquité : à quelles occasions avaient-ils lieu? Quelles épreuves comportaient-ils?

lire

Pour vous aidez dans vos recherches, vous pouvez lire dans une traduction l'ensemble du chant V de l'*Énéide*, ou le chant XXIII de l'*Iliade*, dans lequel Homère décrit les jeux célébrés en l'honneur de Patrocle.

du latin au français

a/ Voici quelques extraits du texte original de Virgile, avec leur traduction mot à mot :

1. Abduxere   longe retro   capita ardua
Ils ont rejeté loin en arrière leurs têtes hautes
ab ictu
hors de portée du coup
immiscentque manus manibus,
et ils mêlent   les mains aux mains,
pugnamque lacessunt.
et le combat   engagent.

2. Consurgunt   studiis
se lèvent ensemble avec des sentiments (divers)
Teucri   et Trinacria pubes.
les Troyens et la jeunesse sicilienne.

3. At   non tardatus casu   neque territus
mais non retardé   par sa chute ni effrayé
heros
le héros
acrior   ad pugnam redit,
plus farouche au combat   revient
ac vim suscitat ira
et la colère réveille sa force
tum   pudor incendit vires.
de plus la honte allume   ses forces.

b/ Vous avez sans doute remarqué que le latin avait plusieurs façons d'exprimer la coordination « et » : lesquelles?

c/ Voici une liste de mots latins figurant dans ces extraits avec leur radical. Cherchez les mots français tirés de leur radical. (Attention : le radical peut être modifié.) :

mot latin	signification	radical	mots français
retro	en arrière	retro-	
manus	la main	man(u)	
(con)surgo	se lever (ensemble)	surg-	
studium	sentiment, passion soin, application	studi-	
clamor	cri	clamor-	
caput, capitis	la tête	capit-	
caelum	le ciel	cael-	
(ac)curro	(ac)courir	curr-	
tardo	retarder	tard(a)	
casus	chute accident	cas(u)-	
terreo	effrayer	terre-	
acer, acris	farouche	acr-	
suscito	réveiller	suscit(a)	
ira	la colère	ira-	
pudor	la honte	pudor	
incendo	allumer	incend-	

d/ Vous avez constaté que certains mots latins très proches de certains mots français n'avaient pas tout à fait la même signification que ceux-ci : lesquels?

s'exprimer

1. En reprenant les procédés énumérés dans « rassemblons nos idées, 1 » improvisez ou rédigez un reportage sportif de votre choix.

2. Choisissez une scène banale de la vie sportive ou de la vie quotidienne : racontez-la en employant un grand nombre de comparaisons épiques (voir « rassemblons nos idées, 2 »), de manière à produire un effet comique.

3. Débat en classe sur la violence dans le sport.

L'entraînement de Gargantua

Grandgousier, seigneur tourangeau doué d'un solide appétit (comme son nom l'indique), a un fils d'une taille extraordinaire, un véritable géant, baptisé Gargantua. Celui-ci reçoit d'abord une éducation purement livresque, conforme aux habitudes du Moyen Age. Mais son père, conquis aux idées nouvelles de la Renaissance, l'envoie bientôt à Paris auprès d'un sage nommé Ponocrates, qui va lui donner une éducation inspirée de l'antiquité gréco-latine, mais ouverte sur la vie, et faisant la part belle aux activités physiques. En effet, un jour Gargantua succédera à son père à la tête d'une armée, et il doit avoir le corps aussi solide que l'esprit. C'est pourquoi, après avoir étudié le matin, il se livre tous les après-midi à un entraînement intensif sous la conduite de l'écuyer Gymnaste...

Il courait[1] le cerf, le chevreuil, l'ours, le daim, le sanglier, le lièvre, la perdrix, le faisan, l'outarde[2]. Il jouait au ballon et le faisait rebondir du pied et du poing. Il luttait, courait, sautait, non avec trois pas d'élan, ni à cloche-pied, ni à l'allemande[3], car
5   Gymnaste disait que de tels sauts sont inutiles et ne servent à rien en temps de guerre, mais, d'un saut, il franchissait un fossé, volait par-dessus une haie, faisait six pas contre une muraille et parvenait de cette façon à une fenêtre haute d'une lance.

Il nageait en eau profonde, à l'endroit, à l'envers, sur le côté,
10   de tous les membres, ou seulement des pieds; avec une main en l'air, portant un livre, il traversait toute la Seine sans le mouiller, en traînant son manteau avec les dents comme faisait Jules César[4]. Puis, à la force du poignet, il montait dans un bateau d'un seul effort; de là il se jetait de nouveau à l'eau, la tête la
15   première, sondait le fond, explorait le creux des rochers, plongeait dans les trous et les gouffres. Puis il manœuvrait le bateau, le dirigeait, le menait rapidement, lentement, au fil de l'eau ou à contre-courant, le retenait au milieu d'une écluse, le guidait d'une main, s'escrimant• de l'autre avec un grand aviron, hissait
20   les voiles, montait au mât par les cordages, courait sur les vergues[5], réglait la boussole, tendait les boulines[6], tenait ferme le gouvernail.

Sortant de l'eau, il gravissait vivement la montagne et en dévalait• aussi allégrement[7], montait aux arbres comme un chat,
25   sautait de l'un à l'autre comme un écureuil, abattait les grosses branches comme un autre Milon[8]. Avec deux poignards acérés et deux poinçons• à toute épreuve, il grimpait en haut d'une maison comme un rat, puis sautait en bas, les membres ramassés de telle sorte qu'il ne souffrait nullement de la chute. Il lançait le dard[9],
30   la barre, la pierre, la javeline[10], l'épieu•, la hallebarde•, il bandait l'arc, tendait à force de reins les grosses arbalètes de siège,

1. chassait

2. échassier dont la chair est très appréciée

3. à la façon des Allemands

4. c'est l'historien grec Plutarque (50-125 ap. J.-C.) qui nous raconte cet exploit du général en chef romain

5. pièces de bois fixées en travers du mât d'un voilier, et qui servent à soutenir et à orienter une voile
6. cordages servant à tenir une voile de biais, pour lui faire prendre le vent de côté
7. avec entrain
8. Milon de Crotone (né au VIe siècle av. J.-C.), athlète grec, lutteur réputé pour sa force exceptionnelle
9. ancienne arme de jet en bois, garnie d'une pointe de fer
10. arme de jet, longue, mince et pointue

Gargantua au berceau. Dessin de A. Robida (Hachette)

épaulait• l'arquebuse•, mettait le canon sur affût[11], tirait à la butte[12], au perroquet[13], de bas en haut, de haut en bas, en face, sur le côté, en arrière comme les Parthes[14].

35 Pour lui, on attachait à quelque haute tour un câble pendant jusqu'à terre. Il y montait à deux mains, puis redescendait si vivement et avec autant d'assurance que vous ne feriez pas mieux dans un pré bien nivelé.

On tendait une grosse perche entre deux arbres; il s'y pendait 40 par les mains, allait et venait sans rien toucher des pieds, si bien qu'à grande vitesse on n'aurait pu réussir à l'attraper.

Et pour s'exercer la poitrine et les poumons, il criait comme tous les diables. Une fois, je l'ai entendu appeler Eudémon[15] à Montmartre[16], depuis la porte Saint-Victor[17]; Stentor[18], à la 45 bataille de Troie, n'eut jamais une telle voix.

Et, pour fortifier ses nerfs[19], on lui avait fait de gros saumons[20] de plomb, pesant chacun huit mille sept cents quintaux•, et qu'il appelait des haltères. Il les prenait au sol, dans chaque main, et les élevait au-dessus de sa tête; il les tenait ainsi, sans bouger, 50 trois quarts d'heure et plus, ce qui dénotait une force incomparable.

François RABELAIS, *Gargantua.*

11. support qui sert à diriger et à déplacer un canon
12. les cibles étaient appuyées contre une butte de terre
13. voile. L'expression signifie tirer sur les mâts
14. peuple d'Asie Mineure, dont les archers étaient redoutés dans l'Antiquité. Ils avaient pour habitude de tirer derrière eux quand ils faisaient retraite, pour couvrir leur fuite

15. autre élève de Ponocrates
16. au nord de Paris
17. au sud de Paris
18. personnage de l'*Iliade*, qui, d'après Homère, criait aussi fort que cinquante guerriers réunis
19. ses muscles
20. lingots de métal

Le sport, hier et aujourd'hui

rassemblons nos idées

1. L'éducation physique

a/ Comment s'appelle l'« entraîneur » de Gargantua? A quels mots français ce nom vous fait-il penser? Quelle est son origine? A quel peuple de l'Antiquité l'auteur rend-il ainsi hommage? Pourquoi?

b/ Relevez dans le texte quatre autres allusions à l'Antiquité. Qu'est-ce que ces précisions nous révèlent sur la culture de l'auteur?

c/ Dans quel but Gargantua s'entraîne-t-il? Quelle expression nous l'indique? Quels sont les exercices qui semblent le mieux appropriés au but recherché?

2. L'exagération épique

a/ Relevez quelques expressions qui nous rappellent que Gargantua est un géant. Quels détails vous semblent les plus invraisemblables?

b/ Où la scène se passe-t-elle? Que pensez-vous d'expressions comme : « gouffres » (l. 16), « montagne » (l. 23)?

3. La verve du conteur

a/ Relisez la première phrase du texte : de combien de COD le verbe est-il suivi? Quelle impression l'auteur veut-il donner?

b/ Relisez la première phrase du deuxième paragraphe (l. 9) : combien de compléments circonstanciels le verbe « nager » possède-t-il? Quelle qualité de Gargantua cela met-il en valeur?

c/ Relisez la dernière phrase du deuxième paragraphe : combien de verbes de mouvement comporte-t-elle? Quel est l'effet produit?

d/ Relevez dans la suite du texte d'autres exemples d'accumulation.

e/ Relisez les paragraphes 2 et 3 (l. 9-34) : dans chaque phrase, les différentes propositions sont-elles :
— coordonnées?
— juxtaposées?
— subordonnées?
Pourquoi, selon vous?

f/ Relevez quelques expressions rares ou techniques, qui montrent la richesse et la précision du vocabulaire de l'auteur.

vocabulaire

En vous aidant des notes du texte, expliquez la signification et l'origine des expressions suivantes :
— la chasse à courre;
— être en butte à la malveillance;
— avoir une voix de stentor.

Le texte que vous avez sous les yeux est la traduction du texte original, qui date du XVIe siècle. Depuis cette époque en effet le vocabulaire, la syntaxe et l'orthographe du français ont beaucoup changé, comme vous pourrez le constater en demandant à votre professeur de vous lire la version originale du texte.

du latin au français

Que signifie le proverbe latin : « *Mens sana in corpore sano* »?

chercher

Constituer un dossier sur le thème du géant. Vous pouvez vous inspirer :
— de légendes : les Titans, Briarée, Antée, Goliath...
— de textes littéraires :
Gulliver de Swift, *Micromégas* de Voltaire, *Les Géants* de J.-M. G. Le Clézio.
— de bandes dessinées : *Tarzan, Rahan,* etc.

s'exprimer

1. Grandgousier, Gargamelle, Gargantua : voilà des noms expressifs et amusants. Inspirez-vous-en pour baptiser les héros d'un bref récit de votre invention.

2. Imaginez un exploit de Gargantua au cours de son séjour à Paris. N'hésitez pas à recourir à l'exagération épique et aux procédés relevés dans « rassemblons nos idées, 3 » : « la verve du conteur ».

3. Aimeriez-vous faire du sport tous les après-midi? Pourquoi?

La libération de la femme par la bicyclette

Dans le roman d'Émile Zola, *Paris,* écrit en 1898, un jeune homme, Pierre, découvre les plaisirs de la nature et de la bicyclette auprès d'une amie de son frère, Marie. Elle lui expose tous les bienfaits que ce sport peut apporter aux femmes de l'époque, au cours d'une promenade aux environs de Maisons-Laffitte dans la forêt de Saint-Germain.

« Je prends la tête, n'est-ce pas? cria gaiement Marie, puisque les voitures vous inquiètent encore. »

Elle filait devant lui, mince et droite sur la selle, et elle se retournait parfois avec un bon sourire, pour voir s'il la suivait. A
5 chaque voiture dépassée, elle le rassurait en disant les mérites de leurs machines, qui toutes deux sortaient de l'usine Grandidier[1]. C'étaient des Lisettes[2], le modèle populaire auquel Thomas[3] lui-même avait travaillé, perfectionnant la construction, et que les magasins du Bon-Marché[4] vendaient couramment cent cin-
10 quante francs. Peut-être avaient-elles l'aspect un peu lourd, mais elles étaient d'une solidité et d'une résistance parfaites. « De vraies machines pour faire de la route », disait-elle.

« Ah ! voici la forêt. C'est fini de monter, et vous allez voir les belles avenues. On y roule comme sur du velours. »
15 Pierre était venu se mettre près d'elle, tous deux filaient côte à côte, du même vol régulier, par la voie large et droite, entre le double rideau majestueux des grands arbres. Et ils causaient très amicalement.

« Me voici d'aplomb• maintenant, vous verrez que votre élève
20 finira par vous faire honneur.

– Je n'en doute pas. Vous vous tenez très bien, vous allez me lâcher dans quelque temps, car une femme ne vaut jamais un homme, à ce jeu-là... Mais quelle bonne éducation tout de même que la bicyclette pour une femme !
25 – Comment cela?

– Oh ! j'ai là-dessus mes idées... Si, un jour, j'ai une fille, je la mettrai dès dix ans sur une bicyclette, pour lui apprendre à se conduire dans la vie.

– Une éducation par l'expérience.
30 – Eh ! sans doute... Voyez ces grandes filles que les mères élèvent dans leurs jupons. On leur fait peur de tout, on leur défend toute initiative[5], on n'exerce ni leur jugement ni leur volonté, de sorte qu'elles ne savent pas même traverser une rue, paralysées par l'idée des obstacles... Mettez-en une toute jeune
35 sur une bicyclette, et lâchez-la-moi sur les routes : il faudra bien qu'elle ouvre les yeux, pour voir et éviter le caillou, pour tourner

1. l'usine de M. Grandidier, le patron de Thomas, fabrique des bicyclettes pour les magasins du Bon-Marché
2. nom donné à des bicyclettes populaires
3. un des neveux de Pierre, un ingénieur qui travaille à l'invention du dérailleur
4. grand magasin parisien

5. action de celui qui est le premier à proposer, à entreprendre

Jean Béraud, Le Chalet du cycle au bois de Boulogne vers 1900 (H. Josse/S.P.A.D.E.M., 1987)

à propos, et dans le bon sens, quand un coude se présentera. Une voiture arrive au galop, un danger quelconque se déclare, et tout de suite il faut qu'elle se décide, qu'elle donne son coup de gui-
40 don d'une main ferme et sage, si elle ne veut pas y laisser un membre... En somme, n'y a-t-il pas là un continuel apprentissage de la volonté, une admirable leçon de conduite et de défense ? »

Il s'était mis à rire.

« Vous vous porterez toutes trop bien.

45 — Oh ! se bien porter, cela va de soi, on doit d'abord se porter le mieux possible, pour être bon et heureux... Mais j'entends que celles qui éviteront les cailloux, qui tourneront à propos sur les routes, sauront aussi, dans la vie sociale et sentimentale, fran-chir les difficultés, prendre le meilleur parti[6], d'une intelligence
50 ouverte, honnête et solide... Toute l'éducation est là, savoir et vouloir.

— Alors, l'émancipation[7] de la femme par la bicyclette.

— Mon Dieu ! pourquoi pas?... Cela semble drôle, et pourtant voyez quel chemin parcouru déjà : la culotte[8] qui délivre les jam-
55 bes, les sorties en commun qui mêlent et égalisent les sexes, la femme et les enfants qui suivent le mari partout, les cama-rades comme nous deux qui peuvent s'en aller à travers champs, à travers bois, sans qu'on s'en étonne. Et là est surtout l'heureuse conquête, les bains d'air et de clarté qu'on va prendre en pleine
60 nature, ce retour à notre mère commune, la terre, et cette force, et cette gaieté neuves, qu'on se remet à puiser° en elle !... Regar-dez, regardez ! n'est-ce pas délicieux, cette forêt où nous roulons

6. choisir la meilleure solution

7. la libération, l'affranchissement

8. la jupe-culotte découvrant les mollets avait remplacé pour les sportives les jupes longues

ensemble ! et quel bon vent cela met dans nos poitrines ! et comme cela vous purifie*, vous calme et vous encourage ! »

65 La forêt, en effet, déserte en semaine, était d'une douceur infinie, avec ses futaies* profondes, à droite et à gauche, criblées* de soleil. L'astre, encore oblique, n'éclairait qu'un côté de la route, dorant les hautes draperies vertes des arbres, tandis que, de l'autre côté, dans l'ombre, les verdures étaient presque noires.

70 Et quelles délices que de s'en aller ainsi, d'un vol d'hirondelle qui rase le sol, par cette royale avenue, dans la fraîcheur de l'air, dans le souffle des herbes et des feuilles, dont l'odeur puissante fouette le visage ! Ils touchaient à peine au sol, des ailes leur étaient poussées qui les emmenaient d'un même essor*, par les

75 rayons et par les ombres, par la vie éparse[9] du grand bois frissonnant, avec ses mousses, ses sources, ses bêtes et ses parfums.

> 9. éparpillée, répandue çà et là

Au carrefour de la Croix-de-Noailles, Marie ne voulut pas s'arrêter. Trop de monde s'y coudoyait* le dimanche, et elle connaissait ailleurs des coins vierges, d'un repos charmant. Puis,

80 dans la pente, vers Poissy, elle excita Pierre, tous deux laissèrent leur machine s'emballer. Alors, ce fut cette griserie allègre[10] de la vitesse, l'enivrante sensation de l'équilibre dans le coup de foudre où l'on roule à perdre haleine, tandis que la route grise fuit sous les pieds et que les arbres, des deux côtés, tournent

85 comme les branches d'un éventail qu'on déploie[11]. La brise souffle en tempête, on est parti pour l'horizon, pour l'infini, là-bas, qui toujours se recule. C'est l'espoir sans fin, la délivrance des liens trop lourds, à travers l'espace. Et rien n'est d'une exaltation[12] meilleure, les cœurs bondissent en plein ciel.

> 10. joyeuse

> 11. déplie

> 12. enthousiasme, ivresse

90 « Vous savez, cria-t-elle, nous n'allons pas à Poissy, nous tournons à gauche. »

Ils prirent le chemin d'Achères aux Loges, qui se rétrécissait et montait, d'une intimité ombreuse[13]. Ralentissant leur allure, ils durent pédaler sérieusement dans la côte, parmi les graviers

95 épars. La route était moins bonne, sablonneuse, ravinée[14] par les dernières pluies. Mais l'effort n'était-il pas un plaisir ?

> 13. le chemin devient intime, secret dans l'ombre des arbres

> 14. creusée par l'eau

« Vous vous y ferez, c'est amusant de vaincre l'obstacle... Moi, je déteste les routes trop longtemps plates et belles. Une petite montée qui se présente, lorsqu'elle ne vous casse pas trop les

100 jambes, c'est l'imprévu, c'est l'autre chose qui vous fouette et vous réveille... Et puis, c'est si bon d'être fort, d'aller malgré la pluie, le vent et les côtes ! »

Elle le ravissait par sa belle humeur et sa vaillance[15].

> 15. son courage

« Alors, demanda-t-il en riant, nous voilà partis pour notre

105 tour de France ?

— Non, non ! nous sommes arrivés. Hein ? ça ne vous déplaira pas de vous reposer un peu... Mais dites-moi si ça ne valait pas la peine de venir jusqu'ici, pour s'asseoir un instant, dans un joli coin de tranquillité et de fraîcheur ? »

Émile ZOLA, *Paris*.

Le sport, hier et aujourd'hui

observer pour mieux comprendre

1. Les bicyclettes

Quel est leur nom? Quels sont leurs mérites? Quel est leur défaut? Quel est leur prix? Qui les a construites?

2. Les cyclistes

Qui est le maître? Qui est l'élève? Cette situation va-t-elle durer?

3. L'éducation future des filles

Relevez sous forme de tableau les termes qui expriment :

les manques dus à l'éducation traditionnelle	l'expérience que donne la bicyclette

Quelle qualité principale est développée par la bicyclette selon Marie? Cet apprentissage se limite-t-il à la vie matérielle? Pour vous aider à répondre, complétez le tableau suivant après l'avoir copié :

faire de la bicyclette apprend		
dans la vie matérielle	donc	dans la vie sociale et sentimentale
à éviter les cailloux		....
....		à prendre le meilleur parti

4. La délivrance

Qu'est-ce que la bicyclette a déjà apporté à la femme d'après Marie? Relevez les verbes qui expriment ces conquêtes.

5. Dans la forêt

Au début du texte (l. 15 - 16) Pierre et Marie « filaient du même vol régulier ». Relevez sous forme de tableau dans les lignes 70 à 76 les expressions concernant :

les sensations d'envol	celles de vitesse	la joie
vol d'hirondelle	s'emballer	l'espoir sans fin

En quelle saison, d'après vous, se déroule cette scène, quel jour et vers quelle heure?

Relevez :

— les mots qui désignent des éléments naturels appartenant :

au règne végétal	au règne animal

— les termes qui expriment des sensations ressenties par :

l'œil	l'oreille	le nez

6. Les côtes

Marie les aime-t-elle? Pourquoi? De quelles qualités fait-elle preuve?

s'exprimer

1. « Une femme ne vaut jamais un homme, à ce jeu-là » dit Marie en parlant de la bicyclette. Pensez-vous qu'il existe des sports féminins et d'autres masculins?

2. A votre tour prenez la défense d'une invention moderne qui a transformé la vie de la femme.

3. « Les sorties en commun mêlent et égalisent les sexes. » Pensez-vous qu'il est agréable et souhaitable de vivre dans la mixité? Pourquoi?

4. Dessinez Marie sur sa Lisette.

chercher

1. dans une Histoire de la bicyclette, quelques illustrations de la fin du XIXe siècle qui pourraient donner une idée de la Lisette.

2. Tracez l'itinéraire de la promenade de Marie et de Pierre en recherchant sur une carte de la banlieue ouest de Paris les localités mentionnées dans le texte.

Exemple : Maisons-Laffitte, Poissy, Achères, etc.

Découverte du ballon rond

Joël Bats, gardien de but de l'équipe de France, raconte comment il est venu au football, et ce que la pratique de ce sport a apporté dans sa vie d'enfant solitaire...

Le football ? J'ai la certitude de ne pas avoir vécu un jour sans lui. Il s'est glissé d'une façon toute naturelle dans mon existence. Comme si le propre de l'homme était d'avoir deux pieds pour pouvoir taper dans un ballon. Je n'ai pas eu de coup de foudre pour le ballon rond. N'appartenant pas à un « fan's club[1] », ne lisant pas les revues spécialisées et n'ayant pas la télévision, je n'avais aucune raison de devenir un obsédé[2] de ce sport [...]

J'ai découvert le ballon par instinct. Un enfant peut avoir besoin d'une bande dessinée ou d'un nounours pour s'évader. J'ouvrais simplement la porte de la petite maison pour investir[3] le pré[4]. C'était le temps du football sauvage. Pousser la balle pour avoir une raison de courir, d'avaler de l'espace, d'être à bout de souffle.

Petit à petit, cette pratique devint obsédante. Au point de modifier complètement ma façon de vivre. Sans réellement le savoir, je m'étais mis à l'unisson[5] d'un univers plus large. Je me souviens de mon père écoutant les matches à la radio et, pour ne pas briser le charme, confectionnant un petit ballon avec du papier et du carton maintenus par deux larges élastiques.

Joël Bats (H. Szwarc)

1. club de supporters (mot anglais)

2. un passionné, quelqu'un qui ne pense plus qu'à une chose

3. prendre possession de

4. J. Bats a vécu dans son enfance à la campagne, près de Mont-de-Marsan

5. mis en accord avec

Le sport, hier et aujourd'hui

20   Par la voie des ondes, le football appartenait à la rumeur du monde et me semblait une activité naturelle commune à tous. Quand je jouais sur mon pré avec deux ou trois camarades, je reprenais contact avec moi-même. Je ne me désertais plus[6]. J'aimais le jeu avec le ballon dans ce qu'il avait de toujours

25 perfectible[7], d'imprévisible. Quand on a le sentiment sérieux et pas naïf d'être seul, la pratique de ce sport est une fantastique ouverture [...]

    On présente les sports collectifs comme l'école de l'exaltation[8]. J'ai la faiblesse de penser qu'il faut beaucoup d'humilité pour appartenir à un groupe dont on n'est qu'un fragment que l'on se

30 doit de rendre nécessaire.

6. je ne me fuyais plus

7. susceptible d'être perfectionné

8. l'enthousiasme

Joël BATS, Gardien de ma vie (Aubier)

observer pour mieux comprendre

1. Première partie (lignes 1 à 13)

a/ Où Joël Bats a-t-il commencé à jouer au football ?

b/ A quels besoins ce jeu correspondait-il en lui ?

c/ Comment qualifie-t-il, dans la deuxième phrase, la manière dont il s'est initié à ce sport ? Relevez dans le texte d'autres expressions de sens voisin.

d/ A quel autre type de rapport avec le football oppose-t-il sa propre attitude aux lignes 4 à 6 ? Qu'en pensez-vous ?

2. Seconde partie (ligne 14 à 31)

a/ Quelles modifications sont-elles progressivement intervenues dans cette attitude ? Qu'est-ce qui les a favorisées ?

b/ Qu'apporte ce sport désormais à l'adolescent ?

c/ Qu'aime-t-il en lui ?

s'exprimer

1. Imitez le style des « revues spécialisées » pour rédiger le portrait d'un joueur ou le compte rendu d'un match.

2. Décrivez, sur le mode humoristique, les réactions d'un footballeur en chambre lors de la retransmission d'un match à la télévision.

3. « Avaler de l'espace » : en avez-vous déjà éprouvé le besoin ? Comment l'avez-vous satisfait ? Analysez vos sensations en vous aidant des pages bleues, p. 226.

4. Que pensez-vous du jugement porté par Joël Bats sur les sports collectifs dans le dernier paragraphe de son texte ? Aimez-vous ce type de sports ? Pourquoi ?

Joël Bats (H. Szwarc)

chercher

Les clubs de supporters. En existe-t-il un dans votre ville ? Comment sont-ils organisés ? Quels sont leurs avantages ? Leurs inconvénients ?

Un champion fragile

Faut-il présenter le joueur de tennis Yannick Noah ? Dans un article de juin 1986, un journaliste de *Télérama* se demande comment une idole peut perdre à Roland-Garros et rester aussi populaire...

Car il faut se rendre à l'évidence : il y a, aux yeux du public, deux sortes de sportifs. Ceux qu'il aime et ceux qu'il n'aime pas. Noah est des premiers. S'il gagne, comme en 83, il devient un héros national. Monsieur Noah. S'il perd ? Eh bien, mon Dieu,
5 on lui pardonne, on le console, on l'encourage, on loue sa ténacité[1], on compatit[2] à sa déception, on pleure les malheurs du petit. On l'appelle Yannick, tendrement. Noah, disait-on autrefois, a du chou[3].

Il est une manière de perdre qui vaut toutes les victoires du
10 monde. Avec panache[4], cet obscur objet du désir[5] des spectateurs. Et, du panache, Noah en a à revendre.

Le petit garçon du Cameroun deviendra grand. Il a tout pour lui : un physique magnifique, la passion du tennis et la grâce[6], mélange indéfinissable de subtilité[7] (dans le toucher d'une balle),
15 d'audace (dans l'intention[8] d'un coup), d'intelligence (sur et en dehors du court) et du charme.

D'un point de vue purement sportif, Yannick Noah possède une classe[9] naturelle. C'est-à-dire : le goût du spectacle (ses plongeons), le geste de génie lorsqu'on s'y attend le moins (le
20 renvoi, de dos, entre les jambes), et une honnêteté inébranlable (lorsqu'il offre le point à l'adversaire contre la décision de l'arbitre).

Mais, comme le tennis, la classe a son revers[0]. Le plongeon, parfois, devient un geste de dépit[11]. Le retour apparemment
25 génial s'écrase dans le filet et entame le moral. Roublard[12], l'adversaire fait basculer le match sur une décision litigieuse[13] d'un arbitre hésitant, comme lors de la finale des Internationaux de Rome contre Ivan Lendl.

Alors Noah proteste et trépigne[14], sûr de son bon droit. Le
30 public l'appuie, en vain. Alors Noah, les yeux rougis par les larmes naissantes, promet une revanche sanglante à Roland-Garros mais déjà son fameux revers coupé-lifté, une merveille, le trahit et son moral aussi. Benhabilès le devine, joue intelligemment dessus[15] et frôle l'exploit.
35 Car Noah est fragile. Doué, très doué, certainement le joueur le plus varié et le plus complet du circuit professionnel, mais fragile. Trop honnête, peut-être, trop sincère, trop épris de justice pour un sport qui réclame un mental[16] de tueur.

C'est pour ça qu'on l'aime.

Olivier CENA, *Télérama* (n° 1899 - 4 juin 1986)

1. persévérance, volonté de réussir
2. on le plaint, on partage sa déception
3. expression populaire signifiant avoir de la chance
4. fière allure, une bravoure spectaculaire
5. (le journaliste parodie le titre d'un film) ce dont rêvent les spectateurs sans en être conscients
6. sorte de charme, d'attrait
7. adresse, finesse
8. idée, calcul

9. valeur, distinction

10. opposé, mauvais côté ; accident qui change une situation en mal
11. chagrin et colère dus à une déception, rage
12. qui fait preuve de ruse pour défendre ses intérêts (terme familier)
13. contestée, douteuse
14. frappe des pieds contre terre, sur place

15. en exploitant cette faille

16. une mentalité, un état d'esprit

Le sport, hier et aujourd'hui

Yannick Noah (H. Szwarc) ▲

3. Le sport

a/ Relevez les termes techniques du tennis employés dans ce texte et expliquez-les.

b/ Quels « défauts » réclame ce sport d'après le journaliste ?

c/ Quelles conditions doivent être réunies pour gagner d'après les lignes 23 à 28 ?

vocabulaire

« La classe a son revers » : expliquez le jeu de mots Sur quels sens du terme « revers » repose-t-il ?

s'exprimer

1. Décrivez un sportif qui a selon vous un « physique magnifique ».

2. Si vous appréciez (ou non) un joueur de tennis, faites son portrait.

3. Faut-il d'après vous un « mental de tueur » pour réussir dans certains sports ?

4. Le public sportif apprécie-t-il, selon vous, le « panache » avant tout ?

▼

rassemblons nos idées

1. Le public

a/ Quels termes expriment les réactions du public envers le sportif aimé dans deux cas :

	s'il gagne	s'il perd	
titres de gloire			mots de consolation

— Quels verbes manifestent que Noah « a du chou » ?

b/ Pour quelles raisons le sportif, même perdant, est-il aimé ?

c/ Comment le public a-t-il réagi à Rome ?

2. Le sportif

a/ Quels sont ses atouts physiques, ses qualités intellectuelles ?

b/ Pourquoi a-t-il de « la classe » ?

c/ Quelles qualités se retournent contre lui ?

Sensation

Par les soirs bleus d'été, j'irai dans les sentiers,
Picoté• par les blés, fouler l'herbe menue• :
Rêveur, j'en sentirai la fraîcheur à mes pieds.
Je laisserai le vent baigner ma tête nue.

5 Je ne parlerai pas, je ne penserai rien :
Mais l'amour infini me montera dans l'âme,
Et j'irai loin, bien loin, comme un bohémien•,
Par la Nature, – heureux comme avec une femme.

Mars 1870.
Arthur RIMBAUD, *Poésies.*

André Derain, Effet de soleil sur l'eau (Giraudon/A.D.A.G.P., 1987)

A moto

Le narrateur qui est le curé d'Ambricourt (en Artois) se rend à pied au village voisin de Mézargues. Il est rejoint par un motocycliste : c'est Olivier, le neveu de la comtesse, bien connu pour son amour de la vitesse...

« Où allez-vous, monsieur le curé?

– A Mézargues.

– Vous n'êtes jamais monté là-dessus? »

5 J'ai éclaté de rire. Je me disais que vingt ans plus tôt, rien qu'à caresser de la main, comme je le faisais, le long réservoir tout frémissant des lentes pulsations[1] du moteur, je me serais évanoui de plaisir. Et pourtant, je ne me souvenais pas d'avoir, enfant, jamais osé seulement désirer posséder un de ces jouets, fabuleux pour les petits pauvres, un jouet mécanique, un jouet qui marche.
10 Mais ce rêve était sûrement au fond de moi, intact. Et il remontait du passé, il éclatait tout à coup dans ma pauvre poitrine malade, déjà touchée par la mort[2], peut-être? Il était là-dedans, comme un soleil.

« Par exemple, a-t-il repris, vous pouvez vous vanter de m'épa-
15 ter. Ça ne vous fait pas peur?

– Oh! non, pourquoi voulez-vous que ça me fasse peur?

– Pour rien.

– Écoutez, lui dis-je, d'ici à Mézargues, je crois que nous ne rencontrerons personne. Je ne voudrais pas qu'on se moquât de
20 vous.

– C'est moi qui suis un imbécile », a-t-il répondu, après un silence.

J'ai grimpé tant bien que mal sur un petit siège assez mal commode et presque aussitôt la longue descente à laquelle nous
25 faisions face a paru bondir derrière nous tandis que la haute voix du moteur s'élevait sans cesse jusqu'à ne plus donner qu'une seule note, d'une extraordinaire pureté. Elle était comme le chant de la lumière, elle était la lumière même, et je croyais la suivre des yeux dans sa courbe immense, sa prodigieuse ascen-
30 sion. Le paysage ne venait pas à nous, il s'ouvrait de toutes parts, et un peu au-delà du glissement hagard[3] de la route, tournait majestueusement sur lui-même, ainsi que la porte d'un autre monde.

J'étais bien incapable de mesurer le chemin parcouru, ni le
35 temps. Je sais seulement que nous allions vite, très vite, de plus en plus vite. Le vent de la course n'était plus, comme au début, l'obstacle auquel je m'appuyais de tout mon poids, il était devenu un couloir vertigineux, un vide entre deux colonnes d'air brassées à une vitesse foudroyante. Je les sentais rouler à ma droite et
40 à ma gauche, pareilles à deux murailles liquides, et lorsque

1. le moteur au ralenti semble battre comme le pouls d'un être humain

2. le narrateur est atteint d'une grave maladie

3. se dit habituellement d'un être humain qui a l'air égaré

Photographie du film de R. Bresson, Journal d'un curé de campagne *(Cahiers du cinéma)*

j'essayais d'écarter le bras, il était plaqué à mon flanc par une force irrésistible. Nous sommes arrivés ainsi au virage de Mézargues. Mon conducteur s'est retourné une seconde. Perché sur mon siège, je le dépassais des épaules, il devait me regarder
45 de bas en haut. « Attention ! » m'a-t-il dit. Les yeux riaient dans son visage tendu, l'air dressait ses longs cheveux blonds tout droits sur sa tête. J'ai vu le talus de la route foncer vers nous, puis fuir brusquement d'une fuite oblique, éperdue[4]. L'immense horizon a vacillé[5] deux fois, et déjà nous plongions dans la des-
50 cente de Gesvres[6]. Mon compagnon m'a crié je ne sais quoi, j'ai répondu par un rire, je me sentais heureux, délivré, si loin de tout. Enfin j'ai compris que ma mine le surprenait un peu, qu'il avait cru probablement me faire peur. Mézargues était derrière nous. Je n'ai pas eu le courage de protester. Après tout, pensais-
55 je, il ne faut pas moins d'une heure pour faire la route à pied, j'y gagne encore...

Nous sommes revenus au presbytère plus sagement. Le ciel s'était couvert, il soufflait une petite bise aigre. J'ai bien senti que je m'éveillais d'un rêve.

4. folle, incontrôlée

5. basculé

6. village situé sur la même route, au-delà de Mézargues

Georges BERNANOS, *Journal d'un curé de campagne* (Plon)

Sensations

observer pour mieux comprendre

Les rubriques ci-dessous correspondent aux différentes parties de ce texte. Vous préciserez pour chaque partie à quelle ligne elle commence et à quelle ligne elle se termine.

1. L'invitation : ligne ... à ligne ...?

a/ Dans quelle intention le jeune homme fait-il cette proposition, d'après le narrateur?

b/ Comment le curé réagit-il? Le jeune homme s'attendait-il à cette réaction? Relevez une expression appartenant à un *niveau de langage* familier, qui résume l'effet produit sur lui par l'attitude du curé.

c/ A quelle époque de sa vie le curé se reporte-t-il? Que représente pour lui la moto? Relevez une ou deux expressions qui montrent qu'il la considère comme un être vivant. Quel est son état de santé? Relevez une *comparaison* exprimant la joie que lui donne la perspective de cette aventure?

d/ Pourquoi le curé est-il gêné vis-à-vis du jeune homme? Pourquoi celui-ci dit-il : « C'est moi qui suis un imbécile » (l. 21)?

2. La course folle : ligne ... à ligne ...?

a/ La machine. A quoi le bruit du moteur est-il comparé? A quelle *comparaison* de la première partie fait écho l'expression : « elle était la lumière »?

b/ La route. Relevez deux phrases dans lesquelles la route est le sujet de verbes de mouvement. Quel effet cela produit-il?

c/ Le paysage. Relevez deux phrases dans lesquelles le paysage est le sujet de verbes de mouvement. Quel effet cela produit-il?

	sujet	verbes de mouvement
à propos de la route		
à propos du paysage		

Comment comprenez-vous la *comparaison* de la ligne 33?

d/ Le vent. A quoi est-il comparé (l. 36-40)? Essayez d'expliquer ces *comparaisons*.

e/ La vitesse. Relevez dans cette partie tous les mots exprimant l'idée de vitesse.

f/ Conducteur et passager. Que cherche le conducteur? Quel sentiment son visage exprime-t-il? Quelle est l'attitude du passager? Relevez à son propos un nom déjà employé au début du texte, à la ligne 10.

3. Le retour : ligne ... à ligne ...?

Quels détails donnent l'impression d'un certain désenchantement chez le narrateur?

Relevez : un adverbe comparatif, un verbe et un adjectif qualificatif.

s'exprimer

1. Avez-vous déjà éprouvé une forte sensation de vitesse? A quelle occasion?

2. Essayez de rendre le plus fidèlement possible les impressions que vous avez ressenties alors.

poètes, à vous de jouer !

Relisez les passages suivants du texte de Bernanos : « Le paysage ne venait pas à nous, il s'ouvrait de toutes parts, et un peu au-delà du glissement hagard de la route, tournait majestueusement sur lui-même... j'ai vu le talus de la route foncer sur nous, puis fuir brusquement d'une fuite oblique, éperdue. »

Un certain nombre d'expressions de ce texte en prose ont dû vous paraître curieuses et poétiques : « un glissement hagard » (l. 31) « une fuite oblique, éperdue » (l. 48).

Dans ces expressions, l'auteur attribue à « glissement » et à « fuite » des adjectifs qui conviendraient plutôt à d'autres mots du texte :

— en fait, c'est le passager de la moto qui est « hagard » lorsqu'il voit « glisser » la route à toute vitesse;

— c'est la moto qui est « oblique » lorsqu'elle se penche pour prendre son virage;

— et c'est le conducteur qui se lance dans une course « éperdue ».

Ce procédé (appelé *hypallage*) permet à l'auteur d'exprimer les illusions produites par la vitesse, et l'intensité de l'émotion ressentie par le passager.

Vous pouvez l'utiliser, vous aussi, dans un bref récit ou dans un poème exprimant des sensations confuses ou violentes. Pour vous y habituer, nous vous proposons de transformer les phrases ci-dessous, en vous inspirant de l'exemple suivant :

exemple : cet après-midi-là, je m'ennuyais. Le ciel était gris. La tristesse m'envahit.

= en ce gris après-midi, je m'ennuyais. La tristesse envahit le ciel.

1. Nous nous sommes mis à courir à toutes jambes. Nous bondissions de colline en colline.

2. Il faisait très chaud ce jour-là. A terre, un chien haletait. Il avait soif.

3. Ce matin j'ai entendu l'alouette chanter très haut dans le ciel.

« L'île des Plaisirs »

Orateur renommé, Fénelon, qui allait devenir archevêque de Cambrai, fut, dès 1689, le précepteur du petit-fils de Louis XIV, le duc de Bourgogne. A l'intention de son élève — pour l'instruire dans la joie — il écrivit des contes et des fables. Il imagine, dans cet extrait, que le héros arrive dans une île appelée « l'île des Plaisirs ».

Après avoir longtemps vogué sur la mer Pacifique, nous aperçûmes de loin une île de sucre avec des montagnes de compote, des rochers de sucre candi[1] et de caramel, et des rivières de sirop qui coulaient dans la campagne. Les habitants, qui étaient fort
5 friands[2], léchaient tous les chemins et suçaient leurs doigts après les avoir trempés dans les fleuves. Il y avait aussi des forêts de réglisse, et de grands arbres d'où tombaient des gaufres que le vent emportait dans la bouche des voyageurs, si peu qu'elle fût ouverte... On nous assura qu'il y avait, à dix lieues[3] de là, une
10 autre île où il y avait des mines de jambons, de saucisses et de ragoûts poivrés. On les creusait comme on creuse les mines d'or dans le Pérou. On y trouvait aussi des ruisseaux de sauces à l'oignon. Les murailles des maisons sont de croûtes de pâté. Il y pleut du vin quand le temps est chargé[4]; et, dans les plus beaux
15 jours, la rosée du matin est toujours de vin blanc, semblable au vin grec ou à celui de Saint-Laurent. Pour passer dans cette île, nous fîmes mettre sur le port de celle d'où nous voulions partir, douze hommes d'une grosseur prodigieuse, et qu'on avait endormis : ils soufflaient si fort en ronflant, qu'ils remplirent nos voiles
20 d'un vent favorable. A peine fûmes-nous arrivés dans l'autre île, que nous trouvâmes sur le rivage des marchands qui vendaient de l'appétit; car on en manquait souvent parmi tant de ragoûts*. Il y avait aussi d'autres gens qui vendaient le sommeil. Le prix en était réglé tant par heure; mais il y avait des sommeils plus chers
25 les uns que les autres, à proportion des songes qu'on voulait avoir. Les plus beaux songes étaient fort chers. J'en demandai des plus agréables pour mon argent; et comme j'étais las[5], j'allai d'abord me coucher. Mais à peine fus-je dans mon lit que j'entendis un grand bruit; j'eus peur, et je demandai du secours. On
30 me dit que c'était la terre qui s'entrouvrait. Je crus être perdu; mais on me rassura en me disant qu'elle s'entrouvrait ainsi toutes les nuits à une certaine heure, pour vomir avec grand effort des ruisseaux bouillants de chocolat mousseux, et des liqueurs glacées de toutes les façons. Je me levai à la hâte pour en prendre et
35 elles étaient délicieuses. Ensuite je me recouchai et, dans mon sommeil, je crus voir que tout le monde était de cristal, que les hommes se nourrissaient de parfums quand il leur plaisait, qu'ils ne pouvaient marcher qu'en dansant ni parler qu'en chantant, qu'ils avaient des ailes pour fendre les airs, et des nageoires pour

1. sucre en gros cristaux que l'on obtient par le lent refroidissement de sirops très concentrés
2. gourmands

3. ancienne mesure de distance (1 lieue ≃ 4 km)

4. couvert de nuages

5. fatigué

Stoskopff, Les Cinq Sens ou l'Été (Strasbourg, Musée de l'Œuvre Notre-Dame / Giraudon)

40 passer les mers. Mais ces hommes étaient comme des pierres à
fusil : on ne pouvait les choquer qu'aussitôt ils ne prissent feu. Ils
s'enflammaient comme une mèche, et je ne pouvais m'empêcher
de rire voyant combien ils étaient faciles à émouvoir. Je voulus
demander à l'un d'eux pourquoi il paraissait si animé : il me
45 répondit, en me montrant le poing, qu'il ne se mettait jamais en
colère.

A peine fus-je éveillé qu'il vint un marchand d'appétit, me
demandant de quoi je voulais avoir faim, et si je voulais qu'il me
vendît des relais d'estomacs[6] pour manger toute la journée.
50 J'acceptai la condition. Pour mon argent, il me donna douze
petits sachets de taffetas[7] que je mis sur moi, et qui devaient me
servir comme douze estomacs, pour digérer sans peine douze
grands repas en un jour. A peine eus-je pris les douze sachets,
que je commençai à mourir de faim. Je passai ma journée à faire
55 douze festins délicieux. Dès qu'un repas était fini, la faim me
reprenait, et je ne lui donnais pas le temps de me presser. Mais
comme j'avais une faim avide, on remarqua que je ne mangeais
pas proprement : les gens du pays sont d'une délicatesse et d'une
propreté exquises. Le soir, je fus lassé d'avoir passé toute la jour-
60 née à table comme un cheval à son râtelier. Je pris la résolution
de faire tout le contraire le lendemain, et de ne me nourrir que
de bonnes odeurs.

6. à la manière des relais de poste où l'on changeait les chevaux fatigués
7. étoffe de soie

Sensations

On me donna à déjeuner de la fleur d'oranger. A dîner, ce fut une nourriture plus forte : on me servit des tubéreuses[8], et puis des peaux d'Espagne[9]. Je n'eus que des jonquilles à collation[10]. Le soir, on me donna à souper de grandes corbeilles pleines de toutes les fleurs odoriférantes[11], et on y ajouta des cassolettes[12] de toutes sortes de parfums. La nuit, j'eus une indigestion pour avoir trop senti tant d'odeurs nourrissantes. Le jour suivant, je jeûnai pour me délasser de la fatigue des plaisirs de la table.

FÉNELON, « L'île des Plaisirs », *Fables et Contes*.

8. plantes herbacées à haute tige florale utilisées en parfumerie
9. cuirs qui dégagent une violente odeur
10. repas léger
11. qui répandent une odeur agréable
12. brûle-parfums

rassemblons nos idées

1. Les sensations

a/ Le goût

— Faites un relevé des noms désignant les aliments en concordance avec les lieux évoqués :

aliments		lieux
solides	liquides	

— Le problème de l'appétit :
* Pourquoi se pose-t-il ?
* De quelle façon est-il résolu ?

b/ L'odorat

— Faites un relevé des odeurs et des plantes odoriférantes :

odeurs	plantes

— Quelle est la particularité de ces odeurs?

2. L'humour

a/ Commentez les expressions :
— « léchaient tous les chemins »;
— « des gaufres que le vent emportait dans la bouche des voyageurs ».

b/ Que pensez-vous de la méthode de navigation employée aux lignes 19-20?

c/ La comparaison « comme un cheval à son râtelier » (l. 60) est-elle, selon vous, méliorative ou péjorative?

3. Le merveilleux

a/ Relevez dans le récit tous les détails qui contredisent les lois de la nature, et nous plongent dans un univers merveilleux.

b/ Pourquoi les hommes vus en rêve sont-ils « inflammables »?

comparer

a/ Nous n'avons volontairement donné que la première partie du texte de Fénelon, celle qui se rapporte aux « gourmandises » : dans la suite du texte, le héros racontait que, devant la mollesse de leurs maris due à cette vie trop facile, les femmes de « l'île des Plaisirs » décidaient de prendre le pouvoir. Voici la fin du texte :

« Je m'éloignai donc de ces contrées en apparence si délicieuses; et, de retour chez moi, je trouvai dans une vie sobre, dans un travail modéré, dans des mœurs[1] pures, dans la pratique de la vertu[2], le bonheur et la santé que n'avaient pu me procurer la continuité de la bonne chère[3] et la variété des plaisirs. »

1. habitudes de vie 2. le bien 3. bons repas

b/ Comment peut-on appeler cette « leçon » tirée en fin de texte?

c/ Vous attendiez-vous à une telle conclusion? (Justifiez votre réponse.)

s'exprimer

1. Imaginez une autre conclusion à ce texte.

2. A la manière du héros de ce texte, décrivez les marchands de soif et les produits qu'ils proposent dans « l'île des Plaisirs ».

3. Décrivez l'intérieur des maisons aux murailles faites de pâté en croûte.

Ode au savon

J'approche
le
savon
de ma figure
et sa candide[1] senteur
me transporte :
je ne sais
d'où tu viens
arôme,
viens-tu
de province?
Viens-tu de ma cousine?
Du linge dans le lavoir
entre les mains
étoilées par le froid?
De ces
ah ! de ces lointains
lilas?
Des yeux de
Marie des Champs?
Des prunes vertes
sur la branche?
Du terrain de football
et du bain
sous les
saules
tremblants?
Sens-tu la ramée[2],
les douces amours ou le gâteau
de la fête à quelqu'un? Sens-tu
le cœur mouillé?
Qu'apportes-tu,
savon,
à mes narines
soudain,
le matin,
avant d'entrer dans l'eau
matinale
puis sortir dans les rues

parmi des hommes ployant
sous leurs marchandises?
Quelle odeur de village
au loin,
quelle fleur
de jupons,
miel des filles champêtres?
Ou peut-être
est-ce la vieille
odeur oubliée
du magasin
d'épicerie
et droguerie,
les gros draps blancs
entre les mains des paysans,
l'épaisseur heureuse
du sucre roux,
ou sur le buffet de chez
ma tante
un œillet rouge
comme un rayon rouge,
comme une flèche rouge?
Est-ce cela
ta vive
odeur
de boutique
à bon marché, d'eau de Cologne
inoubliable, de salon de coiffure,
de province pure,
d'eau pure,
d'eau propre?
Voilà
ce que tu es
savon, pur délice,
arôme transitoire[3]
qui glisse
et sombre[4] tel un
poisson aveugle
dans les profondeurs de la baignoire.

Pablo NERUDA, *Nouvelles Odes élémentaires*
(Trad. J.-F. Reille, Gallimard)

1. blanche, innocente, pure 2. assemblage de branches entrelacées 3. qui dure peu de temps, passager 4. coule

Au pays de la fièvre

Thomas est un petit garçon malade, qui, chaque soir, apprécie de se retrouver seul dans sa chambre où il peut enfin rêver tranquillement...

Le dernier baiser de ses parents ne l'endormit pas comme les soirs précédents. Sous le drap et la couverture remontés jusqu'au menton, Thomas cuisait. Ses lèvres desséchées appelaient le verre d'eau parfumé à la menthe que l'on posait sur sa table de
5 chevet. Il suffisait d'allonger le bras pour l'atteindre, mais le boire dès maintenant, c'était se condamner à la soif plus tard dans la nuit. Il faudrait alors appeler quelqu'un, déranger l'ordre secret des ombres. Dans sa main droite fermée, Thomas conservait, collé à la paume, le cachet dissimulé avant le dîner. Plus que
10 de la fièvre montante, il souffrait de talons brûlants que ni le talc, ni les frictions à l'eau de Cologne ne calmaient. Quand il en parlait, on ne s'intéressait guère à ce détail pourtant préoccupant[1] au point que, pour l'oublier, Thomas, feignant[2] de somnoler le jour, évoquait les fois où il avait marché pieds nus au
15 bord d'une plage, dans le courant d'un frais ruisseau de montagne et même un matin dans la neige. Ces souvenirs le soulageaient et il croyait retrouver un instant, dans son corps las et affaibli par la maladie, l'excitation enfuie.

Sans cette souffrance maladroite et bête, inexplicable à des
20 adultes qui refusaient avec obstination[3] d'y attacher de l'importance, Thomas eût presque aimé sa fièvre tant elle lui valait d'attentions•. De doux visages se penchaient vers lui, et des jeux, des albums nouveaux jonchaient sa couverture. Aussi, et surtout, il aimait ses insomnies[4], les réveils en sueur, le cœur battant, la
25 gorge serrée. A peine ouvrait-il les yeux sur l'ombre de sa chambre que la paix revenait en lui. Dans un faux silence troublé de craquements, de souffles furtifs[5], la maison dormait. Les rideaux frémissaient et, le long de leurs plis, des volutes[6] montaient jusqu'aux anneaux dont le cuivre cliquetait•. Ou bien les rideaux
30 s'écartaient pour découvrir la fenêtre encadrant à travers la vitre un paysage nocturne : silhouettes d'arbres sur fond gris-bleu de ciel, étoiles, lune glissant derrière des nuages effilochés[7]. La brise entrait dans la chambre en chantant timidement une mélopée[8] dont Thomas ne comprenait que des mots épars[9], dans un mur-
35 mure soyeux.

1. qui donne du souci, qui inquiète
2. du verbe « feindre » = faire semblant

3. avec entêtement

4. moments de la nuit où l'on ne peut trouver le sommeil

5. légers, que l'on entend à peine
6. formes enroulées en spirale

7. dont les bords s'effilent
8. chant, mélodie monotone
9. des mots éparpillés; des bribes de phrases

Michel DÉON, *Thomas et l'Infini* (Coll. « Folio Junior », Gallimard)

Sensations

rassemblons nos idées

1. La souffrance

a/ A quels symptômes la fièvre de Thomas est-elle visible?

b/ Quelle partie de son corps est plus particulièrement douloureuse?

c/ Relevez tous les verbes et les adjectifs qui expriment cette souffrance.

d/ Citez les trois moyens dont dispose Thomas pour calmer sa fièvre.

2. Les adultes

a/ Quelle est l'attitude des parents de Thomas à l'égard de sa souffrance?

b/ Quels avantages Thomas tire-t-il de sa maladie?

3. « Thomas eût presque aimé sa fièvre... »

a/ Pourquoi Thomas ne veut-il pas appeler quelqu'un la nuit?

b/ Pourquoi aime-t-il ses insomnies? Pourquoi, selon vous, a-t-il dissimulé le cachet?

4. La chambre nocturne

a/ Quel élément de sa chambre lui rend la « paix »? Que voit-il? Quels bruits entend-il? Relevez les noms, verbes et adjectifs qui les décrivent.

	visions	bruits
noms		
verbes		
adjectifs		

b/ Qu'est-ce qui anime les rideaux? Qui berce Thomas?

s'exprimer

1. A cause d'une forte fièvre vous vous êtes réveillé soudain « en sueur, le cœur battant, la gorge serrée ». Racontez.

2. Quels « avantages » avez-vous pu tirer d'une maladie?

3. Quelles habitudes ou/et quel paysage vous aident éventuellement à vous endormir chaque soir?

4. « Dans un faux silence, troublé de craquements, de souffles furtifs... » : à votre tour, évoquez le silence régnant dans un lieu précis, en montrant comment il est souvent peuplé de mille bruits.

vocabulaire

1. Classez en deux colonnes les noms suivants selon qu'ils peuvent

cliqueter	ou	craquer

Noms : des bracelets, une table, du pain dur, des armes, des osselets, une fermeture Éclair, des meubles, des chaînes, du bois, des anneaux.

2. Classez les noms suivants selon qu'ils sont antonymes ou synonymes du mot « souffrance » et selon qu'ils évoquent un état physique ou un état moral : affliction, douleur, tourment, torture, souci, chagrin, peine, mal, euphorie, joie, malaise, soulagement, désolation, béatitude, allégresse, bonheur, loisir, nostalgie.

	antonymes de souffrance	synonymes
état physique		
état moral		

N.B. : certains mots s'appliquent à l'état physique comme à l'état moral.

du latin au français

1. « Insomnie » vient du latin *somnium* = le sommeil, et du préfixe privatif *in-* (voir p. 131) = sans. Cherchez d'autres mots contenant le radical *somni-*.

2. « Paume » vient du latin *palma*. Cherchez d'autres mots français contenant palm-, dans lequel le *l* ne s'est pas transformé en *u*.

3. « Préoccupant » vient du verbe latin *occupare* = s'emparer de, et du préfixe *prae-* = avant, d'avance. Cherchez d'autres verbes français commençant par ce préfixe *pré-*.

les sensations

Il est important d'apprendre à reconnaître et à exprimer les différentes sensations : elles nous renseignent sur la vie du corps et nous font découvrir le monde. Mais elles révèlent aussi les dispositions d'esprit les plus secrètes. C'est pourquoi **l'analyse des sentiments** (voir p. 166 et 198) est souvent liée à celle des **sensations.**

les différentes sensations

Apprenons à mieux distinguer les diverses origines des sensations.

1. Les cinq sens

■ *Faites correspondre à chacun des textes ou extraits ci-dessous celui des cinq sens qui s'y trouve principalement évoqué : toucher, ouïe, odorat, goût, vue.*

– *Ode au savon* (p. 223).
– *L'île des plaisirs* (p. 220).
– *Au pays de la fièvre* (p. 224) :
« Les rideaux s'écartaient pour découvrir la fenêtre encadrant à travers la vitre un paysage nocturne. »
« Dans un faux silence troublé de craquements, de souffles furtifs, la maison dormait. »
« Thomas, feignant de somnoler le jour, évoquait les fois où il avait marché pieds nus au bord d'une plage, dans le courant d'un frais ruisseau de montagne et même un matin dans la neige. »

2. Kinesthésie et cénesthésie

Ces deux mots savants, tirés du grec, désignent les sensations que procurent les différents mouvements et états du corps.
a/ Les sensations kinesthésiques (du grec *kinesis* qui signifie : mouvement, et *aisthésis* : la sensation) sont liées aux mouvements du corps : plaisir de l'effort musculaire, griserie de la vitesse, etc.
b/ Les sensations cénesthésiques sont liées à l'état général du corps, au fonctionnement des organes internes : impression de chaleur ou de froid, de bien-être ou de malaise, nausée, ivresse, faim, soif...

■ *Dites à quel registre appartiennent les sensations évoquées dans chacun des extraits ci-dessous : kinesthésie ou cénesthésie?*

« Sous le drap et la couverture remontés jusqu'au menton, Thomas cuisait. » (p. 224).

« Je les sentais rouler à ma droite et à ma gauche, pareilles à deux murailles liquides, et lorsque j'essayais d'écarter le bras, il était plaqué à mon flanc par une force irrésistible. » (p. 217).

« La nuit, j'eus une indigestion, pour avoir trop subi tant d'odeurs nourrissantes. » (p. 222).

« Alors, ce fut cette griserie allègre de la vitesse, l'enivrante sensation de l'équilibre dans le coup de foudre où l'on roule à perdre haleine. » (p. 210).

■ *Sur quel(s) registre(s) de sensation insisterez-vous plus particulièrement si on vous demande de raconter :*
un concert – une maladie – un feu d'artifice – un bal – les préparatifs d'un repas.

3. L'impression d'ensemble

Souvent, des sensations d'origines diverses se combinent pour produire une seule et même impression d'ensemble. Par exemple, à la fin du texte de Michel Déon, les notations auditives et visuelles concourent à une même impression de paix et de mystère :

« Dans un faux silence troublé de craquements, de souffles **furtifs,** la maison dormait. Les rideaux **frémissaient,** et, le long de leurs plis, des **volutes** montaient jusqu'aux anneaux dont le cuivre **cliquetait.** Ou bien les rideaux s'écartaient pour découvrir la fenêtre encadrant à travers la vitre un paysage nocturne : **silhouettes** d'arbres sur fond **gris-bleu** de ciel, étoiles, lune **glissant** derrière les nuages **effilochés.** La brise entrait dans la chambre, en chantant **timidement** une **mélopée** dont Thomas ne comprenait que des mots épars, dans un **murmure soyeux.** » (p. 224).

Cette impression d'ensemble est produite par le choix des mots qui insistent sur la douceur des bruits entendus (souffles furtifs, timidement, une mélopée, murmure soyeux), des couleurs (grisbleu), des formes (silhouettes, nuages effilochés), des mouvements (rideaux frémissants, volutes, lune glissant) aperçus dans la nuit.
Il convient donc de faire un effort de **style** lorsqu'on veut rendre de manière suggestive une sensation.

style et sensation

1. Le vocabulaire

Le choix des mots doit vous permettre d'exprimer la nuance exacte de la sensation. Voici quelques exercices qui vous donneront l'occasion de réviser les vocabulaires de l'odorat et du goût, souvent mal connus.

■ *Vous compléterez chacune des phrases par un des mots suivants :*
relent — exhalaison — parfum — fumet — remugle — arôme — effluve — bouquet.
— Lorsque j'ai ouvert la porte du grenier, un violent ... assaillit mes narines.
— Après la distillation, il restait dans la cuve un ... d'alcool.
— Ce vin a du ...
— Le vent du soir apportait par moments les ... des lointains jardins.
— Ce café possède un ... exceptionnel.
— En passant devant la cuisine, j'ai senti le ... du rôti.
— Il montait de la serre une ... de ... mêlés.

■ *Parmi les adjectifs ci-dessous, distinguez ceux qui s'appliquent à un parfum, et ceux qui s'appliquent à un mets. A l'intérieur de chaque catégorie, distinguez ceux qui sont mélioratifs et ceux qui sont péjoratifs :*
goûteux — capiteux — suave — insipide — musqué — onctueux — subtil — fade — puissant — âcre — succulent.

N.B. : on emploie souvent pour qualifier une sensation un adjectif emprunté à un autre registre de sensation : on parle par exemple d'une musique **aigre,** d'un vin **moelleux,** d'un parfum **lourd,** etc.

■ *Dites à quel registre de sensations s'appliquent, au sens propre, les adjectifs ci-dessus; puis cherchez des expressions reposant sur un transfert comparable d'une sensation à une autre.*

2. Le rythme de la phrase

On peut essayer de suggérer une sensation grâce à une certaine construction de la phrase, en lui donnant un rythme particulier. Par exemple, dans *L'émancipation de la femme par la bicyclette,* le contraste entre la lumière et l'ombre est suggéré par la construction de la phrase qui oppose les quatre premiers « segments », consacrés à la lumière, aux quatre derniers, consacrés à l'ombre :

« L'astre, encore oblique, n'éclairait qu'un côté de la route, dorant les hautes draperies vertes des arbres, tandis que, de l'autre côté, dans l'ombre, les verdures étaient presque noires. » (p. 210).

N.B. : on constate que les quatre premiers « segments » sont de plus en plus longs (1 syllabe, puis 4, puis 9, puis 12), pour suggérer la progression de la lumière du soleil « encore oblique ».

■ *Dans ces deux phrases de M. Déon, montrez comment le rythme exprime d'abord le malaise, puis l'apaisement :*

« Aussi, et surtout, il aimait ses insomnies, les réveils en sueur, le cœur battant, la gorge serrée. A peine ouvrait-il les yeux sur l'ombre de sa chambre que la paix revenait en lui. » (p. 224).

3. L'harmonie imitative

On appelle ainsi le procédé qui consiste à imiter par le jeu des sonorités de la phrase la sensation qu'on cherche à exprimer. Par exemple, dans la phrase ci-dessous :
« La brise **en**trait **dans** la **cham**bre **en chant**ant timi**dement.** » (p. 224).
la répétition de la nasale /ã/, l'écho **cham**bre-**chant**ant, suggère la douce « mélopée » entendue par Thomas.

Au contraire, les **allitérations** en /t/ et /k/ (associées à la voyelle **a** évoquent dans un autre passage du texte la sensation pénible de la fièvre :
« Thomas **c**onservait, **c**ollé à la paume, le **c**achet dissimulé avant le dîner. Il souffrait de **t**alons brûlants que ni le **t**alc, ni les fric**t**ions à l'eau de **C**ologne ne **c**almaient. » (p. 224).

N.B. : il ne faut pas abuser de ce procédé. En fait c'est le plus souvent inconsciemment que la phrase écrite se charge d'**assonances** et d'**allitérations** en rapport avec la sensation évoquée. On considérera donc surtout comme un jeu l'exercice suivant.

■ *Rédigez deux brefs paragraphes : l'un à propos d'un fleuve au cours tranquille (vous userez d'assonances et d'allitérations en /l/; l'autre à propos d'un torrent de montagne (vous utiliserez des allitérations en /k/, /r/, /t/...)*

les sensations

4. L'hypallage

On appelle ainsi le procédé qui consiste à attribuer à un nom le qualificatif destiné à un autre nom de la phrase (voir p. 219).

a/ Il permet d'attribuer à un objet l'impression ressentie par un personnage :
rappelez-vous le « glissement **hagard** de la route » (p. 217).
quand P. Neruda évoque « l'épaisseur **heureuse** du sucre roux », il attribue à l'objet le bonheur que celui-ci lui procurait.

b/ Il permet aussi de souligner le mélange des diverses sensations. Par exemple dans la phrase suivante :
« La brise entrait dans la chambre en chantant timidement une mélopée dont Thomas ne comprenait que des mots épars, dans un murmure **soyeux**. » (p. 224).
M. Déon attribue au murmure la qualité propre aux rideaux entre lesquels passe la brise.

5. La métaphore et la comparaison

Elles permettent de traduire de façon inattendue les impressions ressenties par les personnages. Par exemple, pour insister sur l'impression de légèreté éprouvée par les promeneurs à bicyclette, Zola les compare à des hirondelles. Il reprend à plusieurs reprises cette image, qui devient ainsi une véritable **métaphore filée.** Ce procédé permet de dégager une **impression d'ensemble.**

■ *Relevez dans le texte de Zola (p. 208) les différentes apparitions de cette **métaphore filée.***

le sens des sens

Lorsque vous choisissez de parler de telle ou telle sensation, ce n'est pas par hasard : c'est qu'elle correspond à une intention plus ou moins nette, que, précisément, le choix des mots, des images, le style de la phrase va vous permettre d'éclaircir. Autrement dit, les sensations qui vous frappent ont un sens; elles veulent dire quelque chose. Voici quelques exemples de ce sens des sens.

1. L'impression d'ensemble produite par diverses sensations reflète les dispositions d'esprit, l'humeur de celui qui les perçoit. Par exemple, dans le texte de Zola, les personnages ont l'impression de voler, parce qu'ils éprouvent un sentiment de « délivrance » qui les remplit d'« espoir ». Le paysage lui-même semble partager ces sentiments :
« La brise souffle en tempête, on est parti pour l'horizon, pour l'infini, là-bas, qui toujours se recule. C'est **l'espoir** sans fin, la délivrance des liens trop lourds à travers l'espace. Et rien n'est d'une exaltation meilleure, les cœurs bondissent en plein ciel. » (p. 210).

2. Une sensation actuelle peut aussi rappeler une sensation ancienne, et ainsi réveiller des souvenirs, provoquer toute une série d'associations d'idées.

■ *Cherchez dans le chapitre 7 un texte qui illustre ce cas précis.*

3. Le narrateur peut donner à certaines sensations un sens **symbolique,** en rapport avec sa situation, ses idées, sa personnalité.

■ *Le narrateur du texte A moto (p. 217) interprète certaines des sensations qu'il éprouve en fonction de ses idées religieuses, puisqu'il est curé de campagne. A quelles croyances, selon vous, correspondent les expressions soulignées ci-dessous.*

« Le paysage tournait majestueusement sur lui-même, ainsi que **la porte d'un autre monde.** » ;
« La haute voix du moteur **s'élevait** sans cesse jusqu'à ne plus donner qu'**une seule note,** d'une extraordinaire **pureté.** Elle était comme **le chant de la lumière,** elle était la lumière même, et je croyais la suivre dans sa courbe immense, sa prodigieuse **ascension.** » (p. 217).

■ *Imaginez que deux personnages rentrent chez eux tard dans la nuit, à la même heure, en suivant le même itinéraire. L'un d'entre eux vient de fêter son anniversaire chez des amis. L'autre est fatigué par les heures supplémentaires qu'il a faites après une longue journée de travail. Évoquez les sensations de chacun de ces personnages : sont-elles les mêmes? Les interprètent-ils de la même façon?*

8/Farces et extravagances

Ménalque, ou le distrait

Dans ses *Caractères* (publiés en 1688), La Bruyère présente une série de portraits correspondant aux différents défauts humains ou aux manies de son époque. Voici celui de Ménalque, le distrait.

Ménalque descend son escalier, ouvre sa porte pour sortir, il la referme : il s'aperçoit qu'il est en bonnet de nuit; et venant à mieux s'examiner, il se trouve rasé à moitié, il voit que son épée est mise du côté droit, que ses bas sont rabattus sur ses talons, et
5 que sa chemise est par-dessus ses chausses[1]. S'il marche dans les places, il se sent tout d'un coup rudement frapper à l'estomac ou au visage; il ne soupçonne point ce que ce peut être, jusqu'à ce qu'ouvrant les yeux et se réveillant, il se trouve ou devant un limon[2] de charrette, ou derrière un long ais[3] de menuiserie que
10 porte un ouvrier sur ses épaules. On l'a vu une fois heurter du front contre celui d'un aveugle, s'embarrasser dans ses jambes, et tomber avec lui chacun de son côté à la renverse. Il lui est arrivé plusieurs fois de se trouver tête pour tête[4] à la rencontre d'un prince et sur son passage, se reconnaître[5] à peine, et n'avoir que
15 le loisir[6] de se coller à un mur pour lui faire place. Il cherche, il brouille[7], il crie, il s'échauffe, il appelle ses valets l'un après l'autre : *on lui perd tout, on lui égare tout;* il demande ses gants, qu'il a dans ses mains, semblable à cette femme qui prenait le temps de demander son masque[8] lorsqu'elle l'avait sur son
20 visage. Il entre à l'appartement[9], et passe sous un lustre où sa perruque s'accroche et demeure suspendue : tous les courtisans regardent et rient; Ménalque regarde aussi et rit plus haut que les autres, il cherche des yeux dans toute l'assemblée où est celui qui montre ses oreilles, et à qui il manque une perruque. S'il va
25 par la ville, après avoir fait quelque chemin, il se croit égaré, il s'émeut[10], et il demande où il est à des passants, qui lui disent précisément le nom de sa rue; il entre ensuite dans sa maison, d'où il sort précipitamment, croyant qu'il s'est trompé. Il descend du palais[11], et trouvant au bas du grand degré[12] un carrosse
30 qu'il prend pour le sien, il se met dedans : le cocher touche[13] et croit remener[14] son maître dans sa maison; Ménalque se jette hors de la portière, traverse la cour, monte l'escalier, parcourt l'antichambre•, la chambre, le cabinet[15], tout lui est familier, rien ne lui est nouveau; il s'assit[16], il se repose, il est chez soi. Le
35 maître arrive : celui-ci[17] se lève pour le recevoir; il le traite fort civilement[18], le prie de s'asseoir, et croit faire les honneurs de sa chambre; il parle, il rêve[19], il reprend la parole : le maître de la maison s'ennuie[20], et demeure étonné; Ménalque ne l'est pas moins, et ne dit pas ce qu'il en pense : il a affaire à un fâcheux[21],
40 à un homme oisif•, qui se retirera à la fin, il l'espère, et il prend

1. sa culotte

2. brancard qui sert à atteler la charrette au cheval
3. une longue planche

4. face à face
5. d'avoir peine à reprendre ses esprits
6. avoir seulement le temps
7. il met tout en désordre

8. voilette que les femmes portaient pour protéger leur teint
9. l'appartement du roi, à Versailles

10. il s'énerve

11. le palais de Justice
12. escalier
13. fouette les chevaux
14. reconduire

15. le bureau

16. il s'assied (conjugaison propre à la langue du XVIIe siècle)
17. Ménalque
18. poliment
19. il réfléchit
20. il s'impatiente
21. un gêneur

patience : la nuit arrive qu'il est à peine détrompé. Une autre fois il rend visite à une femme, et, se persuadant bientôt que c'est lui qui la reçoit, il s'établit[22] dans son fauteuil, et ne songe nullement à l'abandonner : il trouve ensuite que cette dame fait ses visites longues, il attend à tous moments qu'elle se lève et le laisse en liberté; mais comme cela tire en longueur, qu'il a faim, et que la nuit est déjà avancée, il la prie[23] à souper : elle rit, et si haut, qu'elle le réveille. Lui-même se marie le matin, l'oublie le soir, et découche la nuit de ses noces; et quelques années après il perd sa femme, elle meurt entre ses bras, il assiste à ses obsèques•, et le lendemain, quand on lui vient dire qu'on a servi[24], il demande si sa femme est prête et si elle est avertie. C'est lui encore qui entre dans une église, et prenant l'aveugle qui est collé à la porte pour un pilier, et sa tasse[25] pour le bénitier, y plonge la main, la porte à son front, lorsqu'il entend tout d'un coup le pilier qui parle, et qui lui offre des oraisons[26]. Il s'avance dans la nef•, il croit voir un prie-Dieu•, il se jette lourdement dessus : la machine[27] plie, s'enfonce, et fait des efforts pour crier; Ménalque est surpris de se voir à genoux sur les jambes d'un fort petit homme, appuyé sur son dos, les deux bras passés sur ses épaules, et ses deux mains jointes et étendues qui lui prennent le nez et lui ferment la bouche; il se retire confus, et va s'agenouiller ailleurs. Il tire un livre pour faire sa prière, et c'est sa pantoufle qu'il a prise pour ses Heures[28], et qu'il a mise dans sa poche avant que de sortir. Il n'est pas hors de l'église qu'un homme de livrée[29] court après lui, le joint, lui demande en riant s'il n'a point la pantoufle de Monseigneur[30], Ménalque lui montre la sienne, et lui dit : « Voilà toutes les pantoufles que j'ai sur moi »; il se fouille néanmoins, et tire celle de l'évêque de **[31] qu'il vient de quitter, qu'il a trouvé malade auprès de son feu, et dont, avant de prendre congé de lui, il a ramassé la pantoufle, comme[32] l'un de ses gants qui était à terre : ainsi Ménalque s'en retourne chez soi avec une pantoufle de moins. Il a une fois perdu au jeu tout l'argent qui est dans sa bourse, et, voulant continuer de jouer, il entre dans son cabinet[33], ouvre une armoire, y prend sa cassette•, en tire ce qu'il lui plaît, croit la remettre où il l'a prise : il entend aboyer dans son ar-

(Hachette)

22. il s'installe

23. il l'invite

24. sous-entendu : le déjeuner

25. la sébile que tend le mendiant

26. dit des prières pour lui

27. le meuble

28. son livre d'Heures (recueil de prières consacrées aux différentes heures de la journée)
29. portant une livrée (uniforme des valets)
30. titre réservé aux évêques

31. l'auteur, par discrétion, ne révèle pas le nom de l'évêque qui est remplacé par des étoiles
32. en la prenant pour, à la place de

33. bureau

moire qu'il vient de fermer; étonné de ce prodige•, il l'ouvre une seconde fois, et il éclate de rire d'y voir son chien, qu'il a serré pour sa cassette. Il joue au trictrac[34], il demande à boire, on lui en apporte; c'est à lui à jouer, il tient le cornet d'une main et un verre de l'autre, et comme il a une grande soif, il avale les dés et presque le cornet, jette le verre d'eau dans le trictrac, et inonde celui contre qui il joue.

80

34. jeu de dés, où l'on fait avancer des pions sur un tableau à deux compartiments, comme au jacquet

Jean de LA BRUYÈRE, *Les Caractères.*

rassemblons nos idées

1. Le comique

Dans une comédie, on distingue (voir p. 255) :
a/ un comique de mots (produit par les mots employés par les personnages);
b/ un comique de gestes (produit par les gestes faits par les personnages);
c/ un comique de situation (qui résulte de la situation où se trouvent les personnages).
Relevez dans ce texte quelques exemples correspondant à chacun de ces types de comique :

comique de mots	comique de gestes	comique de situation

2. L'extravagance

La distraction de Ménalque est telle qu'elle nous plonge dans un univers de rêve, *absurde* ou *fantastique.*

a/ Relevez quelques expressions qui montrent que Ménalque agit comme un somnambule.

b/ Relevez deux scènes où les rôles sont inversés par rapport aux usages habituels ou par rapport à la logique.

c/ Relevez deux anecdotes où un objet se met à parler.

d/ Relevez deux exemples où Ménalque devient monstrueux à force de distraction.

3. Le style

a/ Comment ce portrait est-il composé ? Comporte-t-il les différentes parties habituelles dans un portrait classique (voir p. 102) ? Comparez les deux anecdotes rapportées dans la phrase commençant par : « S'il va par la ville » (l. 24-25) et se terminant par : « il s'est trompé » (l. 28).

b/ A quel temps les aventures de Ménalque sont-elles racontées? Pourquoi selon vous?

c/ Relisez les phrases suivantes :
— « Ménalque descend son escalier, ouvre sa porte pour sortir, il la referme » (l. 1-2).
— « Il cherche, il brouille, il crie, il s'échauffe, il appelle ses valets l'un après l'autre » (l. 15-17).
— « Ménalque se jette hors de la portière, traverse la cour, monte l'escalier, parcourt l'antichambre, la chambre, le cabinet, tout lui est familier, rien ne lui est nouveau; il s'assit, il se repose, il est chez soi » (l. 31-34).
Les différentes propositions composant chacune de ces phrases sont-elles : coordonnées? juxtaposées? subordonnées?
Quelle catégorie de mots est particulièrement mise en valeur? Quel est l'effet produit?

d/ Certaines expressions vous ont-elles paru exagérées? Lesquelles?

vocabulaire

Parmi la liste de mots ci-dessous, distinguez ceux qui sont synonymes de distrait, et ceux qui sont antonymes.

synonymes	appliqué – absent – circonspect – hurluberlu – écervelé – posé – attentif – tête de linotte – réfléchi – rêveur – prévoyant – inattentif – sage – organisé – tête en l'air – étourdi –	antonymes

s'exprimer

1. Complétez le portrait de Ménalque, en décrivant son aspect physique. Vous insisterez surtout sur la façon dont il est habillé.

2. Faites le portrait d'un personnage de votre invention qui incarnera un défaut de votre choix.

3. Choisissez dans le texte l'anecdote qui vous a semblé la plus amusante. Puis racontez-la à votre façon (en donnant des détails sur les circonstances, en rétablissant l'ordre chronologique, en introduisant des dialogues, etc.).

Dans les poches de Gulliver

Seul survivant après le naufrage du bateau *L'Antilope,* Gulliver parvient à joindre à la nage une terre nommée « pays de Lilliput ».

Épuisé, il s'endort sur-le-champ.,... mais quelle n'est pas sa surprise de se voir, à son réveil, prisonnier de ses habitants, personnages d'une taille incroyablement petite...

Lorsque les deux commissaires vinrent pour me fouiller, je pris ces messieurs dans mes mains. Je les mis d'abord dans les poches de mon justaucorps[1], et ensuite dans toutes mes autres poches, excepté[2] mes deux goussets[3] et une autre poche secrète que je ne
5 me souciais point de laisser inspecter et qui contenaient certains objets à mon usage et insignifiants pour les autres. Dans l'un des goussets était une montre d'argent, et dans l'autre une bourse avec un peu d'or.

1. vêtement serré à la taille, porté à cette époque
2. à part, sauf
3. petites poches de gilet

Illustration des Voyages de Gulliver (Daudier/Artephot)

Ces officiers du prince, ayant des plumes, de l'encre et du
papier sur eux, firent un inventaire[4] très exact de tout ce qu'ils
virent ; et quand ils eurent achevé, ils me prièrent de les mettre à
terre afin qu'ils pussent rendre compte[5] de leur visite à l'empereur.

Cet inventaire, que je traduisis plus tard en anglais et mot pour
mot, était conçu dans les termes suivants :

« Premièrement, dans la poche droite du justaucorps du grand
homme-montagne (c'est ainsi que je rends ces mots *quinbus
flestrin*), après une visite exacte, nous n'avons trouvé qu'un
morceau de toile grossière[6], assez grand pour servir de tapis de
pied dans la grand-salle de Votre Majesté. Dans la poche gauche,
nous avons trouvé un grand coffre d'argent avec un couvercle de
même métal, que nous, commissaires, n'avons pu lever. Nous
avons prié ledit[7] homme-montagne de l'ouvrir ; et l'un de nous
étant entré dedans, s'est trouvé, jusqu'aux genoux, dans une
poudre dont plusieurs grains, nous arrivant au visage, nous firent
éternuer quelque temps. Dans la poche droite de sa veste, nous
avons trouvé un énorme paquet de substances[8] blanches et
minces, pliées l'une sur l'autre, environ de la grosseur de trois
hommes, liées ensemble par un fort câble, et marquées de
grandes figures noires, que nous avons prises pour une écriture
dont chaque lettre serait plus grande que la moitié de la paume de
notre main. Dans la poche gauche il y avait une machine, armée
de vingt dents très longues, semblables aux palissades qui sont
devant la cour de Votre Majesté ; nous avons supposé que
l'homme-montagne s'en servait pour se peigner ; mais nous
n'avons pas voulu le presser de questions, voyant la difficulté qu'il
éprouvait à nous comprendre. Dans la grande poche du côté droit
de son *couvre-milieu* (c'est ainsi que je traduis le mot *ranfulo,* par
lequel on voulait parler de ma culotte), nous avons vu un pilier de
fer creux, environ de la grandeur d'un homme, attaché à une
grosse pièce de bois plus large que le pilier ; et d'un côté du pilier
il y avait d'autres pièces de fer en relief, de formes singulières :
nous n'avons su ce que c'était. Dans la poche gauche il y avait
encore une machine de la même espèce. Dans la plus petite poche
du côté droit, il y avait plusieurs pièces rondes et plates de métal
rouge et blanc, et de différents volumes ; quelques-unes des
pièces blanches, qui nous ont paru être d'argent, étaient si grosses
et si pesantes, que mon compagnon et moi nous avons eu de la
peine à les soulever. Il restait deux poches à visiter : celles-ci il les
appelait goussets. C'étaient deux ouvertures coupées dans le haut
de son *couvre-milieu,* mais fort serrées par son ventre qui les
pressait. Hors du gousset droit pendait une grande chaîne d'argent, avec une machine très merveilleuse au bout. Nous lui avons
commandé de tirer hors du gousset tout ce qui tenait à cette
chaîne ; cela paraissait un globe dont la moitié était d'argent, et

4. relevé minutieux

5. faire leur rapport

6. ordinaire

7. l' (homme-montagne) en question ; terme juridique

8. matières

234

l'autre d'un métal transparent. Sur ce dernier côté, nous avons vu certaines figures étranges tracées circulairement ; nous avons cru que nous pourrions les toucher, mais nos doigts ont été arrêtés par cette substance diaphane[9]. Il a appliqué cette machine à nos
60 oreilles : elle faisait un bruit continuel, à peu près comme celui d'un moulin à eau, et nous avons conjecturé[10] que c'est ou quelque animal inconnu, ou la divinité[11] qu'il adore ; mais nous penchons[12] plutôt du côté de la dernière opinion, parce qu'il nous a assuré (si nous l'avons bien entendu, car il s'exprimait fort
65 imparfaitement) qu'il agissait rarement sans l'avoir consultée ; il l'appelait son oracle[13], et disait qu'elle marquait le temps pour chacune des actions de sa vie. »

9. transparente

10. supposé

11. dieu

12. préférons

13. réponse qu'une divinité donnait à ceux qui la consultaient en certains lieux sacrés

Jonathan SWIFT, *Les Voyages de Gulliver.*

rassemblons nos idées

1. Les deux commissaires

a/ Pour qui travaillaient-ils ?

b/ En quoi consiste leur métier ?

c/ De quel matériel disposent-ils ?

d/ Comment se font-ils comprendre de Gulliver ?

2. Gulliver

a/ Comment est-il désigné par les commissaires ?

b/ De quelle manière se comporte-t-il à leur égard ?

c/ Les comprend-il toujours correctement ?

3. L'inventaire

a/ En quelle langue était-il rédigé antérieurement ? En reste-t-il des éléments ?

b/ Pour qui (et pour quelles raisons) est-il dressé ?

c/ Qui l'a traduit ? Dans quel but ?

d/ Précisez la nature des objets trouvés, leur utilisation selon les commissaires… mais aussi selon vous !

4. Une situation extravagante

a/ Relevez les mots ou expressions qui insistent sur :
— la différence de taille des personnages en présence ;
— le langage des commissaires : de quelles langues semble-t-il se rapprocher ?
— leur vision des objets appartenant à Gulliver et l'explication inattendue qu'ils trouvent pour certains d'eux.

b/ Quel point de vue est adopté par l'auteur ? dans quel but ?

vocabulaire

1. Relevez dans l'inventaire dressé par les commissaires les mots ou expressions qui appartiennent au vocabulaire juridique.

2. Le terme « lilliputien(ne) » est passé dans la langue française : que désigne-t-il ?

3. Trouvez un maximum d'adjectifs *synonymes* de « petit ».

chercher

1. des renseignements sur les oracles de Delphes et de Cumes.

2. des renseignements sur Swift, romancier, pamphlétaire et poète (1667-1745).

lire

… le poème de Jacques Prévert intitulé « Inventaire », recueilli dans *Paroles* (Folio).

s'exprimer

1. Un commissaire, penché au-dessus d'une grande poche, y tombe soudain brutalement ! Racontez le malencontreux accident, à la manière d'un journaliste de Lilliput…

2. Imaginez la manière dont les commissaires pourraient décrire un briquet, un carnet de chèques et un trousseau de clés dans la poche d'un Gulliver moderne…

La Grenouille qui veut se faire aussi grosse que le Bœuf

Une grenouille vit un bœuf
    Qui lui sembla de belle taille.
Elle, qui n'était pas grosse en tout comme un œuf,
Envieuse[1], s'étend, et s'enfle, et se travaille,
5   Pour égaler l'animal en grosseur,
      Disant : « Regardez bien, ma sœur;
Est-ce assez, dites-moi; n'y suis-je point encore?
Nenni[2]. – M'y voici donc? – Point du tout. – M'y voilà?
– Vous n'en approchez point. » La *chétive*[3] *pécore*[4]
10   S'enfla si bien qu'elle creva.
Le monde est plein de gens qui ne sont pas plus sages
Tout bourgeois veut bâtir[5] comme les grands seigneurs,
    Tout petit prince a des ambassadeurs,
    Tout marquis veut avoir des pages[6].

Jean de LA FONTAINE, *Fables.*

1. jalouse
2. non
3. malingre, de faible constitution
4. femme sotte et prétentieuse
5. allusion aux financiers qui rachetaient des palais à des princes
6. au XVIIe siècle ils étaient réservés au roi et aux princes du sang

Illustration de Godefroy, début du XXe siècle (J.-L. Charmet)

rassemblons nos idées

1. La transformation de la grenouille

a/ Le point de départ

— Quelle est la taille de la grenouille? Que veut-elle devenir?

— A quoi est-elle comparée?

— Que pensez-vous de son projet?

— Comparez les deux éléments « œuf » et « bœuf » du point de vue : de leurs sonorités; de la taille et du volume de ce qu'ils désignent.

b/ Les étapes de la transformation

— Que fait la grenouille pour réaliser son projet?

— Relevez les verbes qui indiquent les étapes de la transformation en complétant ce tableau :

verbes	synonymes	définitions
1 s'étend		
2		
3		

— Le dialogue entre le bœuf et la grenouille
Relisez-le. Ce dialogue renseigne-t-il le lecteur? Quel est l'effet recherché?

c/ Le résultat

— La transformation est-elle réussie?

— Relevez une expression qui désigne finalement la grenouille.

— Notez la place des verbes au vers 10.

2. La morale

— Est-elle annoncée?

— Qui se cachait sous le nom de « grenouille » pour le conteur? sous celui de « bœuf »?

— Rétablissez les termes implicites de la comparaison :

terme comparé	outil de comparaison	comparant
la grenouille	aussi grosse que	le bœuf
tout ...	aussi.....	?

— Quels moyens sont employés :

par la grenouille
par les gens ridiculisés dans cette fable

3. Versification

a/ Les vers ont-ils tous le même nombre de pieds?

b/ Quelles remarques faites-vous sur la longueur des vers de la morale?

c/ Le vers 4 est un alexandrin. Comment faut-il le lire pour obtenir douze pieds (attention au mot « envieuse »)?

lire

— Lisez la fable de Raymond Queneau *La Cimaise et la Fraction*.

La Cimaise et la Fraction

La cimaise ayant chaponné tout l'éterneur
se tuba fort dépurative quand la bixacée fut verdie :
pas un sexué pétrographique morio de mouffette
[ou de verrat.
Elle alla crocher frange
Chez la fraction sa volcanique
La processionnant de lui primer
Quelque gramen pour succomber
Jusqu'à la salanque nucléaire.
« Je vous peinerai, lui discorda-t-elle,
avant l'apanage, folâtrerie d'Annamite !
interlocutoire et priodonte. »
La fraction n'est pas prévisible :
c'est là son moléculaire défi.
« Que faisiez-vous au tendon cher?
discorda-t-elle à cette énarthrose.
— Nuncupation et joyau à tout vendeur,
Je chaponnais, ne vous déploie.
— Vous chaponniez? J'en suis fort alarmante.
Eh bien ! débagoulez maintenant. »

Raymond QUENEAU, *Oulipo* (Coll. « Idées », Gallimard)

A quoi cette fable vous fait-elle penser?

Queneau utilise la structure de la fable de La Fontaine *La Cigale et la Fourmi* pour se livrer à un jeu poétique qu'il nomme lui-même S + 7. La technique en est la suivante :

« Chaque adjectif, chaque substantif masculin, chaque substantif féminin, chaque verbe est remplacé par le 7e *de son espèce* dans un dictionnaire choisi. »

— Vous appliquerez cette technique à la fable de *La Grenouille qui veut se faire aussi grosse que le Bœuf.*

s'exprimer

Transposez la première partie du texte en bande dessinée en utilisant cinq vignettes et en décomposant soigneusement les étapes de la transformation jusqu'à l'explosion finale.

chercher

les titres à la cour du roi Louis XIV et classez-les par ordre d'importance.

Un conte à votre façon

Queneau s'inspirant de la présentation des instructions destinées aux ordinateurs, et de l'enseignement programmé a écrit ce conte fantaisiste dont vous suivrez tous les itinéraires possibles…

1
– Désirez-vous connaître l'histoire des trois alertes[1] petits pois?
si oui, passez à 4
sinon, passez à 2.

2
– Préférez-vous celle des trois minces grands échalas[2]?
si oui, passez à 16
sinon, passez à 3.

3
– Préférez-vous celle des trois moyens médiocres arbustes?
si oui, passez à 17
sinon, passez à 21.

4
– Il y avait une fois trois petits pois vêtus de vert qui dormaient gentiment dans leur cosse. Leur visage bien rond respirait par les trous de leurs narines et l'on entendait leur ronflement doux et harmonieux.
si vous préférez une autre description, passez à 9
si celle-ci vous convient, passez à 5.

13
– Tu nous la bailles belle[7], dit le premier. Depuis quand sais-tu analyser les songes? Oui, depuis quand? ajouta le second.
si vous désirez savoir depuis quand, passez à 14
sinon, passez à 14 tout de même, car vous ne le saurez pas plus.

14
– Depuis quand? s'écria le troisième. Est-ce que je sais moi! Le fait est que je pratique la chose. Vous allez voir!
si vous voulez aussi voir, passez à 15
sinon, passez également à 15, car vous ne verrez rien.

15
– Eh bien voyons, dirent ses frères. Votre ironie ne me plaît pas, répliqua l'autre, et vous ne saurez rien. D'ailleurs, au cours de cette conversation d'un ton assez vif, votre sentiment d'horreur ne s'est-il pas estompé? effacé même? Alors à quoi bon remuer le bourbier[8] de votre inconscient[9] de papilionacées[10]? Allons plutôt nous laver à la fontaine et saluer ce gai matin dans l'hygiène et la sainte euphorie[11]. Aussitôt dit, aussitôt fait : les voilà qui glissent hors de leur cosse, se laissent doucement rouler sur le sol et puis au petit trot gagnent joyeusement le théâtre de leurs ablutions[12].
si vous désirez savoir ce qui se passe sur le théâtre de leurs ablutions, passez à 16
si vous ne le désirez pas, vous passez à 21.

5
– Ils ne rêvaient pas. Ces petits êtres en effet ne rêvent jamais.
si vous préférez qu'ils rêvent passez à 6
sinon, passez à 7.

6
– Ils rêvaient. Ces petits êtres en effet rêvent toujours et leurs nuits sécrètent[3] des songes charmants.
si vous désirez connaître ces songes, passez à 11
si vous n'y tenez pas, passez à 7.

12
– Opopol[6]! s'écrient-ils en ouvrant les yeux. Opopol! quel songe avons-nous enfanté là! Mauvais présage, dit le premier. Ouida, dit le second, c'est bien vrai, me voilà triste. Ne vous troublez pas ainsi, dit le troisième qui était le plus futé, il ne s'agit pas de s'émouvoir, mais de comprendre, bref, je m'en vais vous analyser ça.
si vous désirez connaître tout de suite l'interprétation de ce songe, passez à 15.
si vous souhaitez au contraire connaître les réactions des deux autres, passez à 13.

21
– Dans ce cas, le conte est également terminé.

20
– Il n'y a pas de suite le conte est terminé.

19
– Ils coururent bien fort pour regagner leur cosse et, refermant celle-ci derrière eux, s'y endormirent de nouveau.
si vous désirez connaître la suite, passez à 20
si vous ne le désirez pas, vous passez à 21.

16
– Trois grands échalas les regardaient faire.
si les trois grands échalas vous déplaisent, passez à 21
s'ils vous conviennent, passez à 18.

7
– Leurs pieds mignons trempaient dans de chaudes chaussettes et ils portaient au lit des gants de velours noir.
si vous préférez des gants d'une autre couleur, passez à 8
si cette couleur vous convient, passez à 10.

11
– Ils rêvaient qu'ils allaient chercher leur soupe à la cantine populaire et qu'en ouvrant leur gamelle ils découvraient que c'était de la soupe d'ers[5]. D'horreur, ils s'éveillent.
si vous voulez savoir pourquoi ils s'éveillent d'horreur, consultez le Larousse au mot « ers » et n'en parlons plus
si vous jugez inutile d'approfondir la question, passez à 12.

18
– Se voyant ainsi zyeutés, les trois alertes petits pois qui étaient fort pudiques s'ensauvèrent.
si vous désirez savoir ce qu'ils firent ensuite, passez à 19
si vous ne le désirez pas, vous passez à 21.

17
– Trois moyens médiocres arbustes les regardaient faire.
si les trois moyens médiocres arbustes vous déplaisent, passez à 21
s'ils vous conviennent, passez à 18.

8
– Ils portaient au lit des gants de velours bleu.
si vous préférez des gants d'une autre couleur, passez à 7
si cette couleur vous convient, passez à 10.

1. vifs, agiles 2. pieux destinés à soutenir des plantes trop faibles pour rester verticales 3. émettre, produire 4. mot créé par Queneau par analogie avec jumeaux = triplés 5. légumes voisins des lentilles 6. « hélas » en grec ancien 7. en faire accroire 8. au sens propre lieu boueux, au sens figuré une mauvaise affaire 9. ce dont on n'a pas conscience 10. se dit d'une corolle de fleur dont l'aspect rappelle celui du papillon 11. sensation de bien-être, de satisfaction 12. faire ses ablutions = se laver

10
– Tous les trois faisaient le même rêve, ils s'aimaient en effet tendrement et, en bons fiers trumeaux[4], songeaient toujours semblablement.
si vous désirez connaître leur rêve, passez à 11
sinon, passez à 12.

9
– Il y avait une fois trois petits pois qui roulaient leur bosse sur les grands chemins. Le soir venu, fatigués et las, ils s'endormaient très rapidement.
si vous désirez connaître la suite, passez à 5
sinon, passez à 21.

Les sentiers de la vie

L'auteur (une Danoise qui a vécu dans la première moitié de notre siècle) de *La Ferme africaine,* dont vous avez déjà pu lire deux extraits (p. 20 et p. 96), a mené une vie pleine d'épreuves : destructions de ses récoltes, soucis d'argent, maladie, mort de ses amis... Pourtant, dans les *Notes d'une émigrante,* à la fin de son livre, elle nous montre qu'elle l'a vécue courageusement, sans connaître le sens de ces malheurs, grâce à la fable qu'elle nous livre ici :

Lorsque j'étais enfant, on me montrait une image, qui était presque une image animée, en ce sens qu'elle se formait sous les yeux du spectateur et que l'artiste l'accompagnait de commentaires[1], toujours rigoureusement identiques[2] :

5 « Dans une petite maison toute ronde, avec une fenêtre toute ronde et au milieu d'un jardin en forme de triangle vivait un homme.

« Non loin de la maison se trouvait un lac avec beaucoup de poissons, que l'homme pêchait et vendait en ville.

10 « Une nuit il fut réveillé par un terrible vacarme[3], il se leva dans l'obscurité pour aller voir ce qui se passait et prit le chemin qui conduisait au lac. »

Ici le narrateur[4] se mettait à dessiner le chemin parcouru par l'homme.

15 « Il prit en commençant la direction du Sud, mais il trébucha[•] contre une pierre qui était au milieu du chemin, peu après il tombait dans un trou, il se releva mais pour tomber dans un deuxième trou, il se releva mais retomba dans un troisième trou ; il en sortit encore.

20 « Il se rendit compte alors qu'il s'était trompé et que le bruit ne venait plus du côté où il pensait ; il revint sur ses pas et courut vers le Nord, alors il lui sembla encore une fois que le bruit venait du Sud et il revint sur ses pas.

« Il commença par trébucher sur une grosse pierre qui était 25 juste au milieu du chemin. Peu après il tombait dans un trou, il en sortit, mais il tomba dans un deuxième trou, en sortit, puis tomba encore dans un troisième trou d'où il sortit aussi.

« A ce moment-là il put mieux situer le bruit qui venait cette fois-ci, il en était sûr, de l'extrémité du lac. Il s'y précipita et 30 constata qu'il y avait une fuite dans le barrage par où l'eau s'écoulait en entraînant les poissons.

« L'homme se mit à réparer la fuite, il passa la nuit à travailler, et quand il eut fini, il alla se coucher.

« Lorsqu'il se réveilla le lendemain matin et qu'il regarda par 35 sa fenêtre ronde... »

Ici le narrateur, avant de terminer son histoire, tire un dernier effet[5] de la question suivante qu'il doit poser aussi dramatiquement[6] que possible :

1. explications, remarques
2. exactement pareils, les mêmes
3. grand bruit, tapage
4. celui qui narre, qui raconte l'histoire
5. de surprise, d'attente
6. gravement, à la manière de l'acteur d'un drame

40 « Et qu'est-ce qu'il vit ?

– ... Une cigogne ! »

Je suis heureuse de connaître cette histoire, et je veux m'en souvenir le moment venu[7].

L'homme de cette histoire a été cruellement trompé et sa route a été semée d'embûches[8]. Quelle série de malchances ! a-t-il pu
45 penser. Sans doute s'est-il demandé quel pouvait bien être le but de tant d'épreuves.

Comment aurait-il su que c'était une cigogne ?

Mais à travers tous les malheurs, il garda la foi[9] et ne perdit point courage. Il ne rentra chez lui qu'après avoir terminé ce qu'il
50 avait à faire.

Il avait rempli sa tâche fidèlement et sa récompense, le lendemain matin, fut de découvrir une cigogne.

Il a dû bien rire alors.

La voie[10] obscure et étroite que je suis, et les trous dans lesquels
55 je tombe, et où je demeure, de quel oiseau peuvent-ils bien être les griffes ?

Lorsque le dessin de ma vie sera achevé, les autres découvriront-ils une cigogne ?

7. quand je serai à la fin de ma vie ou en difficulté
8. embuscades, pièges, difficultés
9. confiance, croyance en l'avenir
10. chemin, sentier de la vie

Karen BLIXEN, *La Ferme africaine* (Gallimard)

rassemblons nos idées

1. Le narrateur

a/ Quand K. Blixen l'a-t-elle entendu ? Comment rapporte-t-elle ses propos ?

b/ Pourquoi le narrateur fait-il toujours des commentaires identiques ?

c/ Quel genre de vocabulaire emploie-t-il ? Pourquoi ? Relevez des répétitions.

d/ Pourquoi pose-t-il « aussi dramatiquement que possible » sa question finale ?

2. Le dessin

a/ Pourquoi est-il fragmenté ? Expliquez « qui était presque une image animée ».

b/ A quel moment avez-vous compris ce qu'il représentait ? Dans quel ordre l'animal est-il dessiné ?

3. L'histoire

a/ Pourquoi peut-on parler d'une fable à son propos (voir *De la lecture à l'écriture* p. 38) ?

b/ En quoi est-elle une *allégorie* ? Quelle idée évoque-t-elle ?

c/ Que pensez-vous de sa *chute* ?

d/ Pourquoi avoir choisi la cigogne comme dessin d'une vie ? Quel élément de l'oiseau sert de *métaphore* aux épreuves de l'auteur ? Pourquoi ?

4. « L'homme de cette histoire »

a/ Quelles épreuves a-t-il subies ?

b/ Quelles embûches a-t-il rencontrées ?

c/ De quelles qualités fait-il preuve « à travers tous les malheurs » ?

d/ Quelle fut sa récompense ? Sa réaction ?

5. La morale

a/ Quelle phrase du texte la résume au mieux ?

b/ Quelle application à sa propre vie l'auteur fait-elle de cette morale ?

c/ Quels sont ses doutes ? Ses espérances ?

d/ Aura-t-elle une réponse personnelle à la question posée par le narrateur l. 39 ?

s'exprimer

1. « Sans doute s'est-il demandé quel pouvait bien être le but de tant d'épreuves » : vous êtes-vous déjà posé cette question ? A quel propos ? Comment y avez-vous répondu ?

2. De quel animal ou objet symbolique aimeriez-vous que le « dessin de votre vie » soit l'image ? Pourquoi ?

La farce du cuvier

Dans cette farce du XVe siècle, d'un auteur inconnu, nous voyons le forgeron Jacquinot aux prises avec sa femme Anne et sa belle-mère Jacquette, qui veulent l'obliger à effectuer tous les travaux ménagers. Elles ont noté sur un *rôlet* (rouleau de parchemin) la liste de toutes les tâches qu'il devra accomplir. Jacquinot saisit l'occasion d'une grande lessive pour jouer un bon tour à son épouse...

ANNE
Vous allez m'aider à plier
Tout le linge de ce cuvier[1].
Prenez le bout de cette pièce
De drap qu'avec délicatesse
5 Je sors humide du baquet ;
Et puis tordons-la sans arrêt...
Tendez, tournez, et tirez fort.

JACQUINOT
Voyez : je fais tous mes efforts ;
Je ne boude pas à l'ouvrage
10 Et tends le linge avec courage...
Je tords ; je tire...

ANNE
Vertuchou[2] !
Vous avez lâché votre bout
Et m'avez fait choir• en la cuve !

JACQUINOT
15 Dans l'onde[3] qui sort de l'étuve[4] !

ANNE
Hâtez-vous ! Je vais me noyer !
Retirez-moi de cette tonne[5] !

JACQUINOT *(Il va posément chercher le rôlet.)*
J'ai beau chercher ; cela m'étonne
Que vous n'ayez prévu ce cas...
20 Vous repêcher ? Je ne vois pas
Cet ordre-ci sur ma consigne...

ANNE
Que vous êtes d'humeur maligne !
Baillez-moi[6] la main, Jacquinot !

JACQUINOT
J'ai beau consulter mot à mot
25 Ce billet plein de prévoyance :
Que doit faire, en la circonstance,
Un mari devenu valet ?
Je ne vois rien sur mon rôlet.

ANNE
Terminez cette facétie[7] !
30 Mon ami, sauvez-moi la vie !
Hélas ! la mort va m'enlever.

JACQUINOT
« Bluter[8], pétrir, cuire, laver... »

ANNE
Déjà le démon me menace
N'étant pas en état de grâce[9]...
35 Et je vais sans doute mourir...

JACQUINOT
« Aller, venir, trotter, courir... »

ANNE
Si je lâche, c'est la noyade !
Et pas moyen que je m'évade !
Je ne passerai point le jour...

JACQUINOT
40 « Faire le pain, chauffer le four... »

ANNE
C'est la mort la plus redoutée,
Car je vais être ébouillantée !
Au secours ! Jacquot, c'est la fin !

---

1. cuve où l'on faisait la lessive   2. juron ancien   3. l'eau   4. endroit où l'on faisait bouillir l'eau de lessive   5. demi-tonneau (ici, le cuvier)   6. donnez-moi   7. cette plaisanterie, cette farce   8. tamiser la farine   9. exempte de péché

JACQUINOT
« Mener la mouture[10] au moulin... »

ANNE
45   Las ! J'ai de l'eau jusqu'aux aisselles !

JACQUINOT
« Et récurer les écuelles...• »
J'ai tout parcouru, j'ai tout vu...
Ce cas-là n'était pas prévu...

ANNE
Au secours, ma chère Jacquette !

JACQUINOT
50   « Et tenir la cuisine nette... »

ANNE
Allez me chercher le curé ;
Que mon salut soit assuré !

JACQUINOT
« Et nettoyer les casseroles... »
Non ; cela n'est pas dans mon rôle...

ANNE
55   Et pourquoi n'est-ce point écrit ?

JACQUINOT
Parce qu'on ne me l'a pas dit !
Puisque vous m'avez fait promettre
D'exécuter l'ordre à la lettre,
J'obéis au commandement
60   Que vous-même et votre maman
M'avez fait signer tout à l'heure !

ANNE
Vous souhaitez donc que je meure !

JACQUINOT
Je me plie à tous vos décrets• ;
Sauvez-vous comme vous pourrez ;
65   Moi, je respecte ma consigne.

ANNE
Que votre conduite est indigne !
Envoyez-moi quelque valet !

JACQUINOT
Cela n'est pas dans mon rôlet !

La Farce du Cuvier mise en scène par J. Terensier en 1978 (Bernand)

(Jacquette survient au bruit.)

ANNE
Au secours ! A l'aide, ma mère !

70   JACQUETTE
Mon enfant ! O douleur amère !
Ah ! j'ai le cœur en désarroi[11] !

ANNE
Je défaille• ! Secourez-moi !
Je m'en vais perdre connaissance !

JACQUETTE
(cherche en vain à tirer sa fille)
Jacquot, un peu de complaisance !
Sauvez ma fille, s'il vous plaît !

JACQUINOT
Cela n'est pas dans mon rôlet !
75   Et c'est en vain que je contrôle :
Repêcher n'est pas dans mon rôle !

ANNE
Ah ! Jacquinot, je vous le jure !
Si de cette triste posture
Vous me tirez en cet instant,
D'un cœur contrit[12] et repentant
80   Je vous servirai sans contrainte•
Et sans proférer une plainte !

JACQUINOT
Vous me promettez de ne plus
Me réveiller à l'angélus[13] ?
Vous m'assurez que sans tapage
85   Vous ferez tout votre ménage,
Sans jamais rien me commander
Qui ne soit juste et bien fondé ?

ANNE
Ah ! Recevez-en la promesse !

90   JACQUINOT
Par tous les saints qu'à la grand-messe
Nous invoquons, par l'Éternel,
Faites le serment solennel
De ne plus m'abreuver d'injures
Ni de sarcasmes[14] !

95   ANNE
                    Je le jure
Et promets de ne plus mentir !

JACQUINOT
Alors, je veux bien vous sortir
De ce baquet plein de lessive
Où le diable vous tint captive
Pour vous éprouver[15] un tantet[16]...
100   Et je déchire mon rôlet.

La Farce du cuvier.

---

10. grains de blé réduits en farine   **11.** détresse   **12.** plein de regret de ses fautes   **13.** prière du matin, annoncée par un son
de cloche   **14.** moqueries blessantes   **15.** mettre à l'épreuve   **16.** un peu

observer pour mieux comprendre

1. Première partie (l. 1 à 16)

a/ Donnez un titre à cette partie.

b/ Qui commande ? A quel mode sont les verbes
aux vers 3 et 7 ?

c/ Qui obéit ? Cette soumission est-elle sincère ?

d/ Quel signe de ponctuation apparaît dans les vers
11 à 16 ?

e/ Les pièces de théâtre du Moyen Âge était
souvent écrites en vers. Le traducteur s'est ici
efforcé de respecter cet usage : quel est le *mètre*
utilisé ? Comment les *rimes* sont-elles disposées ?

(Bernand)

2. Deuxième partie (l. 17 à 77)

a/ Donnez un titre à cette partie.

b/ Imaginez les gestes d'Anne et de Jacquinot, et comparez leur attitude respective.

c/ Quel jeu le mari joue-t-il ? Relevez toutes les consignes qu'il énumère dans son rôlet, et classez-les selon qu'elles se réfèrent plutôt à la cuisine, au ménage, aux courses, ou à la vaisselle :

cuisine	vaisselle	ménage	courses

Relevez les *métaphores* politiques et militaires qu'il emploie pour désigner ces consignes.

d/ Étudiez l'évolution du ton et des sentiments d'Anne, au cours de ce passage.

e/ Sur quel ton Jacquette s'adresse-t-elle à sa fille ? à son gendre ?

3. Troisième partie (l. 78 à 101)

a/ Donnez un titre à cette partie.

b/ Montrez que les rôles d'Anne et de Jacquinot sont inversés.

c/ Quelles promesses Anne fait-elle ?

d/ Quelles sont les exigences de Jacquinot ?

e/ Que signifie le jeu de scène final ?

vocabulaire

Cherchez le sens du mot « décret » dans le dictionnaire. Remplacez dans les phrases ci-dessous les points de suspension par ce mot ou par l'un des suivants :

décision - résolution - fermeté - détermination

1. Le conseil des ministres a adopté plusieurs …

2. J'ai pris la ferme … de travailler, et de ne plus chahuter.

3. Il poursuivit son effort avec une … farouche.

4. Il tint tête avec une telle … qu'on n'osa plus le contredire.

5. Tout le monde approuva cette sage …

s'exprimer

1. Jacquinot raconte à un ami « persécuté » par sa femme comment il a triomphé de la sienne. Rédigez le dialogue, qui pourrait avoir lieu dans une taverne.

2. Anne, le lendemain de la scène, oublie ses promesses, et invente à son tour un stratagème pour reprendre le pouvoir dans la maison. Racontez.

Une fourberie de Scapin

Le jeune Léandre a demandé à son valet Scapin de l'aider à faire admettre à son père, Géronte, son amour pour une gitane. Scapin, qui est rusé, joue double jeu entre le père et le fils ; celui-ci s'en aperçoit et s'en prend vivement à son valet. Scapin pense avoir été dénoncé par Géronte, et décide de se venger de lui. Comme il le sait très peureux, il lui fait croire que des soldats le recherchent à travers toute la ville pour le mettre à mal…

GÉRONTE. – Que ferai-je, mon pauvre Scapin ?

SCAPIN. – Je ne sais pas, Monsieur, et voici une étrange affaire, Je tremble pour vous depuis les pieds jusqu'à la tête, et… Attendez. *(Il se retourne, et fait semblant d'aller voir au bout du*
5   *théâtre s'il n'y a personne.)*

GÉRONTE, *en tremblant.* – Eh ?

SCAPIN, *en revenant.* – Non, non, non ce n'est rien.

GÉRONTE. – Ne saurais-tu trouver quelque moyen pour me tirer de peine ?

10   SCAPIN. – J'en imagine bien un ; mais je courrais risque, moi, de me faire assommer.

GÉRONTE. – Eh ! Scapin, montre-toi serviteur zélé[1]. Ne m'aban-donne pas, je te prie.

SCAPIN. – Je le veux bien. J'ai une tendresse pour vous qui ne
15   saurait souffrir que je vous laisse sans secours.

GÉRONTE. – Tu en seras récompensé, je t'assure ; et je te promets cet habit-ci, quand je l'aurai un peu usé.

1. dévoué, empressé

Les Fourberies de Scapin (Bernand)

SCAPIN. – Attendez. Voici une affaire que je me suis trouvée fort
à propos pour vous sauver. Il faut que vous vous mettiez dans
20 ce sac et que...

GÉRONTE, *croyant voir quelqu'un.* – Ah !

SCAPIN. – Non, non, non, non, ce n'est personne. Il faut, dis-je,
que vous vous mettiez là-dedans, et que vous vous gardiez de
remuer[2] en aucune façon. Je vous chargerai sur mon dos,
25 comme un paquet de quelque chose, et je vous porterai ainsi,
au travers de vos ennemis, jusque dans votre maison, où, quand
nous y serons une fois, nous pourrons nous barricader et
envoyer quérir[3] main-forte contre la violence.

GÉRONTE. – L'invention est bonne.

30 SCAPIN. – La meilleure du monde. Vous allez voir. *(A part.)* Tu
me payeras l'imposture[4].

GÉRONTE. – Eh ?

SCAPIN. – Je dis que vos ennemis seront bien attrapés. Mettez-
vous bien jusqu'au fond, et surtout prenez garde de ne vous point
35 montrer et de ne branler[5] pas, quelque chose qui puisse arriver.

GÉRONTE. – Laisse-moi faire. Je saurai me tenir.

SCAPIN. – Cachez-vous, voici un spadassin[6] qui vous cherche. *(En
contrefaisant sa voix[7].)* « Quoi ! jé n'aurai pas l'abantage dé
tuer cé Géronte, et quelqu'un par charité né m'enseignera pas
40 où il est » ? *(A Géronte, avec sa voix ordinaire.)* Ne branlez pas.
(Reprenant son ton contrefait.) « Cadédis[8] ! jé lé trouberai, se
cachât-il au centre de la terre. » *(A Géronte, avec son ton
naturel.)* Ne vous montrez pas. *(Tout le langage gascon est
supposé de celui qu'il contrefait, et le reste de lui.)* « Oh !
45 l'homme au sac. » – Monsieur. – Jé té vaille[9] un louis, et
m'enseigne où put être Géronte. – Vous cherchez le Seigneur
Géronte ? – Oui, mordi[10], jé lé cherche. – Et pour quelle
affaire, Monsieur ? – Pour quelle affaire ? – Oui. – Jé beux,
cadédis ! lé faire mourir sous les coups de vâton. – Oh !
50 Monsieur, les coups de bâton ne se donnent point à des gens
comme lui, et ce n'est pas un homme à être traité de la sorte. –
Qui, cé fat[11] dé Géronte, cé maraud[12], cé velître[13] ? – Le
Seigneur Géronte, Monsieur, n'est ni fat, ni maraud, ni bélître,
et vous devriez, s'il vous plaît, parler d'autre façon. –
55 Comment ! tu mé traites, à moi[14], avec cette hauteur[15] ? – Je
défends, comme je dois, un homme d'honneur qu'on offense. –
Est-ce que tu es des amis dé cé Géronte ? – Oui, Monsieur, j'en
suis. – Ah ! cadédis ! tu es dé ses amis, à la vonne hure ! *(Il
donne plusieurs coups de bâton sur le sac.)* Tiens ! boilà cé qué
60 jé té vaille pour lui. *(Criant comme s'il recevait les coups de
bâton.)* – Ah ! ah ! ah ! Monsieur. Ah ! ah ! Monsieur, tout
beau ! Ah ! doucement, ah ! ah ! ah ! – Va, porte-lui cela dé ma
part, Adiusias[16] ». Ah ! diable soit le gascon ! Ah ! *(en se
plaignant et remuant le dos, comme s'il avait reçu les coups de
65 bâton.)*

2. vous vous absteniez de remuer

3. chercher

4. la trahison (Scapin croit que Géronte l'a dénoncé à Léandre)

5. de ne pas bouger

6. soldat habile à manier l'épée, payé pour tuer
7. Scapin déforme sa voix, afin d'imiter l'accent gascon : il remplace les *v* par des *b*, et les *b* par des *v*, les *e* par des *é*...
8. juron gascon signifiant : tête (cap) de Dieu !

9. pour « baille » : donne

10. juron gascon signifiant : mort de Dieu !

11. sot prétentieux
12. coquin
13. pour « bélître » : gueux, mendiant

14. tu me traites, moi
15. avec ce mépris

16. adieu, en provençal

GÉRONTE, *mettant la tête hors du sac.* – Ah ! Scapin, je n'en puis plus.

SCAPIN. – Ah ! Monsieur, je suis tout moulu, et les épaules me font un mal épouvantable.

70 GÉRONTE. – Comment ! c'est sur les miennes qu'il a frappé.

SCAPIN. – Nenni[17], Monsieur, c'était sur mon dos qu'il frappait.

GÉRONTE. – Que veux-tu dire ? J'ai bien senti les coups, et les sens bien encore.

SCAPIN. – Non, vous dis-je, ce n'est que le bout du bâton qui a été

75 jusque sur vos épaules.

GÉRONTE. – Tu devais donc te retirer[18] un peu plus loin pour m'épargner... [...]

SCAPIN, *lui remettant la tête dans le sac.* – Prenez garde, voici une demi-douzaine de soldats tout ensemble. *(Il contrefait plu-*

80 *sieurs personnes ensemble.)* « Allons, tâchons à trouver ce Géronte, cherchons partout. N'épargnons point nos pas. Courons toute la ville. N'oublions aucun lieu. Visitons tout. Furetons de tous les côtés. Par où irons-nous ? Tournons par là. Non, par ici. A gauche. A droite. Nenni. Si fait. » *(A Géronte*

85 *avec sa voix ordinaire.)* Cachez-vous bien. « Ah ! camarades, voici son valet. Allons, coquin, il faut que tu nous enseignes où est ton maître. – Eh ! Messieurs, ne me maltraitez point. – Allons, dis-nous où il est. Parle. Hâte-toi. Expédions. Dépêche vite. Tôt. – Eh ! Messieurs, doucement. *(Géronte met douce-*

90 *ment la tête hors du sac et aperçoit la fourberie de Scapin.)* – Si tu ne nous fais trouver ton maître tout à l'heure, nous allons faire pleuvoir sur toi une ondée[19] de coups de bâton. – J'aime mieux souffrir toute chose que de vous découvrir mon maître. – Nous allons t'assommer. – Faites tout ce qu'il vous plaira. – Tu

95 as envie d'être battu ? – Je ne trahirai point mon maître. – Ah ! tu en veux tâter[20] ? Voilà... – Oh ! » *(Comme il est prêt de frapper, Géronte sort du sac et Scapin s'enfuit.)*

GÉRONTE. – Ah ! infâme ! Ah ! traître ! Ah ! scélérat ! C'est ainsi que tu m'assassines !

MOLIÈRE, *Les Fourberies de Scapin* (Acte III, scène 2).

17. non

18. tu aurais dû t'éloigner

19. averse

20. tu veux en goûter ?

comprendre pour mieux jouer

1. Cette scène célèbre réunit les différents procédés comiques que l'on emploie au théâtre. Vous apprendrez à reconnaître ces procédés en vous aidant des pages bleues sur le comique, p. 255.

2. Vous prendrez soin de distinguer nettement, dans la lecture des lignes 38 à 63, les répliques que Scapin est censé prononcer lui-même, et celles qu'il attribue à son « interlocuteur » gascon. Les tirets placés à l'intérieur du texte doivent vous y aider. A vous de donner un accent bien différent à chacune des deux voix.

3. La difficulté s'accroît dans les lignes 80 à 96, où il faudra donner l'illusion de six voix différentes !

Un mot pour un autre

MADAME, MADAME DE PERLEMINOUZE,
LE RÉCITANT, LA BONNE.

LE RÉCITANT[1], *s'avançant devant le rideau fermé.* – Vers l'année 1900 – époque étrange entre toutes –, une curieuse épidémie[2] s'abattit sur la population des villes, principalement sur les classes fortunées[3]. Les misérables atteints de ce mal prenaient soudain les mots les uns pour les autres, comme s'ils eussent puisé au hasard les paroles dans un sac.

Le plus curieux est que les malades ne s'apercevaient pas de leur infirmité[4], qu'ils restaient d'ailleurs sains d'esprit[5], tout en tenant des propos en apparence incohérents[6], que, même au plus fort du fléau[7], les conversations mondaines[8] allaient bon train[9], bref, que le seul organe atteint était : le « vocabulaire ».

Ce fait historique – hélas, contesté par quelques savants – appelle les remarques suivantes :

que nous parlons souvent pour ne rien dire,

que si, par chance, nous avons quelque chose à dire, nous pouvons le dire de mille façons différentes,

que les prétendus• fous ne sont appelés tels que parce que l'on ne comprend pas leur langage,

que dans le commerce[10] des humains, bien souvent les mouvements du corps, les intonations[11] de la voix et l'expression du visage en disent plus long que les paroles,

et aussi que les mots n'ont, par eux-mêmes, d'autres sens que ceux qu'il nous plaît de leur attribuer[12].

Car enfin, si nous décidons ensemble que le cri du chien sera nommé hennissement et aboiement celui du cheval, demain nous entendrons tous les chiens hennir et tous les chevaux aboyer.

C'est à l'habileté• des comédiens que nous remettons le soin• de nous prouver ces quelques vérités, du reste bien connues, dans la petite scène que voici :

Le Récitant se retire. Le rideau s'ouvre. La scène représente un salon plus 1900 que nature[13] : des plantes vertes, des draperies•, des panoplies[14], un piano à queue, etc. Au lever du rideau, Madame est seule. Elle est assise sur un « sopha[15] » et lit un livre. On sonne au loin.

LA BONNE, *entrant.* – Madame, c'est Madame de Perleminouze.
MADAME. – Ah ! Quelle grappe ! Faites-la vite grossir !

La Bonne sort. Madame, en attendant la visiteuse, se met au piano et joue. Il en sort un tout petit air de boîte à musique. Retour de la Bonne, suivie de Madame de Perleminouze.

LA BONNE, *annonçant.* – Madame la comtesse de Perleminouze !

1. acteur chargé de réciter un texte explicatif avant le début de la pièce
2. maladie qui touche en même temps et au même endroit de nombreuses personnes
3. les gens riches
4. maladie
5. mentalement équilibrés et dotés d'intelligence
6. illogiques
7. de la calamité, de la catastrophe, du désastre
8. de la haute société
9. suivaient leur cours
10. les relations
11. le ton employé pour parler
12. donner
13. que dans la réalité
14. ensemble d'armes présentées sur des panneaux
15. canapé

Jean Béraud,
La Réception
(H. Josse/S.P.A.D.E.M.,
1987)

MADAME, *fermant le piano et allant au-devant de son amie.* –
Chère, très chère peluche ! Depuis combien de trous, depuis
combien de galets n'avais-je pas eu le mitron de vous sucrer !

MADAME DE PERLEMINOUZE, *très affectée[16].* – Hélas ! Chère !

45   j'étais moi-même très, très vitreuse ! Mes trois plus jeunes tour-
teaux ont eu la citronnade, l'un après l'autre. Pendant tout le
début du corsaire, je n'ai fait que nicher des moulins, courir chez
le ludion ou chez le tabouret, j'ai passé des puits à surveiller leur
carbure, à leur donner des pinces et des moussons. Bref, je n'ai

50   pas eu une minette à moi.

MADAME. – Pauvre chère ! Et moi qui ne me grattais de rien !

MADAME DE PERLEMINOUZE. – Tant mieux ! Je m'en recuis !
Vous avez bien mérité de vous tartiner, après les gommes que
vous avez brûlées ! Poussez donc : depuis le mou de Crapaud

55   jusqu'à la mi-Brioche, on ne vous a vue ni au « Water-proof », ni
sous les alpagas du bois de Migraine ! Il fallait que vous fussiez
vraiment gargarisée !

MADAME, *soupirant.* – Il est vrai !... Ah ! Quelle céruse ! Je ne
puis y mouiller sans gravir.

60   MADAME DE PERLEMINOUZE, *confidentiellement[17].* – Alors, toujours pas de pralines ?

MADAME. – Aucune.

16. très maniérée

17. à voix basse, en secret

MADAME DE PERLEMINOUZE. – Pas même un grain de riflard?

MADAME. – Pas un ! Il n'a jamais daigné me repiquer, depuis le
65 flot où il m'a zébrée !

MADAME DE PERLEMINOUZE. – Quel ronfleur ! Mais il fallait lui
racler des flammèches !

MADAME. – C'est ce que j'ai fait. Je lui en ai raclé quatre, cinq,
six peut-être en quelques mous : jamais il n'a ramoné.

70 MADAME DE PERLEMINOUZE. – Pauvre chère petite tisane !...
Rêveuse et tentatrice. Si j'étais vous, je prendrais un autre lam-
pion !

MADAME. – Impossible ! On voit que vous ne le coulissez pas ! Il
a sur moi un terrible foulard ! Je suis sa mouche, sa mitaine, sa
75 sarcelle; il est mon rotin, mon sifflet; sans lui je ne peux ni coin-
cer ni glapir; jamais je ne le bouclerai ! *Changeant de ton.* Mais
j'y touille, vous flotterez bien quelque chose; une cloque de zou-
lou, deux doigts de loto?

MADAME DE PERLEMINOUZE, *acceptant.* – Merci, avec grand
80 soleil.

MADAME. *Elle sonne, sonne en vain[18]; se lève et appelle.* – Irma !...
Irma, voyons ! Oh cette biche ! Elle est courbe comme un tronc...
Excusez-moi, il faut que j'aille à la basoche, masquer cette pan-
toufle. Je radoube dans une minette.

18. sans résultat, inutilement

Jean TARDIEU, *Théâtre de Chambre* (Coll. « N.R.F. », Gallimard)

comprendre pour mieux jouer

1. Le préambule

a/ Sa signification théâtrale. Fait-il partie de la pièce? A quoi sert-il? Pourquoi le rideau est-il fermé? Jusqu'à quel moment?

b/ Son porte-parole. Quel est le rôle du récitant ? Est-il un comédien comme les autres ? Interviendra-t-il dans la pièce ?

c/ Son message. Que précise-t-il à propos : des circonstances? (lieux, époque, etc.) des personnages? de l'histoire? du jeu des comédiens? Ces précisions sont-elles importantes? Que pensez-vous de ce qui se passe à la fin du préambule?

2. La pièce

a/ La « technique » théâtrale

— Quel est le but des indications scéniques au début de ce texte dialogué? lors du dialogue entre les personnages?

— Repérez la façon dont on présente un dialogue théâtral par écrit. Où place-t-on le nom des personnages? Dans quels caractères sont-ils?

b/ Les idées

— Quel rôle chacun des personnages joue-t-il?

— Pouvez-vous deviner le sens du dialogue grâce au contexte, à la construction des phrases, à la sono-rité des mots (ex. : « une minette »), aux intonations de la voix, aux indications scéniques?

Proposez une traduction des différentes répliques.

— En comparant ces deux dialogues, pouvez-vous dire quels sont les mots transformés? Le sont-ils tous? Comment sont-ils choisis? (Comparez-les avec les termes du dialogue non modifié.) La grammaire et la ponctuation sont-elles respectées?

— Le récitant, dans le préambule, dit « que nous parlons souvent pour ne rien dire ». La conversation, retraduite par vos soins, en est-elle une illustration?

3. L'humour

a/ En quoi le décalage entre le jeu des acteurs et le texte qu'ils interprètent est-il drôle?

b/ Relevez des passages du texte que vous trouvez particulièrement humoristiques.

s'exprimer

1. Un spectateur, arrivé en retard au théâtre, n'a pas entendu les explications du récitant lors du préambule. Imaginez sa réaction à l'écoute de cette conversation pour le moins inhabituelle.

2. A la manière de J. Tardieu, écrivez un petit texte dans lequel les différents mots clés n'auront pas leur sens habituel.

Comme c'est curieux

Eugène Ionesco, auteur de théâtre contemporain a confié à l'un de ses biographes : « Il y a déjà quelques années, j'eus l'idée un beau jour, de mettre, l'une à la suite de l'autre, les phrases les plus banales, faites des mots les plus vides de sens [...] que j'ai pu trouver dans mon propre vocabulaire, dans celui de mes amis ou, d'une manière plus réduite, dans des manuels de conversation étrangère ». De cette idée naquit une pièce : *La Cantatrice chauve*. On y voit, à la scène 4, deux personnages, un homme et une femme, face à face, qui attendent d'être reçus par leurs hôtes...

Mme et M. Martin s'assoient l'un en face de l'autre, sans se parler. Ils se sourient, avec timidité.

M. MARTIN. *Le dialogue qui suit doit être dit d'une voix traînante, monotone, un peu chantante, nullement nuancée[1].* – Mes excuses,
5   madame, mais il me semble, si je ne me trompe, que je vous ai déjà rencontrée quelque part.

Mme MARTIN. – A moi aussi, monsieur, il me semble que je vous ai déjà rencontré quelque part.

M. MARTIN. – Ne vous aurais-je pas déjà aperçue, madame, à
10   Manchester, par hasard?

Mme MARTIN. – C'est très possible. Moi, je suis originaire de la ville de Manchester ! Mais je ne me souviens pas très bien, monsieur, je ne pourrais pas dire si je vous y ai aperçu, ou non !

M. MARTIN. – Mon Dieu, comme c'est curieux ! Moi aussi je suis
15   originaire de la ville de Manchester, madame !

Mme MARTIN. – Comme c'est curieux !

M. MARTIN. – Comme c'est curieux !... Seulement, moi madame, j'ai quitté la ville de Manchester, il y a cinq semaines, environ.

Mme MARTIN. – Comme c'est curieux ! quelle bizarre coïnci-
20   dence[2] ! Moi aussi, monsieur, j'ai quitté la ville de Manchester, il y a cinq semaines, environ.

M. MARTIN. – J'ai pris le train d'une demie après huit le matin, qui arrive à Londres à un quart avant cinq, madame.

Mme MARTIN. – Comme c'est curieux ! comme c'est bizarre ! et
25   quelle coïncidence ! J'ai pris le même train, monsieur, moi aussi !

M. MARTIN. – Mon Dieu, comme c'est curieux ! peut-être bien alors, madame, que je vous ai vue dans le train?

Mme MARTIN. – C'est bien possible, ce n'est pas exclu, c'est plausible[3] et, après tout, pourquoi pas !... Mais je n'en ai aucun
30   souvenir, monsieur !

M. MARTIN. – Je voyageais en deuxième classe, madame. Il n'y a pas de deuxième classe en Angleterre, mais je voyage quand même en deuxième classe.

1. sans nuance, sans expression

2. hasard

3. possible

Mmé MARTIN. – Comme c'est bizarre, que c'est curieux, et quelle
coïncidence ! moi aussi, monsieur, je voyageais en deuxième
classe !

M. MARTIN. – Comme c'est curieux ! Nous nous sommes peut-
être bien rencontrés en deuxième classe, chère madame !

Mme MARTIN. – La chose est bien possible et ce n'est pas du tout
exclu. Mais je ne m'en souviens pas très bien, cher monsieur !

M. MARTIN. – Ma place était dans le wagon n° 8, sixième compartiment, madame !

Mme MARTIN. – Comme c'est curieux ! ma place aussi était dans
le wagon n° 8, sixième compartiment, cher monsieur !

M. MARTIN. – Comme c'est curieux et quelle coïncidence bizarre ! Peut-être nous sommes-nous rencontrés dans le sixième compartiment, chère madame?

Mme MARTIN. – C'est bien possible, après tout ! Mais je ne m'en
souviens pas, cher monsieur !

M. MARTIN. – A vrai dire, chère madame, moi non plus je ne
m'en souviens pas, mais il est possible que nous nous soyons
aperçus là, et, si j'y pense bien, la chose me semble même très
possible !

Mme MARTIN. – Oh ! vraiment, bien sûr, vraiment, monsieur !

M. MARTIN. – Comme c'est curieux !... J'avais la place n° 3, près
de la fenêtre, chère madame.

Mme MARTIN. – Oh, mon Dieu, comme c'est curieux et comme
c'est bizarre, j'avais la place n° 6, près de la fenêtre, en face de
vous, cher monsieur.

M. MARTIN. – Oh, mon Dieu, comme c'est curieux et quelle
coïncidence !... Nous étions donc vis-à-vis, chère madame ! C'est
là que nous avons dû nous voir !

Mme MARTIN. – Comme c'est curieux ! C'est possible mais je ne
m'en souviens pas, monsieur !

M. MARTIN. – A vrai dire, chère madame, moi non plus je ne
m'en souviens pas. Cependant, il est très possible que nous nous
soyons vus à cette occasion.

Mme MARTIN. – C'est vrai, mais je n'en suis pas sûre du tout,
monsieur.

M. MARTIN. – Ce n'était pas vous, chère madame, la dame qui
m'avait prié de mettre sa valise dans le filet et qui ensuite m'a
remercié et m'a permis de fumer?

Mme MARTIN. – Mais si, ça devait être moi, monsieur ! Comme
c'est curieux, comme c'est curieux, et quelle coïncidence !

M. MARTIN. – Comme c'est curieux, comme c'est bizarre, quelle
coïncidence ! Eh bien alors, alors nous nous sommes peut-être
connus à ce moment-là, madame?

Mme MARTIN. – Comme c'est curieux et quelle coïncidence ! c'est
bien possible, cher monsieur ! Cependant, je ne crois pas m'en
souvenir.

M. MARTIN. – Moi non plus, madame.

Un moment de silence. La pendule sonne 2-1.

M. MARTIN. – Depuis que je suis arrivé à Londres, j'habite rue Bromfield, chère madame.

Mme MARTIN. – Comme c'est curieux, comme c'est bizarre ! moi aussi, depuis mon arrivée à Londres j'habite rue Bromfield, cher monsieur.

M. MARTIN. – Comme c'est curieux, mais alors, mais alors, nous nous sommes peut-être rencontrés rue Bromfield, chère madame.

Mme MARTIN. – Comme c'est curieux; comme c'est bizarre ! c'est bien possible, après tout ! Mais je ne m'en souviens pas, cher monsieur.

M. MARTIN. – Je demeure au n° 19, chère madame.

Mme MARTIN. – Comme c'est curieux, moi aussi j'habite au n° 19, cher monsieur.

M. MARTIN. – Mais alors, mais alors, mais alors, mais alors, mais alors, nous nous sommes peut-être vus dans cette maison, chère madame?

Mme MARTIN. – C'est bien possible, mais je ne m'en souviens pas, cher monsieur.

M. MARTIN. – Mon appartement est au cinquième étage, c'est le n° 8, chère madame.

Mme MARTIN. – Comme c'est curieux, mon Dieu, comme c'est bizarre ! et quelle coïncidence ! moi aussi j'habite au cinquième étage, dans l'appartement n° 8, cher monsieur !

M. MARTIN, *songeur*. – Comme c'est curieux, comme c'est curieux, comme c'est curieux et quelle coïncidence ! vous savez, dans ma chambre à coucher j'ai un lit. Mon lit est couvert d'un édredon vert. Cette chambre, avec ce lit et son édredon vert, se trouve au fond du corridor, entre les waters et la bibliothèque, chère madame !

Mme MARTIN. – Quelle coïncidence, ah mon Dieu, quelle coïncidence ! Ma chambre à coucher a, elle aussi, un lit avec un édredon vert et se trouve au fond du corridor, entre les waters, cher monsieur, et la bibliothèque !

M. MARTIN. – Comme c'est bizarre, curieux, étrange ! alors, Madame, nous habitons dans la même chambre et nous dormons dans le même lit, chère madame. C'est peut-être là que nous nous sommes rencontrés !

Mme MARTIN. – Comme c'est curieux et quelle coïncidence ! C'est bien possible que nous nous y soyons rencontrés, et peut-être même la nuit dernière. Mais je ne m'en souviens pas, cher monsieur !

M. MARTIN. – J'ai une petite fille, ma petite fille, elle habite avec moi, chère madame. Elle a deux ans, elle est blonde, elle a un œil blanc et un œil rouge, elle est très jolie, elle s'appelle Alice, chère madame.

Mme MARTIN. – Quelle bizarre coïncidence ! moi aussi j'ai une petite fille, elle a deux ans, un œil blanc et un œil rouge, elle est
130 très jolie et s'appelle aussi Alice, cher monsieur !

M. MARTIN, *même voix traînante, monotone.* – Comme c'est curieux et quelle coïncidence ! et bizarre ! c'est peut-être la même, chère madame !

Mme MARTIN. – Comme c'est curieux ! c'est bien possible, cher
135 monsieur.

Un assez long moment de silence... La pendule sonne vingt-neuf fois.

M. MARTIN, *après avoir longuement réfléchi, se lève lentement et, sans se presser, se dirige vers Mme Martin qui, surprise par l'air*
140 *solennel[4] de M. Martin, s'est levée, elle aussi, tout doucement;*   4. grave
M. Martin a la même voix rare, monotone, vaguement chantante. – Alors, chère madame, je crois qu'il n'y a pas de doute, nous nous sommes déjà vus et vous êtes ma propre épouse... Élisabeth, je t'ai retrouvée !

145 Mme MARTIN, *s'approche de M. Martin sans se presser. Ils s'embrassent sans expression. La pendule sonne une fois, très fort. Le coup de la pendule doit être si fort qu'il doit faire sursauter les spectateurs. Les époux Martin ne l'entendent pas.*

Mme MARTIN. – Donald, c'est toi, darling !

150 *Ils s'assoient dans le même fauteuil, se tiennent embrassés et s'endorment. La pendule sonne encore plusieurs fois.*

Eugène IONESCO, *La Cantatrice chauve* (Coll. « N.R.F. », Gallimard)

s'exprimer

1. Imaginez les accessoires – la pendule, le mobilier, les vêtements des Martin, etc. – nécessaires pour jouer cette scène.

2. Ionesco nous raconte comment il a imaginé cette scène : « Le dialogue des Martin était tout simplement un jeu. Je l'avais inventé avec ma femme un jour dans le métro. Nous étions séparés par la foule. Elle était montée par une porte et moi par une autre et au bout de deux ou trois stations, les passagers commençant à descendre et le wagon à se vider, ma femme, qui a beaucoup d'humour, est venue vers moi et m'a dit : « Monsieur il me semble que je vous ai rencontré quelque part ! » J'ai accepté le jeu et nous avons ainsi presque inventé la scène. Les gens étonnés, nous examinaient tant que nous avons dû descendre du métro en riant beaucoup. »

(Cité par Simone BENMUSSA dans *Ionesco*, coll. « Théâtre de tous les temps », Seghers)

À votre tour, inventez un sketch entre deux personnes, dont vous-même, qui font semblant de ne pas se reconnaître.

le comique

Lorsqu'une pièce de théâtre nous fait rire, nous disons qu'elle est **comique**. Mais il y a bien des façons de rire et de faire rire.

les différents comiques

On distingue différentes sortes de **comique**, selon les procédés employés pour faire rire les spectateurs :

1. Le comique de gestes

Il est produit par les gestes des personnages et par leurs mouvements sur la scène.

■ *Quelles sont les deux scènes de théâtre reproduites dans ce chapitre qui recourent le plus au **comique de gestes** ? Relevez dans ces deux scènes tous les gestes qui vous font rire, et essayez de dire pourquoi.*

■ *On appelle **farce** une pièce de théâtre populaire, dont le comique repose principalement sur les gestes et les jeux de scène. Quelle scène de ce chapitre appartient à ce genre théâtral ? Connaissez-vous d'autres farces ?*

2. Le comique de mots

Il est produit par les paroles que prononcent les personnages.

■ *Quelle est la scène reproduite dans ce chapitre qui repose principalement sur le **comique de mots** ?*

L'effet comique peut tenir à :
— l'intonation ;

■ *Relevez dans **Les Fourberies de Scapin** un passage où le valet imite un accent qui n'est pas le sien.*

— la répétition ;

■ *Relevez dans **La farce du cuvier** et **Comme c'est curieux !** des phrases ou expressions répétées plusieurs fois.*

— l'exagération.

■ *Relevez dans les propos de Scapin des **exagérations** destinées à faire peur à Géronte et à faire rire les spectateurs.*

■ *On reconnaît dans **Un mot pour un autre** une tendance à l'exagération dans l'expression de l'affection, de la plainte ou du mépris, caractéristique de la conversation mondaine. Relevez-en quelques exemples, et essayez de trouver leurs équivalents en langage « normal ».*

3. Le comique de situation

Il résulte de la situation où se trouvent les personnages, sans qu'ils le sachent nécessairement.

■ *Quelle est la scène reproduite dans ce chapitre, dont le comique repose principalement sur la situation des personnages ? Qu'est-ce que cette situation a d'extraordinaire ?*

■ *En quoi la situation devient-elle comique à la fin des **Fourberies de Scapin**, aux lignes 89-90 ?*

On distingue encore, selon ce que révèlent ces procédés :

4. Le comique de caractère

Lorsque ces procédés révèlent un trait de caractère (le plus souvent un défaut ridicule).

■ *Quels traits de caractère révèlent l'attitude de Géronte à la ligne 6 (p. 245), et sa « promesse », à la ligne 17 ?*

■ *Quel trait de caractère les paroles d'Anne révèlent-elles aux lignes 1 à 7 de **La Farce du cuvier** ? Son attitude est-elle la même aux lignes 81-83 ?*

le comique

5. Le comique de mœurs

Lorsque ces procédés révèlent une habitude propre à une certaine époque ou à une certaine catégorie sociale (on parle alors aussi de comique **satirique**).

■ *À quel milieu social appartiennent les deux protagonistes d'*Un mot pour un autre*? Quels semblent être leurs principaux sujets de conversation? Sur quel ton s'adressent-elles l'une à l'autre? Comment parlent-elles de la bonne?*

■ *Quelle image du mariage la conversation des Martin nous donne-t-elle dans* Comme c'est curieux*?*

6. L'absurde

Lorsque ces procédés évoquent un univers ou une existence dénués de sens ou de logique.

■ *Relevez dans* Comme c'est curieux *des phrases ou des indications scéniques qui contredisent la logique.*

applications

■ *Cherchez le plus grand nombre d'adjectifs qualificatifs synonymes de* comique*. Essayez de préciser la nuance que chacun comporte.*

■ *Rédigez un bref dialogue où vous emploierez les procédés habituels du* comique de mots *(exagérations, répétitions, jeux de mots, mélange des niveaux de langue...).*

■ *Inventez le scénario d'un film, en plaçant les personnages dans une situation comique (par exemple: deux ennemis obligés de cohabiter, un personnage qui obtient toujours le résultat contraire à ce qu'il voulait...).*

■ *Décrivez le numéro d'un clown, en insistant sur ses gestes et sur ses mimiques.*

9/Tout feu, tout flamme

Au feu !

Feu, feu, feu du foyer d'en bas[1], feu du foyer d'en haut[2],
Lumière qui brille dans la lune, lumière qui brille dans le
soleil
Étoile qui étincelle la nuit, étoile qui fend la lumière,
5   étoile filante.

Esprit du tonnerre, œil brillant de la tempête,
Feu du soleil qui nous donne la lumière,
Je t'appelle pour l'expiation[3], feu, feu !

Feu qui passe, et tout meurt derrière tes traces,
10 Feu qui passe, et tout vit derrière toi.
Les arbres sont brûlés, cendres et cendres,
Les herbes ont grandi, les herbes ont fructifié[4].

Feu ami des hommes, je t'appelle, feu, pour l'expiation !
Feu, je t'appelle, feu protecteur du foyer,
15 Tu passes, ils sont vaincus, nul ne te surpasse,
Feu du foyer, je t'appelle pour l'expiation !

Gabon, Fang, Anthologie nègre (Trad. Blaise Cendrars)

1. celui de la terre, celui du foyer domestique
2. celui du ciel, celui des astres
3. châtiment destiné à purifier l'homme de ses fautes
4. ont porté fruit, ont produit une récolte

Le feu

Le feu fait un classement : d'abord toutes les flammes se
dirigent en quelque sens...

(L'on ne peut comparer la marche du feu qu'à celle des
animaux : il faut qu'il quitte un endroit pour en occuper un
5 autre ; il marche à la fois comme une amibe[1] et comme une
girafe, bondit du col[2], rampe du pied)...

Puis, tandis que les masses contaminées[3] avec méthode
s'écroulent, les gaz qui s'échappent sont transformés à mesure
en une seule rampe de papillons.

Francis PONGE, Le Parti-Pris des choses.

1. animal fait d'une seule cellule, qui se déplace à l'aide d'un pseudopode
2. cou
3. la progression du feu est comparée à celle d'une maladie

Le dizain[1] de neige

Anne, par jeu, me jeta de la neige,
Que je cuidais[2] froide certainement ;
Mais c'était feu ; l'expérience en ai-je[3] ;
Car embrasé je fus[4] soudainement.
5   Puisque le feu loge secrètement
Dedans la neige, où trouverai-je place
Pour n'ardre point[5] ? Anne, ta seule grâce[6]
Éteindre peut[7] le feu que je sens[8] bien,
Non point par eau, par neige, ni par glace,
10 Mais par sentir[9] un feu pareil au mien.

Clément MAROT.

1. pièce faite de dix vers
2. croyais
3. j'en ai l'expérience
4. je fus enflammé par la passion
5. pour ne pas brûler
6. seule ta bonne grâce, ta bonté
7. peut éteindre
8. ressens
9. en ressentant

Pour vivre ici

Je fis un feu, l'azur m'ayant abandonné,
Un feu pour être son ami,
Un feu pour m'introduire dans la nuit d'hiver,
Un feu pour vivre mieux.

5   Je lui donnai ce que le jour m'avait donné :
Les forêts, les buissons, les champs de blé, les vignes,
Les nids et leurs oiseaux, les maisons et leurs clés,
Les insectes, les fleurs, les fourrures, les fêtes.

10 Je vécus au seul bruit des flammes crépitantes,
Au seul parfum de leur chaleur ;
J'étais comme un bateau coulant dans l'eau fermée,
Comme un mort je n'avais qu'un unique élément.

Paul ÉLUARD, *Le Livre ouvert* (Gallimard)

La mort du feu

Dans son livre *La Guerre du Feu,* l'auteur nous entraîne en un « voyage dans la très lointaine préhistoire, aux temps où l'homme ne traçait encore aucune figure sur la pierre ni sur la corne, il y a peut-être cent mille ans ».

Il met en scène avant tout le feu, élément indispensable à la survie des hommes préhistoriques.

Les Oulhamr[1] fuyaient dans la nuit épouvantable. Fous de souffrance et de fatigue, tout leur semblait vain[2] devant la calamité[3] suprême[4] : le Feu était mort. Ils l'élevaient dans trois cages, depuis l'origine de la horde[5] ; quatre femmes et deux guerriers le nourrissaient nuit et jour.

Dans les temps les plus noirs[6], il recevait la substance[7] qui le fait vivre ; à l'abri de la pluie, des tempêtes, de l'inondation, il avait franchi les fleuves et les marécages, sans cesser de bleuir au matin et de s'ensanglanter le soir. Sa face puissante éloignait le lion noir et le lion jaune, l'ours des cavernes et l'ours gris, le mammouth, le tigre et le léopard ; ses dents rouges protégeaient l'homme contre le vaste monde. Toute joie habitait près de lui. Il tirait des viandes une odeur savoureuse, durcissait la pointe des épieux[8], faisait éclater la pierre dure ; les membres lui soutiraient[9] une douceur pleine de force ; il rassurait la horde dans les forêts tremblantes, sur la savane[10] interminable, au fond des cavernes. C'était le Père, le Gardien, le Sauveur, plus farouche cependant, plus terrible que les mammouths, lorsqu'il fuyait de la cage et dévorait les arbres.

Il était mort ! L'ennemi avait détruit deux cages ; dans la troisième, pendant la fuite, on l'avait vu défaillir[11], pâlir et décroître[12]. Si faible, il ne pouvait mordre aux herbes du marécage ; il palpitait[13] comme une bête malade. A la fin, ce fut un insecte rougeâtre, que le vent meurtrissait[14] à chaque souffle... Il s'était évanoui... Et les Oulhamr fuyaient dépouillés, dans la nuit d'automne.

J.-H. ROSNY aîné, *La Guerre du Feu* (Robert Borel-Rosny)

1. nom imaginaire d'une tribu d'hommes préhistoriques
2. inutile
3. catastrophe, désastre
4. extrême
5. tribu errante

6. en hiver
7. aliment (ici, le bois)

8. bâtons allongés terminés par un fer plat, large et pointu
9. tiraient, prenaient
10. vaste prairie herbeuse, à la faible végétation

11. s'affaiblir
12. décliner, perdre de l'importance
13. était agité de contractions, de frémissements
14. blessait

rassemblons nos idées

1. Le feu

a/ Où était-il conservé ? Depuis combien de temps ?

b/ Qui s'en occupait ? Comment ?

c/ De quelles difficultés avait-il triomphé pour rester vivant jusqu'alors ?

d/ Relevez tous les mots (verbes, noms ou pronoms) qui le personnifient.

2. Ses pouvoirs

a/ Ses bienfaits
— Quels étaient ses différents pouvoirs ? Sont-ils tous de même nature ?
— Par quelle triple apposition les bienfaits du feu sont-ils repris par Rosny ?

b/ Ses méfaits
— Quel était en fait son seul aspect négatif pour la vie des hommes ?
— Était-ce alors un grand danger pour eux ?

3. Sa mort

a/ A la suite de quel événement est-elle intervenue ?

b/ Quelles ont été les deux étapes nécessaires à sa mort ?

c/ Dans la seconde, par quels mots ou expressions Rosny insiste-t-il sur sa présentation *métaphorique* de la mort du feu ?

d/ Relevez les noms et les adjectifs qui précisent l'état d'âme des Oulhamr, après sa disparition.

vocabulaire

Relevez les mots ou expressions qui ont trait à la préhistoire, époque à laquelle se déroule cet événement.

lire

1. ... ou relire le texte de Rosny reproduit dans *Au plaisir des Mots 6ᵉ* (page 208) qui raconte comment l'un des Oulhamr parvint à reprendre le feu à une horde ennemie...
2. *Ayla, l'enfant de la terre* de J.-M. Auel.

voir

l'adaptation cinématographique de *La Guerre du Feu* par Jean-Jacques Annaud (en 1980).

la petite phrase

> « L'homme est le seul animal qui fasse du feu, ce qui lui a donné l'empire du monde. »
> RIVAROL

Habitants des cavernes pendant la période glaciaire (esquisse du Pr Klaatsch, dessin de W. Kranz/photo H. Josse)

Histoire de Prométhée

Dans de nombreuses civilisations, la légende veut que la conquête du feu ait été l'objet d'une lutte entre les dieux et les hommes. La mythologie grecque raconte comment le Titan Prométhée, qui avait créé les hommes, dut ruser avec Zeus, pour leur conserver l'usage du feu, source de toute industrie...

Longtemps, les hommes ne surent que faire de leur âme, don de Pallas Athéna! Ils vivaient comme de petits enfants. Ils voyaient mais ne reconnaissaient pas, ils entendaient mais ne comprenaient pas, ils marchaient sur terre comme dans un rêve.

5 Ils ne savaient ni cuire des briques, ni couper du bois, ni construire des maisons. Semblables à des fourmis, ils grouillaient• sur la terre et sous la terre, dans les recoins sombres des grottes. Ils ne savaient même pas que l'été succédait au printemps et que l'automne suivait l'été.

10 Prométhée descendit alors parmi les hommes et leur apprit à élever des maisons, à lire, à écrire, à compter et à comprendre la nature. Il leur montra comment atteler des animaux à des charrettes pour ne pas avoir à porter sur leurs dos de lourds fardeaux. Il leur enseigna l'art de construire des bateaux, leur

15 expliquant comment les voiles aidaient le rameur dans sa tâche. Il les conduisit dans les profondeurs de la terre, à la recherche des trésors cachés. Le dur travail des mineurs arracha aux entrailles[2] du sol le fer, le cuivre, l'argent et l'or.

Avant cette époque, les hommes ne connaissaient pas la

20 médecine, ils ne pouvaient discerner[3] ce qui leur faisait du bien de ce qui leur faisait du mal ; aussi Prométhée leur montra comment préparer des onguents• et des médicaments. Il enseigna tous les arts aux hommes stupéfaits et ils les apprirent tous avec avidité•.

Les dieux, assemblés sur le mont sacré de l'Olympe, jetaient

25 des regards soupçonneux sur cette génération d'hommes sur la terre qui, grâce à Prométhée, avaient appris le travail, les sciences et les arts. Zeus, dieu souverain, fronçait les sourcils chaque jour davantage. Il appela Prométhée et lui dit :

« Tu as appris aux hommes à travailler et à penser, mais tu ne

30 leur as pas assez appris à vénérer• les dieux, ni à leur offrir des sacrifices, ni à les adorer. Tu dois savoir que c'est des dieux que dépendent la fertilité• du sol, la prospérité• ou le malheur des hommes. Les dieux décident de leur destin. Moi-même, j'envoie ma foudre quand je le veux. Retourne chez les hommes, et

35 dis-leur de nous offrir des sacrifices, sinon notre courroux[4] s'abattra sur eux. »

« Les hommes vont offrir des sacrifices aux dieux », répondit

1. déesse de la sagesse et de l'intelligence

2. ventre : ici le sous-sol

3. distinguer

4. colère

alors Prométhée, « mais il faut que tu viennes toi-même, ô Zeus, choisir ce qu'ils doivent sacrifier. »

40   Prométhée tua un taureau, cacha la chair dans le cuir du taureau et disposa les entrailles par-dessus. Il fit un autre tas avec les os, mais les recouvrit avec la graisse de telle sorte qu'ils étaient invisibles. Le tas d'os recouvert de graisse était plus gros et plus appétissant. Dès que tout fut prêt, Zeus sentit l'odeur délicieuse

45   du sacrifice préparé et descendit sur terre.

5. viscères

    Prométhée vit Zeus et s'exclama :

    « O grand Zeus, choisis la part que tu préfères. Celle que toi, roi des dieux, auras choisie sera celle que les mortels continueront à te sacrifier. »

50   Zeus comprit bien que Prométhée cherchait à le tromper. Pourtant il ne montra pas sa colère, mais choisit délibérément le tas luisant de graisse. Alors, tout souriant, Prométhée s'approcha, écarta la graisse : les os dénudés apparurent. Par contre, lorsqu'il ôta le cuir du taureau de l'autre tas, la chair fraîche

55   apparut, dégageant son agréable odeur. Depuis ce jour, les hommes sacrifièrent aux dieux la graisse et les os et gardèrent la chair pour eux.

    Mais Zeus ne laissa pas impuni cet acte effronté : il décida de priver les hommes du feu, et, si la meilleure part – la chair – leur

60   était réservée, ils devaient dorénavant la manger crue.

    Zeus ordonna immédiatement aux nuages d'éteindre tous les feux avec leur pluie. Quant au vent sauvage, il devait disperser la cendre chaude et l'éparpiller dans la mer. Ainsi les hommes perdirent le feu, indispensable au travail et à la vie : ils ne

65   pouvaient même plus cuire leur pain. Les forges furent abandonnées et les ateliers se vidèrent. Lorsque les journées étaient froides et qu'il gelait la nuit, les hommes ne trouvaient nulle part à se réchauffer.

    Prométhée vit quel désastre s'était abattu sur eux ; il les prit en

70   pitié et ne les abandonna pas. Sachant que dans le palais de Zeus brillait jour et nuit un feu étincelant, il rampa la nuit jusqu'en haut de l'Olympe vers le palais sacré du dieu suprême. Sans être vu, tout doucement, il prit un peu du feu qui brillait dans la cheminée de Zeus et le cacha dans un bâton creux. Puis, tout

75   joyeux, il s'en retourna chez les hommes avec son précieux larcin.

6. objet volé

    Les flammes s'élevèrent à nouveau dans les maisons et les ateliers, et l'odeur de plats cuits et de viandes grillées monta dans les cieux, jusqu'aux narines des dieux. Zeus abaissa ses regards vers la terre et vit la fumée s'élevant des cheminées. Il fut pris de

80   la terrible colère des dieux et immédiatement imagina un nouveau châtiment.

Éduard PETISKA, *Mythes et Légendes de la Grèce antique*
(traduction Gründ)

Rêverie devant l'âtre

Le philosophe Gaston Bachelard (1884-1962) nous livre ici les réflexions que lui inspire la rêverie devant un feu de cheminée, puis des souvenirs d'enfance, qui remontent au temps où l'on faisait tout cuire dans l'âtre…

« C'est devenu une banalité de dire qu'on aime le feu de bois dans la cheminée. Il s'agit alors du feu calme, régulier, maîtrisé, où la grosse bûche brûle à petites flammes. C'est un phénomène monotone et brillant, vraiment total : il parle et vole, il chante.

5 Le feu enfermé dans le foyer fut sans doute pour l'homme le premier sujet de rêverie, l'invitation au repos. Aussi, d'après nous, manquer à la rêverie devant le feu, c'est perdre l'usage vraiment humain et premier du feu. Sans doute le feu réchauffe et réconforte. Mais on ne prend bien conscience de ce réconfort
10 que dans une assez longue contemplation ; on ne reçoit le bien-être du feu que si l'on met les coudes aux genoux et la tête dans les mains. Cette attitude vient de loin. L'enfant près du feu la prend naturellement. Elle n'est pas pour rien l'attitude du Penseur[1]. Elle détermine une attention très particulière, qui n'a rien
15 de commun avec l'attention du guet ou de l'observation. Elle est très rarement utilisée pour une autre contemplation. Près du feu, il faut s'asseoir ; il faut se reposer sans dormir ; il faut accepter la rêverie [...]

Aux dents de la crémaillère[2] pendait le chaudron noir. La
20 marmite sur trois pieds s'avançait dans la cendre chaude. Soufflant à grosses joues dans le tuyau d'acier[3], ma grand-mère rallumait les flammes endormies. Tout cuisait à la fois, les pommes de terre pour les cochons, les pommes de terre plus fines pour la famille. Pour moi, un œuf frais cuisait sous la cendre. Le
25 feu ne se mesure pas au sablier[4] : l'œuf était cuit quand une goutte d'eau, souvent une goutte de salive s'évaporait sur la coquille. Je fus bien surpris quand je lus dernièrement que Denis Papin[5] surveillait sa marmite en employant le procédé de ma grand-mère. Avant l'œuf, j'étais condamné à la panade[6]. Un jour,
30 enfant coléreux, et pressé, je jetai à pleine louchée ma soupe aux dents de la crémaillère : « mange, cramaille, mange cramaille ! ». Mais les jours de ma gentillesse, on apportait le gaufrier[7]. Il écrasait de son rectangle le feu d'épines, rouge comme le dard[8] des glaïeuls. Et déjà la gaufre était dans mon tablier, plus chaude
35 aux doigts qu'aux lèvres. Alors oui, je mangeais du feu, je mangeais son or, son odeur et jusqu'à son pétillement tandis que la gaufre brûlante craquait sous mes dents. Et c'est toujours ainsi, par une sorte de plaisir de luxe, comme dessert, que le feu prouve son humanité. Il ne se borne pas à cuire, il croustille. Il
40 dore la galette. Il matérialise[9] la fête des hommes ».

Gaston BACHELARD, *La Psychanalyse du feu* (Gallimard)

Rodin, Le Penseur (Edimédia)

1. allusion à une célèbre statue de Rodin, qui représente un homme assis dans une attitude voisine de celle décrite ici par Bachelard (cf. illustration)

2. tige de fer munie de crans qui permettent de suspendre un récipient à diverses hauteurs au-dessus du feu
3. il s'agit d'un soufflet à bouche

4. appareil servant à mesurer le temps de cuisson en fonction de l'écoulement d'une quantité donnée de sable
5. inventeur de la machine à vapeur (1647-1714)
6. soupe faite de pain et de bouillon

7. appareil en fer destiné à la cuisson des gaufres
8. la pointe du glaïeul ressemble au dard d'un insecte

9. concrétise

Tout feu, tout flamme

Enluminure médiévale de 1480 (Bibl. Nat. Paris/Hachette)

observer pour mieux comprendre

1. Le feu et les rêves (l. 1 à 18)

a/ Quels adjectifs qualifient le feu de cheminée dans le premier paragraphe ? Quelle impression générale suggèrent-ils ? Cherchez dans le deuxième paragraphe un nom qui résume cette impression.

b/ Quel est, selon Bachelard, « l'usage vraiment humain et premier du feu » ? Êtes-vous de son avis ? Relevez deux verbes qui montrent que l'auteur compare le feu à un être humain.

c/ Qu'est-ce que la rêverie ? A quoi ressemble-t-elle, à quoi s'oppose-t-elle, selon Bachelard ?

2. Le feu et les aliments (l. 19 à 40)

a/ A quelle époque et dans quel milieu se déroulent les scènes rappelées par Bachelard dans le troisième paragraphe ? Relevez tous les noms de récipients ou d'instruments de cuisson évoqués ici : les connaissiez-vous ?

b/ Relevez les *métaphores* qui transforment un de ces instruments en être vivant. Comment l'enfant se comporte-t-il à son égard ? Comment l'appelle-t-il ?

c/ Relevez des expressions qui montrent que l'enfant consomme les produits du feu avec tous ses sens, et classez-les à l'aide du tableau ci-dessous :

goût	toucher	odorat	vue	ouïe

d/ Qu'est-ce que le feu ajoute à la nourriture, selon Bachelard ? Comment comprenez-vous : « il matérialise la fête des hommes » ?

chercher

1. Les fêtes du feu : leur origine, leur survivance (par exemple : la bûche de Noël, les feux de la Saint-Jean, le feu d'artifice...).

2. Les mythes du feu : par exemple, chez les Grecs, Héphaïstos, Prométhée... (cf. pp. 262-263)

vocabulaire

Le feu a donné lieu à d'innombrables expressions proverbiales. En voici quelques-unes : expliquez chacune d'elles, puis utilisez-la dans une phrase de votre invention.

Mettre le feu aux poudres	c'est le coup de feu
Être tout feu, tout flamme	n'avoir ni feu ni lieu
Faire feu de tout bois	faire la part du feu
Brûler ses vaisseaux	un feu roulant
Jouer avec le feu	ouvrir le feu
Mettre sa main au feu	faire long feu
Avouer sa flamme	le baptême du feu

s'exprimer

1. Vous arrive-t-il de céder à la rêverie ? Dans quelles circonstances ? Que vous apporte-t-elle ?

2. Imaginez que le feu vous « parle » : rédigez sous forme de *dialogue* votre conversation avec lui.

3. En contemplant les flammes dans la cheminée ou les ombres et les reflets qu'elles projettent dans la pièce, vous voyez se dessiner des formes fantastiques, vous imaginez des scènes dramatiques. Décrivez et racontez.

La forge

Au XIXᵉ siècle, à Paris, Gervaise, une blanchisseuse, a mis en apprentissage son fils Étienne dans une fabrique de boulons et de rivets, où travaille Goujet, un brave homme qui l'aime en silence. Un après-midi d'automne, en rentrant de livrer du linge, elle s'arrête rue Marcadet, pour voir son fils, et entre dans la forge.

C'était une vaste salle, où elle ne distingua d'abord rien. La forge, comme morte, avait dans un coin une lueur pâlie d'étoile, qui reculait encore l'enfoncement des ténèbres. De larges ombres flottaient. Et il y avait par moments des masses noires passant
5 devant le feu, bouchant cette dernière tache de clarté, des hommes démesurément grandis dont on devinait les gros membres. Gervaise, n'osant s'aventurer, appelait de la porte, à demi-voix :

– Monsieur Goujet, monsieur Goujet...

10 Brusquement, tout s'éclaira. Sous le ronflement du soufflet, un jet de flamme blanche avait jailli. Le hangar apparut, fermé par des cloisons de planches, avec des trous maçonnés grossièrement, des coins consolidés à l'aide de murs de briques. Les poussières envolées du charbon badigeonnaient¹ cette halle d'une suie grise.
15 Des toiles d'araignée pendaient aux poutres, comme des haillons qui séchaient là-haut, alourdies par des années de saleté amassée. Autour des murailles, sur des étagères, accrochés à des clous ou jetés dans les angles sombres, un pêle-mêle² de vieux fers, d'ustensiles cabossés, d'outils énormes, traînaient, mettaient des
20 profils cassés, ternes et durs. Et la flamme blanche montait toujours, éclatante, éclairant d'un coup de soleil le sol battu, où l'acier poli de quatre enclumes, enfoncées dans leurs billots³, prenait un reflet d'argent pailleté d'or.

Alors, Gervaise reconnut Goujet devant la forge, à sa belle
25 barbe jaune⁴. Étienne tirait le soufflet. Deux autres ouvriers étaient là. Elle ne vit que Goujet, elle s'avança, se posa devant lui.

– Tiens ! madame Gervaise ! s'écria-t-il, la face épanouie⁵ ; quelle bonne surprise ![...]

– Vous permettez, madame Gervaise, j'ai quelque chose à
30 terminer. Restez là, n'est-ce pas ? vous ne gênez personne.

Elle resta. Étienne s'était pendu de nouveau au soufflet. La forge flambait, avec des fusées d'étincelles ; d'autant plus que le petit, pour montrer sa poigne à sa mère, déchaînait une haleine énorme d'ouragan. Goujet, debout, surveillant une barre de fer
35 qui chauffait, attendait, les pinces à la main. La grande clarté l'éclairait violemment, sans une ombre. Sa chemise roulée aux manches, ouverte au col, découvrait ses bras nus, sa poitrine nue, une peau rose de fille où frisaient des poils blonds ; et, la tête un

1. recouvraient d'un badigeon, couleur dont on peint les murs

2. fouillis

3. blocs de bois

4. elle le fait surnommer la Gueule d'or

5. détendue par la joie, réjouie

40 peu basse entre ses grosses épaules bossuées[6] de muscles, la face
attentive, avec ses yeux pâles fixés sur la flamme, sans un
clignement, il semblait un colosse[7] au repos, tranquille dans sa
force. Quand la barre fut blanche, il la saisit avec les pinces et la
coupa au marteau sur une enclume, par bouts réguliers, comme
s'il avait abattu des bouts de verre, à légers coups. Puis, il remit
45 les morceaux au feu, où il les reprit un à un, pour les façonner[8]. Il
forgeait des rivets[9] à six pans[10]. Il posait les bouts dans une
clouière[11], écrasait le fer qui formait la tête, aplatissait les six
pans, jetait les rivets terminés, rouges encore, dont la tache vive
s'éteignait sur le sol noir ; et cela d'un martèlement continu,
50 balançant dans sa main droite un marteau de cinq livres[12],
achevant un détail à chaque coup, tournant et travaillant son fer
avec une telle adresse, qu'il pouvait causer et regarder le monde.
L'enclume avait une sonnerie argentine[13]. Lui, sans une goutte de
sueur, très à l'aise, tapait d'un air bonhomme, sans paraître faire
55 plus d'effort que les soirs où il découpait des images, chez lui. [...]
Cependant, les autres ouvriers tapaient aussi, tous à la fois.
Leurs grandes ombres dansaient dans la clarté, les éclairs rouges
du fer sortant du brasier traversaient les fonds noirs, des écla-
boussements d'étincelles partaient sous les marteaux, rayon-
60 naient comme des soleils, au ras des enclumes. Et Gervaise se
sentait prise dans le branle[14] de la forge, contente, ne s'en allant
pas.

Émile ZOLA, *L'Assommoir.*

6. bosselées

7. homme de très forte stature
ou statue

8. leur donner une forme
9. courte tige cylindrique
munie d'une tête
10. côtés
11. pièce de fer percée de
trous dont on se sert pour
fabriquer des têtes de clous ou
de vis
12. deux kilos et demi

13. qui résonne clair comme
l'argent
14. le mouvement

rassemblons nos idées

1. « La forge, comme morte... »

a/ D'où vient l'impression d'abandon ?

b/ Qu'est-ce qui la transfigure brusquement ?

2. Ombres et lumières

a/ Relevez toutes les expressions du texte qui
opposent les ombres et les lumières, le noir et les
couleurs.

b/ Quel effet le clair-obscur a-t-il sur les hommes et
les objets ?

c/ Cherchez, au début et à la fin du texte, une
comparaison et une *métaphore* qui font entrer l'univers, les astres, dans cette forge.

3. Les forgerons

a/ Gouget.
— Quelles expressions (notamment deux comparai-
sons) montrent sa force ? son adresse ?
— Quels détails surprennent dans son physique ?

b/ Les autres ouvriers.
— Combien sont-ils en tout ?
— Comment Étienne réagit-il ? Pourquoi ?
— A quoi ressemblent les ouvriers ?

c/ Gervaise.
Quels sont les sentiments qui l'animent successivement ?

s'exprimer

1. Décrivez un atelier dans lequel vous avez péné-
tré, en cherchant à en faire un tableau.

2. Imaginez les pensées et les sentiments de Goujet, pendant qu'il forge ses rivets sous le regard de
Gervaise.

vocabulaire

Recherchez le vocabulaire technique du texte. Quels
mots sont encore employés aujourd'hui ?

Un feu de camp

Pascalet, jeune garçon désireux de s'évader du quotidien, décide un jour — contre la volonté de sa tante — d'aller à la rivière toute proche... En la suivant, il découvre une île sur laquelle il rencontre un jeune gitan nommé Gatzo.

Avec lui, il va enfin savourer « une vie passionnante », au contact des éléments : l'eau « devenue... sol naturel », la terre « qui tenait les eaux entre ses bras puissants », l'air « où les nuages circulent si légèrement » et...

Le feu, enfin, sans quoi la nourriture est inhumaine. Le feu qui réchauffe et rassure. Le feu qui fait le campement. Car sans le feu il manque un génie[1] à la halte. Elle n'a plus de sens. Elle perd tout son charme ; elle n'est plus une vraie halte•, avec son repas
5 chaud, ses causeries, son loisir[2] entre deux étapes, ses rêves et son sommeil bien protégé.

Jusqu'à ce jour, je ne connaissais pas le feu, le vrai feu, le feu de plein air. Je n'avais jamais vu que des feux apprivoisés, des feux captifs dans un fourneau[3], des feux obéissants, qui naissent
10 d'une pauvre allumette, et auxquels on ne permet pas toutes les flammes. On les mesure, on les tue, on les ressuscite[4] et, pour tout dire, on les avilit[5]. Ils sont uniquement utiles. Et si l'on pouvait s'en passer, pour chauffer et cuire, on n'en verrait plus chez les hommes. Mais là, en plein vent, au milieu des roseaux• et des
15 saules•, notre feu fut vraiment le feu, le vieux feu des camps primitifs[6].

Ces feux-là ne s'allument pas facilement.

On dénicha[7] une pierre à fusil[8] dans la barque. Mais pas d'amadou[9]. Gatzo tordit des fibres de massette[10] morte et à force

1. esprit qui influe sur la destinée

2. repos

3. emprisonnés dans des fours

4. on leur redonne vie
5. on les abaisse, on les dégrade

6. faits par les premiers hommes vivant sur terre
7. trouva
8. instrument donnant une étincelle
9. substance spongieuse préparée pour être enflammée
10. plante aquatique, appelée aussi canne de jonc

(T. Cazabon/A.A.A. photo)

20 de patience finit par y piquer une étincelle. On souffla dessus. Le cœur nous battait. Il nous fallait du feu. Sans feu, impossible de vivre, comme nous l'avions résolu[11].

    Enfin, la fibre pétilla et on communiqua le feu à un tas d'herbes sèches. Placées sous une hutte de brindilles, elles l'en-
25 flammèrent peu à peu. On fit de la braise. On chauffa le four et les galets. Quand les galets furent brûlants, on y déposa les poissons, gavés et habillés de branches de fenouil[12]. La chair grésilla. Ce fut le plus beau repas de ma vie. Il embaumait[13] la braise, le fenouil et l'huile fraîche. On but de l'eau. On trempa
30 nos biscuits dans un café fort. Puis on s'allongea sur le dos et on dormit.

    Quant au feu, on le préserva• sous une coupole[14] de cendres bien close. Il fut abrité, dans un trou, et il se mit à vivre très doucement. Il devint alors invisible. Ce n'était qu'un germe[15] de
35 feu enfoui dans l'argile, et il dura jusqu'au soir, où nous l'alimen-tâmes de nouveau. De temps à autre, il émettait[16] un impercepti-ble[17] fil de fumée et l'odeur de la cendre tiède s'épandait[18] à travers les roseaux qui abritaient le campement.

11. décidé

12. plante herbacée à goût anisé
13. répandait une bonne odeur de

14. petite voûte hémisphérique

15. rudiment, élément de développement

16. produisait
17. qu'on ne peut percevoir
18. se répandait

Henri BOSCO, *L'Enfant et la Rivière* (Gallimard)

observer pour mieux comprendre

Vous donnerez un titre à chacune des parties du plan.

1. Lignes 1 à 6 (titre ?)

a/ Quels sont les quatre aspects bénéfiques du feu ?

b/ Que remarquez-vous concernant la construction des trois premières phrases ?

c/ Quels sont les charmes de la halte que le feu procure ?

2. Lignes 7 à 14 (titre ?)

a/ Que reproche le jeune garçon aux feux connus jusqu'alors ? Etes-vous d'accord ?

b/ Relevez des adjectifs et des verbes personnifiant ce type de feux.

3. Lignes 14 à 31 (titre ?)

a/ Relevez les différentes étapes nécessaires à l'élaboration de ce feu et résumez chacune d'elles d'un nom.

b/ A quoi sert ce feu de camp ? Quels plaisirs procure-t-il ?

4. Lignes 32 à 38 (titre ?)

a/ Quelles précautions prennent les deux garçons pour conserver leur bien précieux ?

b/ Relevez les différentes *personnifications* utili-sées par l'auteur.

c/ Par quel nom appartenant au vocabulaire reli-gieux Bosco insiste-t-il sur l'aspect sacré du feu ?

vocabulaire

Une île est, par définition, « une *terre* entourée d'*eau* » ; relevez les différents mots appartenant au registre de la nature, selon qu'ils illustrent chacun de ces deux mots clés :

la terre	l'eau

s'exprimer

1. Avez-vous souvenir d'un « vrai feu » ? Pourquoi le considérez-vous comme tel ?

2. « Ces feux-là ne s'allument pas facilement » : il vous est peut-être arrivé de vérifier cette affirma-tion ; racontez à quelle occasion ?

3. Si vous avez déjà participé à une veillée autour d'un feu de camp, décrivez-la...

Un incendie nocturne

On doit à Mme de Sévigné, femme cultivée et mondaine, une correspondance vaste et fort riche. Ses Lettres sont de passionnants documents sur la société du XVIIᵉ siècle ; rédigées dans un style très vivant, elles évoquent, tour à tour, des anecdotes sur la Cour, les derniers bruits entendus dans les salons parisiens ou même des événements apparemment plus mineurs comme l'incendie qu'elle relate, à sa fille, Mme de Grignan.

Vous saurez, ma petite, qu'avant-hier, mercredi, après être revenue de chez M. de Coulanges[1], où nous faisons nos paquets[2] les jours d'ordinaire[3], je revins me coucher. Cela n'est pas extraordinaire ; mais ce qui l'est beaucoup, c'est qu'à trois heures
5 après minuit j'entendis crier au voleur, au feu, et ces cris si près de moi et si redoublés*, que je ne doutai point que ce ne fût ici[4] ; je crus même entendre qu'on parlait de ma petite-fille ; je ne doutai pas qu'elle ne fût brûlée. Je me levai dans cette crainte, sans lumière, avec un tremblement qui m'empêchait quasi[5] de me
10 soutenir. Je courus à son appartement[6], qui est le vôtre : je trouvai tout dans une grande tranquillité ; mais je vis la maison de Guitaut[7] toute en feu, les flammes passaient par-dessus la maison de Mme de Vauvineux[8]. On voyait dans nos cours, et surtout chez M. de Guitaut, une clarté qui faisait horreur : c'étaient des cris,
15 c'était une confusion[9], c'étaient des bruits épouvantables, des poutres et des solives[10] qui tombaient. Je fis ouvrir ma porte, j'envoyai mes gens[11] au secours. M. de Guitaut m'envoya une cassette[12] de ce qu'il a de plus précieux ; je la mis dans mon cabinet[13], et puis je voulus aller dans la rue[14] pour bayer[15] comme
20 les autres ; j'y trouvai M. et Mme de Guitaut quasi[5] nus, Mme de Vauvineux, l'ambassadeur de Venise, tous ses gens, la petite Vauvineux[16] qu'on portait tout endormie chez l'ambassadeur, plusieurs meubles et vaisselles d'argent qu'on sauvait chez lui. Mme de Vauvineux faisait démeubler[17]. Pour moi, j'étais comme
25 dans une île, mais j'avais grand'pitié de mes pauvres voisins. Mme Guéton et son frère donnaient de très bons conseils ; nous étions tous dans la consternation[18] : le feu était si allumé qu'on n'osait en approcher, et l'on n'espérait la fin de cet embrasement[19] qu'avec la fin de la maison de ce pauvre Guitaut. Il faisait
30 pitié ; il voulait aller sauver sa mère qui brûlait au troisième étage ; sa femme s'attachait à lui, qui le retenait avec violence ; il était entre la douleur de ne pas secourir sa mère et la crainte de blesser sa femme : il faisait pitié. Enfin il me pria de tenir[20] sa femme, je le fis : il trouva que sa mère avait passé au travers de la
35 flamme et qu'elle était sauvée. Il voulut aller retirer quelques papiers ; il ne put approcher du lieu où ils étaient. Enfin il revint à nous dans cette rue où j'avais fait asseoir sa femme. Des capu-

1. son cousin
2. nous préparons nos envois groupés
3. les jours de courrier ordinaire

4. que je crus que c'était chez moi

5. quasiment, presque
6. chambre

7. voisin et ami de Mme de Sévigné
8. autre voisine
9. trouble, désordre, bouleversement
10. pièces de charpente qui s'appuient sur les poutres
11. mes domestiques
12. coffret
13. bureau
14. rue de Thorigny
15. tenir la bouche ouverte en regardant

16. fillette de neuf ans

17. déménager ses meubles

18. stupéfaction, désolation, abattement

19. incendie

20. retenir

cins[21], pleins de charité et d'adresse, travaillèrent si bien, qu'ils coupèrent le feu. On jeta de l'eau sur les restes de l'embrase-
40 ment[19], et enfin

> Le combat finit faute de combattants[22],

c'est-à-dire après que le premier et le second étage de l'antichambre et de la petite chambre et du cabinet, qui sont à main droite[23] du salon, eurent été entièrement consommés[24]. [...]

45   Vous m'allez demander comment le feu s'était mis à cette maison : on n'en sait rien ; il n'y en avait point dans l'appartement où il a pris. Mais si on avait pu rire dans une si triste occasion, quels portraits n'aurait-on point faits de l'état où nous étions tous ? Guitaut était nu en chemise[25], avec des chausses[26] ; Mme
50 de Guitaut était nu-jambes, et avait perdu une de ses mules de chambre[27] ; Mme de Vauvineux était en petite jupe[28], sans robe de chambre ; tous les valets, tous les voisins, en bonnets de nuit. L'ambassadeur était en robe de chambre et en perruque, et conserva fort bien la gravité de la Sérénissime[29].

21. religieux (de l'ordre de saint François) : il n'y avait pas encore de pompiers

22. citation inexacte d'un vers du *Cid* de Corneille (acte IV, scène 3)

23. à droite

24. brûlés, détruits

25. en manches de chemise
26. culotte

27. pantoufles
28. jupon

29. « La Sérénissime République de Venise »

Madame de SÉVIGNÉ, *Lettre du 20 février 1671.*

rassemblons nos idées

1. Les circonstances

a/ A quelle heure précise se situe l'événement ?

b/ En quel lieu ?

2. L'incendie

a/ Comment et par qui Mme de Sévigné apprend-elle l'événement ?

b/ Relevez les mots ou expressions qui le décrivent.

c/ Par qui est-il finalement circonscrit ? De quelle façon ?

3. Les personnages

a/ Qui sont les premiers concernés par le sinistre ? Comment réagissent-ils moralement et matériellement ?

b/ Que font les voisins immédiats, pendant ce temps-là ?

c/ Comment les « badauds » se comportent-ils ? Que font-ils ? Que ressentent-ils ?

4. La narratrice

a/ De quelle qualité d'écrivain Mme de Sévigné fait-elle preuve dans son récit ?

b/ Quels sont les sentiments successifs de l'auteur, en fonction des différentes étapes du sinistre ?

c/ Retrouvez les deux détails notés par Mme de Sévigné, alors que l'incendie fait rage.

d/ Par quels éléments pittoresques et comiques l'auteur brosse-t-il les portraits, une fois l'incendie maîtrisé ?

vocabulaire

1. Relevez les tournures ou les mots de vocabulaire appartenant à la langue du XVIIe siècle.

2. Cherchez une expression populaire utilisée de nos jours comportant le verbe « bayer » ; quelle est sa signification ?

chercher

1. des renseignements sur la vie et l'œuvre de Mme de Sévigné.

2. Lire la scène 3 de l'acte IV du *Cid* de Corneille ; quel est le vers exact ?

s'exprimer

1. L'incendie est enfin maîtrisé ; les voisins se rendent compte alors de leur état vestimentaire... racontez !

2. Transcrivez cet événement à notre époque, à la manière d'un journaliste envoyé sur les lieux...

Un combat sans merci

Dans un hameau de quatre maisons en Provence, appelé les Bastides blanches, vivent treize personnes, parmi lesquelles Gagou, le simple d'esprit, Alexandre Jaume et sa fille, César Maurras et sa mère, Aphrodis Arbaud et sa femme, le vieux Janet, paralysé, qui a prédit la fin prochaine du village. Or, le feu, qui a pris aux Ubacs, s'approche des Bastides, et Jaume, malgré sa peur, se démène et se parle :

« Contre nous, c'est toute la colline qui s'est dressée, le corps immense de la colline ; cette colline ondulée[1] comme un joug[2] et qui va nous écraser la tête.

« Je la vois ; je la vois, maintenant. Je sais pourquoi depuis ce
5 matin j'ai peur.

« Janet, ah, salaud, tu as réussi. »
Un sursaut de colère le redresse.

— Et nous, alors, nous ne comptons pas ?

Il empoigne son fléau[3] à blé. Sur le manche de bois son poing se
10 referme ; dans son bras la force court en petites ondulations[4] nettes et pointues. Tout un fourmillement[5] de bulles s'épanouit dans sa chair.

Il marche sur la flamme ; sous ses pieds l'herbe brûle.

— Ah, je te trouve enfin, rosse[6].

15 Il bat la colline avec le grand fléau. Autour de lui la flamme recule ; une tache noire fume dans le rayon où la trique de buis[7] s'abat.

— Capounasse[8]...

Les coups sonnent ; il semble que la colline insultée, flagellée[9],
20 va être enfin vaincue...

— Jaume, Jaume...

Maurras court après lui, le prend aux épaules, le secoue comme pour le faire revenir à lui :

— Tu es fou, tu ne vois donc pas ?

25 Il est temps : la flamme sournoise[10] a tourné le lutteur ; encore

1. qui fait des courbes, sinueux
2. pièce de bois de forme sinueuse qu'on met sur la tête d'un couple de bœufs pour les atteler

3. instrument à battre les céréales composé de deux bâtons liés bout à bout par des courroies
4. ondes, lignes sinueuses
5. sensation comparable à celle que donnent des fourmis courant sur la peau ; multitude
6. au sens premier mauvais cheval, d'où injure désignant une personne méchante et injuste
7. gros bâton utilisé pour frapper, en bois de buis
8. injure provençale signifiant « grand lâche, poule mouillée »
9. fouettée

10. dissimulée, hypocrite, malveillante

Incendie dans le massif des Maures (Var) (L. Girard/Explorer)

un peu et elle fermait sur lui sa grande gueule aux dents d'or.

D'un saut il se dégage :

— Allume le contre-feu[11].

Ah, le départ de la flamme amie. Elle part de nos pieds,
30 penchée sur le sol comme la guerrière qui prend son élan ; vois :
elle étreint l'ennemie, elle la couche, elle l'étouffe...

Ah, malheur, ensemble, maintenant, elles hurlent et reviennent sur nous.

Un grondement terrible ébranle le ciel. Le monstre terre se
35 lève : il fait siffler au sein du ciel ses larges membres de granit[12].

Maurras jette sa pioche ; il passe en courant.

La faux d'Arbaud sonne, lancée à toute volée sur les pierres.

Une porte bat ; des vitres dégringolent.

Au fond du vacarme, des cris de femmes.
40 — Père, père...

Le feuillage du grand chêne crépite[13].

Le monde entier s'écroule, donc ?

Jaume, les jambes rompues[14], la tête molle, s'abat :

— Salope, dit-il en tombant, et il bat férocement la colline de
45 ses poings.

11. feu allumé volontairement pour circonscrire un incendie de forêt en détruisant ce qui l'alimente

12. pierre très dure

13. fait entendre une succession de bruits secs, pétille
14. brisées

Jean GIONO, *Colline* (Grasset)

rassemblons nos idées

1. La colère de Jaume

a/ Contre qui se tourne-t-elle ? Pourquoi ? Comment s'exprime-t-elle ?

b/ De quelle façon Jaume réagit-il ? Cherchez deux *métaphores* qui marquent sa force.

c/ Relevez les injures qu'il emploie : à qui s'adressent-elles ? Quelle progression notez-vous ?

d/ Quel danger Jaume court-il ? Pourquoi ? En est-il conscient ?

2. La colline en feu

a/ Relevez les adjectifs, les noms, les verbes et les *métaphores* qui la personnifient. A quoi ressemble-t-elle ?

b/ A quels moments semble-t-elle vaincue ? Victorieuse ? A quoi est-elle alors comparée ?

3. Le contre-feu

a/ Notez une *comparaison* et des verbes qui le personnifient.

b/ Quels procédés (adjectifs, changement de nombre) marquent un retournement de situation ?

4. La défaite

a/ Quels bruits la signalent ? Relevez les termes qui les traduisent en notant leur origine.

b/ Quelle phrase exprime sa brutalité ? Qui la prononce ?

c/ Expliquez la chute et l'attitude finale de Jaume.

vocabulaire

Classez par ordre d'intensité les termes suivants exprimant le bruit ; distinguez-en le sens et le niveau de langue et employez-les dans des phrases de votre invention : chuintement - fracas - murmure - tapage - chuchotement - clameur - sifflement - tumulte - chahut - boucan.

s'exprimer

1. Vous avez été acteur ou témoin d'une lutte démesurée d'un homme contre un élément déchaîné. Racontez l'événement en insistant sur les actions et les sentiments du héros, la description du fléau.

2. Avez-vous déjà été surpris par l'échec d'un moyen de protection qui s'est retourné contre vous ?

3. Évoquez un silence lourd de menaces.

Des pompiers incendiaires

Dans un univers futuriste et froid, les pompiers, devenus des personnages importants, ont pour tâche essentielle de brûler tous les livres. Montag, l'un de ces pompiers incendiaires, a rencontré une jeune fille, Clarisse, qui, un peu rêveuse et artiste, n'approuve pas les incendies. Dans la caserne, auprès de ses collègues et du capitaine Beatty, Montag, attiré par les livres condamnés, se met à s'interroger sur sa fonction.

Montag cligna des yeux. Beatty le regardait comme il eût examiné une statue dans un musée. A tout instant, Beatty pouvait se lever, s'approcher de lui, le toucher, sonder sa mauvaise conscience, son sentiment de culpabilité. Culpabilité ? En
5 quoi au juste était-il coupable ?

— A toi de jouer, Montag.

Montag contempla ces hommes aux visages brûlés par mille brasiers, bien réels, et dix mille encore imaginaires, dont le travail enflammait les joues, enfiévrait les yeux. Ces hommes dont le
10 regard traversait sans ciller[1] la flamme de leurs igniteurs[2] de platine tandis qu'ils allumaient leurs pipes aux fourneaux éternellement calcinés[3]. Eux et leurs cheveux d'anthracite, leurs sourcils couleur de suie, leurs joues bleuâtres, rasées de près et poudrées de cendres ; impossible de se tromper sur leur compte.
15 Montag fit un pas et ses lèvres s'entrouvrirent. Avait-il jamais vu un pompier qui n'eût pas les cheveux noirs, les sourcils noirs, le visage âpre[4] et ce menton aux reflets d'acier bleu rasé sans l'être ? Ces hommes étaient tous faits à sa propre image ! Choisissait-on tous les pompiers selon leur mine aussi bien que
20 d'après leurs tendances[5] ? Cette couleur cendreuse qui les environne et la perpétuelle• odeur carbonisée de leurs pipes. Le capitaine Beatty, parmi eux, se levant dans une nuée pesante de fumée, Beatty ouvrant un paquet de tabac neuf et froissant l'enveloppe de cellophane qui crépite[6] comme un feu.
25 Montag regarda les cartes qu'il tenait dans les mains.

— Je... Je me demandais, dit-il. A propos du feu de la semaine dernière... Ce type dont on a liquidé[7] la bibliothèque. Qu'est-ce qu'il est devenu ?

— On l'a embarqué pour l'asile. Il braillait[8] comme un putois[9].
30 — Il n'était pas fou.

Beatty arrangeait calmement ses cartes.

— Tout homme qui croit pouvoir duper[10] le gouvernement et nous, est un fou.

— J'essayais de m'imaginer, dit Montag, l'effet que ça nous
35 ferait... De voir des pompiers brûler nos maisons et nos livres.

1. sans trembler
2. lances à incendie

3. par l'effet du feu, le fond des pipes est recouvert de chaux

4. rude

5. pour leurs idées, leur haine des livres

6. fait un bruit sec

7. détruit (terme familier)

8. criait
9. animal réputé pour son cri perçant

10. tromper

274

– Nous n'avons pas de livres.

– Mais supposez qu'on en ait.

– Tu en as, toi ?

Beatty le dévisageait.

40 – Non. Montag laissa errer son regard vers le mur du fond où étaient affichées les listes d'un million de livres interdits. Leurs titres bondissaient dans les flammes, tout un passé se consumait sous sa hache et sa
45 lance qui ne crachait pas de l'eau mais du pétrole.

Ray BRADBURY, *Fahrenheit 451* (Denoël)

*Photo du film de F. Truffaut, Fahrenheit 451
(Cahiers du Cinéma)*

observer pour mieux comprendre

1. « En quoi au juste était-il coupable » ? (l. 1 à 6)

Comment expliquez-vous le regard que Beatty pose sur Montag (l. 1) ?

2. « Ces hommes aux visages brûlés »

a/ Relevez tous les mots liés au feu (l. 7 à 24) et rangez-les dans le tableau suivant :

le feu lui-même	les instruments utilisés par les pompiers	les objets usuels	le physique des hommes

b/ Les objets que manipulent les pompiers dans cette scène ne sont pas choisis au hasard. Comment expliquez-vous cette sélection ?

c/ Que deviennent les pompiers dans cet univers ? Relevez une *antithèse* à la fin du texte.

3. « Je me demandais... » (l. 26 à 44)

a/ Expliquez la formule utilisée aux lignes 32-33. En quoi cette idée est-elle très dangereuse ?

b/ Trouvez, dans ce passage, les deux répliques prouvant que les collègues de Montag ne comprennent pas ses interrogations et ses doutes.

c/ Étudiez le jeu des pronoms personnels dans le dialogue entre Montag et Beatty et montrez la sympathie croissante de Montag pour les victimes.

d/ D'après la fin du texte, qu'est-ce qui est menacé par les pompiers ?

s'exprimer

1. Le signal d'alarme retentit. Montag doit immédiatement se rendre chez une femme soupçonnée de dissimuler une immense bibliothèque dans son grenier. Il arrive chez cette femme, enfonce la porte et une cascade de livres s'abat sur lui...
Imaginez une suite et une fin à ce récit.

2. Dans *Fahrenheit 451*, les livres sont considérés comme dangereux et inutiles. Comment expliquez-vous une telle opinion ? La partagez-vous ?

3. Montag, peu à peu convaincu de ses torts et menacé, s'enfuit dans la forêt où il apprend par cœur, comme d'autres révoltés, un livre pour le sauver de la destruction. Quel livre voudriez-vous sauver ainsi ?

chercher

Cette fiction inventée par Bradbury est inspirée de faits historiques réels. Lesquels ?

Tout feu, tout flamme

Débarqués dans une île volcanique par des marins révoltés, deux jeunes Romains, Alix et Enak, font la connaissance d'une jeune fille, Malua, poursuivie par les membres de sa tribu pour être sacrifiée au « dieu-volcan ». Ils y découvrent un trafic d'esclaves mené par des Phéniciens, qui profitent de la crédulité des indigènes et de leur frayeur due aux fréquentes éruptions du volcan au pied duquel ils vivent. Au cours de l'une d'elles, Alix tombe...

J. Martin, les Proies du volcan (Casterman)

Les forces l'abandonnent : ses doigts glissent !...

A cet instant, très haut, le Karakoa tremble et crache violemment des jets de feu et de matières incandescentes.

Il va céder !... Tire, Malua !

TIRE !.. TIENS BON !..

Subitement le volcan paraît éclater dans un grondement effroyable, obscurcissant le ciel à des altitudes vertigineuses.

Ça y est, il remonte... Vas-y, Malua, grimpe, encore, encore !...

Et tandis qu'une pluie de cendres commence à tomber...

Alix perdu beaucoup forces !... Lui pas entendre nous !...

Prends-le par les épaules ... moi, par les pieds.

Poussière très brûlante... Nous trouver refuge, ou bien nous mourir... Vite ! Vite !...

Il faut monter !... Monter !... Encore !... Encore !...

Mais subitement...

UNE COULÉE DE LAVE !.. NOUS SOMMES PERDUS !...

Le réveil du volcan

Depuis 1948, le volcanologue Haroun Tazieff parcourt le monde pour étudier les volcans. Dans son livre *Histoires de volcans,* il nous raconte comment, parvenu vers le centre de l'Izalco, en Amérique centrale, ce savant très sportif doit, « après un dernier et nostalgique coup d'œïl à ce chaos aux gueules rugissantes », amorcer la descente...

Celle-ci, après la fatigue nerveuse que nous venions de connaî-tre, nous parut pénible. Les blocs instables dérangés de leur précaire[1] équilibre dégringolaient en bonds de plus en plus puis-sants, les couches de scories[2] et de lapilli[3] se mettaient en branle[4],
5 coulaient en avalanches grises, et la lassitude physique des six dernières heures s'ajoutait à l'effet de la détente des nerfs.

J'aurais aimé pouvoir dire « infernal » en parlant de ce lieu, évoquer à son sujet quelque entrée des enfers[5]. Mais comment le pourrais-je ? L'inflation[6] verbale, la dévaluation[7] des mots forts
10 de notre langue, m'interdisent de le faire alors même que c'est bien d'un enfer qu'il s'agissait là...

Quatre heures plus tard, tandis que nous remontions pénible-ment la pente cendreuse du Cerro Verde, une explosion formida-ble nous immobilisa ; retournés, nous vîmes une puissante co-
15 lonne de fumée noire s'élever, rapide, au-dessus du cratère pour

1. fragile, passager
2. matière volcanique provenant du refroidissement superficiel des coulées de lave
3. petites pierres poreuses
4. en mouvement
5. les Anciens croyaient que les volcans étaient des entrées des enfers
6. accroissement excessif du vocabulaire ; ici emploi de mots forts dans des usages trop courants ou fréquents, qui les banalisent
7. perte de valeur

(*H. Tazieff*)

s'étaler, mille mètres plus haut, en un pin parasol[8] sinistre[9]. Bichet[10] et moi nous nous regardâmes un instant sans rien dire, puis tournâmes de nouveau nos regards vers le volcan. Les blocs de rochers et les cailloutis[11] retombaient à présent en grêle drue[12] sur tout le pourtour du cratère, sur toute la partie supérieure du cône, et la poussière épaisse que leur impact[13] soulevait estompait[14] progressivement la silhouette de la montagne.

L'activité quotidienne, minime entre l'aube et l'après-midi, venait de se réveiller brutale... A présent, dans un étourdissant vacarme de colosse[15] fou acharné[16] sur ses tambours et ses cymbales, dans des halètements[17] de bête, des ruées de locomotive énorme, l'Izalco vomissait de nouveau, sans presque reprendre haleine, flots de lave liquide et gerbes éclatantes de bombes en fusion.

Haroun TAZIEFF, *Histoires de volcans* (L.G.F.)

8. dont les branches sont en forme d'ombrelle ; ici, c'est la forme que prend la fumée
9. menaçant et effrayant
10. son compagnon, qui fait des films
11. amas de petits cailloux concassés
12. serrée, forte
13. choc contre le sol, heurt, chute
14. rendait floue, voilait
15. homme ou animal d'une grande force et d'une haute stature
16. enragé, furieux
17. essoufflements

rassemblons nos idées

1. Le narrateur et son compagnon

a/ Pour quelles raisons physiques et morales la descente leur paraît-elle pénible ?

b/ Quelle impression leur suggère ce lieu ? Est-elle justifiée ? Résumez en une phrase le second paragraphe.

c/ Que pensent-ils après l'explosion ?

2. Le réveil du volcan

a/ Relevez les termes du premier paragraphe qui indiquent les composantes du volcan dans sa période d'activité minime.

b/ Quels sont les effets de l'explosion ?

c/ Relevez trois *métaphores* dans le dernier paragraphe qui s'efforcent de rendre le déchaînement de l'Izalco. Quels bruits produit-il ?

d/ Quelles couleurs changent au cours de la description ?

chercher

— une coupe schématique montrant un volcan en éruption et placez sur le dessin les mots du texte : scories, lapilli, cailloutis, pin parasol, lave, bombes ;

— des documents sur la conception qu'avaient les Anciens de l'entrée des enfers.

s'exprimer

1. « Bichet et moi, nous nous regardâmes un instant sans rien dire » : imaginez le *monologue intérieur* de chacun des deux hommes.

2. « J'aurais aimé pouvoir dire "infernal" en parlant de ce lieu » : avez-vous déjà été tenté d'employer ce terme au sens plein ? Racontez dans quelles circonstances et décrivez ces « enfers ».

3. Cherchez les raisons qui peuvent pousser à devenir volcanologue. Seriez-vous tenté(e) par ce métier ?

vocabulaire

a/ Cherchez des exemples « d'inflation verbale » concernant les termes superlatifs et les injures de la langue française.

b/ Sachant que le feu se dit *pyr, pyros* en grec et *ignis* en latin, trouvez le sens et l'étymologie des mots suivants : pyroscope, igné, ignifuge, pyrolyse, ignition, pyromètre.

l'image

Quels termes, tracés, formes des vignettes et couleurs cherchent à rendre la violence de l'explosion et ses dangers, dans la bande dessinée de Jacques Martin, p. 276, *Les Proies du volcan* (*Les Aventures d'Alix*, Casterman) ?

Une visite en enfer

L'abbé Martin, curé de Cucugnan, une petite ville provençale, est désespéré : son église et son confessionnal sont désertés. Un dimanche, à la messe, il raconte à ses fidèles un rêve destiné à leur faire peur et à les inciter à revenir à l'église. Ce rêve le conduit d'abord au Paradis dans lequel il est surpris de ne découvrir aucun Cucugnanais. Saint Pierre lui conseille d'aller au Purgatoire ; là encore, personne ! L'Ange responsable du Purgatoire l'engage alors à prendre le chemin bien difficile de... l'enfer :

« C'était un long sentier tout pavé de braise rouge. Je chancelais comme si j'avais bu ; à chaque pas, je trébuchais ; j'étais tout en eau, chaque poil de mon corps avait sa goutte de sueur, et je haletais de soif... Mais, ma foi, grâce aux sandales que le bon
5   saint Pierre m'avait prêtées, je ne me brûlai pas les pieds.

« Quand j'eus fait assez de faux pas clopin-clopant[1], je vis à ma main gauche une porte... non, un portail, un énorme portail, tout bâillant, comme la porte d'un grand four. Oh ! mes enfants, quel spectacle ! Là, on ne demande pas mon nom ; là, point de
10 registre[2]. Par fournées[3] et à pleine porte, on entre là, mes frères, comme le dimanche vous entrez au cabaret.

« Je suais à grosses gouttes, et pourtant j'étais transi[4], j'avais le frisson. Mes cheveux se dressaient. Je sentais le brûlé, la chair rôtie, quelque chose comme l'odeur qui se répand dans notre
15 Cucugnan quand Eloy, le maréchal[5], brûle pour la ferrer la botte d'un vieil âne. Je perdais haleine dans cet air puant et embrasé• ! J'entendais une clameur horrible, des gémissements, des hurlements et des juruments[6].

« – Eh bien ! entres-tu ou n'entres-tu pas, toi ? » me fait, en
20 me piquant de sa fourche un démon cornu.

« – Moi, je n'entre pas. Je suis un ami de Dieu. »

« – Tu es un ami de Dieu... Eh b... de teigneux[7] ! que viens-tu faire ici ? »

« – Je viens... Ah ! ne m'en parlez pas, que je ne puis plus tenir
25 sur mes jambes... Je viens... je viens de loin... humblement[8] vous demander... si... si, par coup de hasard... vous n'auriez pas ici... quelqu'un... quelqu'un de Cucugnan...

« – Ah ! feu de Dieu ! tu fais la bête, toi, comme si tu ne savais pas que tout Cucugnan est ici. Tiens, laid corbeau, regarde, et tu
30 verras comme nous les arrangeons ici, tes fameux Cucugnanais... »

1. en marchant avec peine

2. gros cahier dans lequel on note le nom des gens présents
3. quantité de pain que l'on fait cuire dans un four, ici : nombre énorme de gens arrivant en même temps en enfer

4. engourdi par le froid, gelé

5. artisan qui avait pour tâche de ferrer les animaux de trait, d'où son nom (maréchal-ferrant)

6. jurons

7. atteint de la teigne, maladie du cuir chevelu provoquée par des champignons microscopiques. Ici, il s'agit d'une insulte
8. avec modestie

« Et je vis, au milieu d'un épouvantable tourbillon de flamme :

« Le long Coq-Galine – vous l'avez tous connu, mes frères – Coq-Galine, qui se grisait[9] si souvent, et si souvent secouait les puces[10] à sa pauvre Clairon.

« Je vis Catarinet... cette petite gueuse[11]... avec son nez en l'air... qui couchait toute seule à la grange... Il vous en souvient, mes drôles !... Mais passons, j'en ai trop dit. »

Alphonse DAUDET, *Les Lettres de mon moulin.*

9. s'enivrait
10. se battait avec
11. femme de mauvaise vie

s'exprimer

En vous inspirant du texte d'Alphonse Daudet et des illustrations ci-dessous, dites comment vous imaginez l'enfer, le paradis et le purgatoire.

Pol de Limbourg (XVe siècle), Très Riches Heures du duc de Berry, L'Enfer (Chantilly, Musée Condé/H. Josse)

Giotto (1267-1337), Fresque de la chapelle des Scrovegni à Padoue, Le Jugement dernier, L'Enfer (G. Dagli Orti)

l'image

— Comparez ces deux représentations de l'Enfer : quels sont leurs points communs ?

— L'une (ci-dessus) est une fresque du XIVᵉ siècle ; l'autre (p. 280), une enluminure du XVᵉ siècle : à quoi perçoit-on la différence de technique (observez les contours des figures), d'époque (observez le jeu de la perspective) ?

— Quelle est la couleur qui domine dans chaque œuvre ? Laquelle vous paraît la plus effrayante ?

Jeanne d'Arc au bûcher

Jeanne d'Arc, après avoir libéré une partie de la France de l'occupation anglaise, et permis au roi Charles VII d'être sacré à Reims, fut capturée en 1430 par les Bourguignons et livrée aux Anglais. Ceux-ci la firent comparaître à Rouen devant un tribunal ecclésiastique présidé par l'évêque Cauchon, qui la jugea hérétique et sorcière, parce qu'elle prétendait avoir reçu sa mission de Dieu, et la condamna au bûcher.

Le poète Paul Claudel a mis en scène les derniers moments de la sainte dans un texte destiné à être chanté sur une musique d'Arthur Honegger (les barres obliques indiquent une pause à l'intérieur de certaines phrases). L'action est commentée par un chœur divisé en deux demi-chœurs (deux groupes d'acteurs qui chantent ensemble), et par le peuple qui se rassemble pour assister au supplice…

DEMI-CHŒUR. – Qui est cette Jeanne au juste…

DEMI-CHŒUR. – Et si elle est de Dieu ou du diable…

CHŒUR. – Le feu va en décider.

(Tout bas :)

5 Loué soit notre frère le feu qui est sage, / fort, / vivant, / ardent, / acéré[1], / incorruptible[2].

Loué soit / notre frère le feu qui est savant à séparer l'âme de la chair, l'âme de la chair et de l'esprit / la cendre[3].

JEANNE. – Eh quoi ! mon peuple ! peuple de France ! Il est 10 vrai ! il est vrai que tu veux me brûler vive.

LE PEUPLE. – Elle se réveille comme d'un rêve…

JEANNE. – Et ce prêtre qui était là tout à l'heure et qui me tenait à lire ce livre où je lisais ?

Il n'est plus là. Il me quitte, il est descendu.

15 Il n'est plus là et je suis seule.

LA VIERGE, *au-dessus d'elle*[4]. – Jeanne, Jeanne, tu n'es pas seule.

JEANNE. – J'entends une voix au-dessus de moi qui dit : Jeanne, tu n'es pas seule !

20 LE PEUPLE. – Jeanne, Jeanne, tu n'es pas seule ! Il y a ce peuple en bas qui te regarde !

JEANNE. – Je ne veux pas mourir !

LE PEUPLE. – Elle dit qu'elle ne veut pas mourir *(d'un seul coup)*.

25 JEANNE. – J'ai peur !

LE PEUPLE. – Elle dit qu'elle a peur ! Ce n'est qu'une enfant après tout ! ce n'était qu'une pauvre enfant. Elle dit qu'elle a peur.

UN DES PRÊTRES. – Signe donc ! signe ce papier[5] ! avoue, 30 avoue que tu as menti !

JEANNE. – Et comment signerai-je / lorsque mes mains sont liées ?

1. tranchant
2. qui ne peut pas être souillé

3. la mort sépare l'âme immortelle de la chair mortelle, destinée à devenir cendre

4. Claudel imagine que la Vierge Marie apparaît à Jeanne et s'adresse à elle

5. Jeanne pourrait encore échapper au supplice en signant une rétractation, document par lequel elle reconnaîtrait avoir fait au tribunal de fausses déclarations

LE PRÊTRE. – On va t'enlever tes chaînes.

JEANNE. – Il y a d'autres chaînes, plus fortes qui me retiennent.

LE PRÊTRE. – Et quelles chaînes plus fortes ?

JEANNE. – Plus fortes que les chaînes de fer, les chaînes de l'amour ! C'est l'amour qui me lie les mains et qui m'empêche de signer. C'est la vérité qui me lie les mains et qui m'empêche de signer.

Je ne peux pas ! je ne peux pas mentir.

LA VIERGE. – Jeanne, Jeanne, confie-toi donc au feu qui te délivrera.

LE CHŒUR. – Loué soit notre frère le feu qui est pur.

VOIX, *saccadées, partant de tous les côtés.* – Ardent – Vivant – Pénétrant – Acéré – Invincible• – Irrésistible – Incorruptible.

LE CHŒUR. – Loué soit / notre frère le feu / qui est puissant à rendre l'esprit et cendre – cendre – cendre, / ce qui est cendre à la terre.

JEANNE. – Mère ! Mère au-dessus de moi ! Ha ! j'ai peur du feu qui fait mal !

LA VIERGE. – Tu dis que tu as peur du feu et déjà tu l'as foulé aux pieds.

JEANNE. – Cette grande flamme, / cette grande flamme / horrible / c'est cela / qui va être mon vêtement de noces[6] ?

6. Jeanne meurt à vingt ans sans avoir connu le mariage

Jehanne, photo du film de D. Th. Dreyer (S.G.F.)

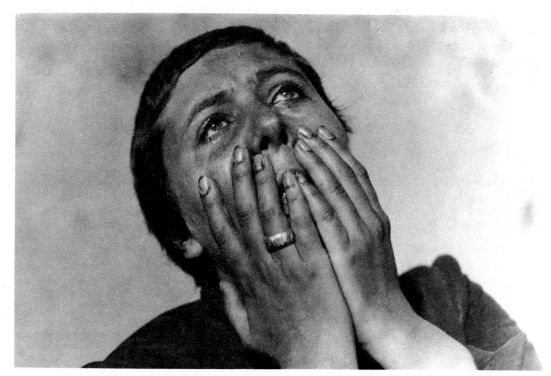

LA VIERGE. – Mais est-ce que Jeanne n'est pas une grande flamme elle-même ? Ce corps de mort[7] est-ce qu'il sera toujours / puissant à retenir ma fille Jeanne ?

LE CHŒUR. – Jeanne / au-dessus de Jeanne / Flamme au-dessus de la flamme !

60 Louée soit / notre sœur la flamme / qui est pure – forte – vivante – acérée – éloquente[8] – invincible – irrésistible – ! Louée soit / notre sœur la flamme / qui est vivante !

LA VIERGE. – Le Feu, / est-ce qu'il ne faut pas qu'il brûle ! Cette grande flamme - au milieu de la France, / est-ce qu'il ne faut pas, / est-ce qu'il ne faut pas / qu'elle brûle ?

65

LE CHŒUR. – Louée soit / notre sœur Jeanne / qui est Sainte – Droite – Vivante – Ardente – Éloquente – Dévorante – Invincible – Éblouissante – !

70 Louée soit / notre sœur Jeanne / qui est debout / pour toujours comme une flamme / au milieu de la France !

Paul CLAUDEL, *Jeanne d'Arc au bûcher* (Gallimard)

7. le corps représente pour la religion chrétienne la partie mortelle de la personne humaine

8. douée d'une parole facile et convaincante

Enluminure médiévale de 1484, La Mort de Jeanne d'Arc (G. Goldner)

Tout feu, tout flamme

Boutet de Monvel, Jeanne d'Arc sur le bûcher, illustration de 1920 (J.-L. Charmet)

rassemblons nos idées

1. Le dernier combat de Jeanne

a/ A quels sentiments Jeanne est-elle d'abord en proie ?

b/ Auprès de qui trouve-t-elle un soutien ?

c/ Qui cherche à profiter de son état ? Comment réagit-elle ?

2. Le feu

Cet élément revêt ici une valeur *symbolique*, qui évolue au cours de la scène.

a/ Quelle fonction le Chœur attribue-t-il au feu aux lignes 6-7 et 45-46 ? Comment comprenez-vous les adjectifs par lesquels il qualifie l'élément ?

b/ Quel mot remplace le mot feu à la ligne 61 ? Pourquoi selon vous cette substitution ?

c/ A quoi Jeanne est-elle comparée à la fin de ce texte ? Quel est le sens de cette comparaison ?

chercher

1. Connaissez-vous d'autres personnages historiques ou légendaires qui sont morts par le feu ?

2. Quel est le saint qui s'adressait aux éléments naturels en les appelant « notre frère » ou « notre sœur » ?

3. Renseignez-vous sur le déroulement du procès de Jeanne d'Arc.

s'exprimer

« Loué soit... » Faites à votre tour l'éloge d'un élément naturel de votre choix, en le qualifiant, comme Claudel, d'une série d'adjectifs.

285

DES MOTS POUR COMPRENDRE

DOSSIER

guide pratique

Vous trouverez ici la définition des mots en italique dans les questions qui vous sont posées à propos des textes.

Accent – Intonation particulière destinée à mettre en valeur une syllabe à l'intérieur d'un mot ou d'un groupe de mots. En poésie, l'accent produit un allongement de la syllabe (voir Aide-mémoire p. 288).

Accumulation – Procédé qui consiste à juxtaposer dans une même phrase plusieurs mots de même nature (verbes, adjectifs, noms...).

Adjuvants – On appelle ainsi les personnages ou les objets qui aident le héros d'un récit.

Allégorie – Expression d'une idée par une image, un tableau, une figure humaine.

Alliance de mots – Procédé consistant à employer des mots qui ne vont pas ensemble habituellement.

Allitération – Répétition d'une même consonne à l'intérieur d'une phrase ou d'un vers.

Antithèse – Opposition de deux idées ou expressions que l'on rapproche pour mieux faire ressortir le contraste.

Antonyme – Mot dont la signification est opposée à celle d'un autre mot.

Assonance – Répétition d'un même son à l'intérieur d'une phrase ou d'un vers, ou à la fin de deux vers.

Calligramme – Poème dans lequel la disposition des mots ou des lignes produit un dessin décoratif ou imitatif.

Caractère – Ensemble des qualités, défauts et manières de réagir d'un individu.

Chute – 1/ Dernier vers d'un sonnet. 2/ Se dit aussi de la conclusion inattendue d'un texte en prose.

Comique de gestes – Effet amusant produit par les gestes d'un personnage.

Comique de mots – Effet amusant produit par les paroles d'un personnage (choix des mots, du niveau de langue, répétitions, etc.).

Comique de situation – Effet amusant produit par la situation dans laquelle se trouve un personnage (exemple : l'arroseur arrosé).

Comparaison – Procédé qui consiste à mettre en rapport, par l'intermédiaire d'un ou plusieurs outils de comparaison (par exemple la préposition « comme ») un mot (appelé terme *comparé*) avec un autre (appelé terme *comparant*) sur la base d'une ressemblance entre les choses que ces deux mots désignent (élément commun).

Complainte – Chant ou poème évoquant, sur un ton plaintif, un sujet triste.

Contraste – Effet produit par la confrontation entre deux éléments opposés. Par exemple, A. Daudet établit un contraste entre le physique de Tartarin, qui ressemble à un paisible petit rentier, et ses rêves d'aventures.

Dénouement – Partie d'un récit ou d'une pièce de théâtre qui expose la façon dont l'action se termine.

Destinataire – 1/ Personne à laquelle est adressée une lettre – 2/ Dans un récit, personnage dans l'intérêt duquel agit le héros.

Destinateur – Dans un récit, personnage qui confie au héros une tâche, une mission.

Dialogue – Texte ou passage d'un récit où sont rapportées les paroles qu'échangent deux ou plusieurs personnages.

Ellipse – Procédé par lequel on omet une partie de la phrase, sous-entendue. La phrase nominale est produite par l'ellipse du verbe.

Émotion – Réaction violente à une situation ou à un événement (peur, surprise, joie...).

Énumération – Procédé qui consiste à juxtaposer dans une phrase les différents éléments d'un ensemble que l'on veut décrire.

Épique – Qui présente des caractéristiques semblables à celles de l'épopée.

Épopée – Œuvre célébrant les exploits d'un héros ou des événements importants, en leur donnant le plus d'éclat possible, grâce à un ton solennel, à un niveau de langage soutenu, et des métaphores ou comparaisons mélioratives.

Exagération – Procédé qui consiste à parler d'une chose en employant des mots qui la font croire plus importante, plus belle, etc. qu'elle n'est en réalité.

Fantastique – Se dit d'une œuvre où le naturel et l'étrange se mêlent de façon inquiétante, si bien que le lecteur hésite entre une explication rationnelle et une explication surnaturelle des événements.

Humour – Manière de présenter les choses pour en faire ressortir l'aspect amusant.

Humour noir – Mode d'expression qui traite avec légèreté les rapports entre la vie et la mort.

Hypallage – Figure de style par laquelle on attribue à un nom un qualificatif destiné à un autre mot de la phrase. Exemple : « Les paysans posèrent leurs faucilles *lassées* » (ce ne sont pas les faucilles qui sont lassées, ce sont les paysans).

Ironie – Procédé qui consiste à se moquer de quelque chose ou de quelqu'un en disant le contraire de ce qu'on pense, tout en laissant deviner sa véritable opinion.

Mélioratif – Qui présente une chose sous son aspect le plus favorable.

Merveilleux – Se dit d'une œuvre où le surnaturel se mêle de façon harmonieuse à la réalité, de manière à produire l'enchantement du lecteur.

Métaphore – A la différence de la comparaison qui met en rapport le terme comparé avec un terme comparant, la métaphore consiste à *remplacer* le terme comparé par le terme comparant. Exemple :
– comparaison : des *feuilles* (terme comparé) faisaient *comme un tapis d'or* (terme comparant) sur le sol.
– métaphore : sur le sol s'étendait *un tapis d'or*.

Mètre – Voir Aide-mémoire, p. 288.

Monologue intérieur – Dans un roman, développement transcrivant au style direct les pensées d'un personnage (ce qu'il se dit à lui-même).

Néologisme – Emploi d'un mot nouveau, non encore répertorié par le dictionnaire, créé de toutes pièces.

Niveau de langue – Registre d'expressions que l'on emploie en fonction du discours et de l'effet que l'on cherche à produire. On distingue surtout :
– un niveau courant (correct grammaticalement, sans vocabulaire particulier).
– un niveau familier (comportant des tournures grammaticales incorrectes et un vocabulaire proche du style parlé).
– un niveau soutenu (comportant des tournures et un vocabulaire recherché).

Objet – Dans un récit, c'est ce que cherche à obtenir le héros grâce à son action.

Off – Mot anglais signifiant : « en dehors ». Se dit d'une voix qu'on entend sans voir sur l'écran la personne qui parle.

Onomatopée – Mot imitant par sa sonorité le bruit fait par la chose qu'il désigne.

Opposant – Personnage qui s'oppose à l'action du héros dans un récit.

Panoramique – Mouvement par lequel la caméra, à partir d'un point fixe, découvre au spectateur l'ensemble d'une scène ou d'un décor, en pivotant horizontalement ou verticalement.

Paradoxe – Procédé qui consiste à formuler une proposition contraire à l'opinion courante, de manière à faire découvrir, sous une apparence illogique, une vérité inattendue. Le proverbe : « Qui aime bien, châtie bien », repose sur un paradoxe.

Péjoratif – Qui présente une chose sous un aspect défavorable.

Personnification – Procédé par lequel on attribue à un être inanimé les propriétés d'un être animé (homme ou animal).

Phonème – On appelle ainsi le plus petit élément sonore que l'on peut distinguer à l'intérieur d'un mot. « Auteur » est composé de quatre phonèmes = /o/, /t/, /œ/ et /r/. On appelle phonème vocalique le son produit par une voyelle ou une diphtongue.

Pied – Toute syllabe prononcée à l'intérieur d'un vers.

Plan – 1/ Composition d'un texte selon différentes parties présentant chacune un élément nouveau. 2/ Au cinéma, ensemble d'images cadrées de la même façon. On distingue surtout :
– plan général
– plan semi-général
– plan moyen
– plan américain
– gros plan.

Portrait – Description d'un personnage, présentant son identité, sa situation sociale et ses traits physiques, moraux, psychologiques, les plus caractéristiques.

Progression – Évolution de l'action principale d'un récit, qui conduit vers le dénouement.

Rime – Disposition de sonorités identiques à la fin de deux vers différents (voir Aide-mémoire, p. 288).

Rythme – Voir Aide-mémoire p. 288.

Sensation – Impression recueillie par l'intermédiaire d'un des cinq sens (vue, ouïe, odorat, goût, toucher).

Sentiment – Disposition durable éprouvée à l'égard d'un être ou d'une situation (haine, jalousie, amitié, honte, fierté, etc.).

Sonnet – Poème à forme fixe, composé de quatorze vers de mètre identique, répartis en deux quatrains à rimes embrassées, et de deux tercets comportant une rime plate et deux rimes embrassées.

Strophe – Ensemble de vers qui se distingue à l'intérieur d'un poème par sa position entre deux blancs, et par une disposition particulière des mètres et des rimes.

Style – Ensemble des traits d'écriture caractéristiques d'un auteur, d'une époque, ou d'un genre littéraire : on parle du style de Chateaubriand, d'un style classique, d'un style épique.

Symbole – Objet qui représente de façon concrète une idée abstraite.

Synonyme – Mot possédant une signification comparable à celle d'un autre mot.

Typographie – Manière dont un texte est imprimé (selon le choix des caractères, la disposition des lignes, la mise en page, etc.).

LA VERSIFICATION

On appelle ainsi l'ensemble des techniques qui régissent l'organisation d'un poème en vers réguliers.

1. le mètre (ou mesure)

C'est le nombre de **pieds** contenus dans un vers.
Rappel.
a/ L'**e** muet compte à l'intérieur d'un vers, s'il est suivi d'une consonne :

« La cigal(e) ayant chanté... »

Mais : « Quand la bis**e** fut v**e**nue ».

b/ Lorsqu'un *i* est suivi d'une voyelle ou d'une diphtongue, on compte tantôt un pied, tantôt deux :

« La génisse, la chèvre, et leur sœur la brebis,
Avec un fier li-on, seigneur du voisinage,
Firent soci-été, dit-on, au temps jadis. »

Voici la liste des mètres les plus fréquents dans la poésie française :

alexandrin : vers de 12 pieds
décasyllabe : vers de 10 pieds
octosyllabe : vers de 8 pieds
heptasyllabe : vers de 7 pieds
hexasyllabe : vers de 6 pieds.

2. le rythme

C'est l'effet produit par le nombre et la place des **accents** à l'intérieur du vers.
Rappel.
a/ L'**accent** porte en général sur la dernière syllabe d'un mot, sauf lorsqu'elle comporte un e muet (dans ce cas l'accent remonte sur l'avant-dernière syllabe) :

« Et mírent en commún le gaín et le dommáge ».

b/ Les accents principaux se situent en général au milieu et à la fin du vers. C'est notamment le cas pour l'alexandrin :

« Dans les lács de la chèvre un cérf se trouva prís ».

La disposition des accents principaux détermine la place de la **coupe** (c'est-à-dire de la brève pause que l'on est obligé de marquer dans la lecture du vers) :

« Dans les lacs de la chèvre//un cerf se trouva pris ».

3. les rimes

On les classe traditionnellement selon : leur richesse — leur disposition — leur genre (voir tableau ci-dessous).

critère	terminologie	définition	exemple
richesse	rime riche	plus de 2 phonèmes communs	La fourmi n'est pas prêt**euse** : C'est là son moindre défaut. « Que faisiez-vous au temps chaud? Dit-elle à cette emprunt**euse**. »
	rime suffisante	2 phénomènes en commun (1 vocalique + 1 consonantique)	La cigale, ayant chant**é** Tout l'ét**é**
	rime pauvre	1 phonème (vocalique) en commun	Se trouva fort dépourv**ue** Quand la bise fut ven**ue**
disposition	rimes suivies (ou : **plates**)	unissent des vers qui se suivent	La raison du plus fort est toujours la meill**eure** Nous l'allons montrer tout à l'h**eure**.
	rimes embrassées	disposées selon le schéma : a-b-b-a	Un agneau se désalté**rait** Dans le courant d'une onde p**ure**. Un loup survient à jeun, qui cherchait avent**ure** Et que la faim en ces lieux atti**rait**.
	rimes croisées (ou : alternées)	disposées selon le schéma : a-b-a-b	« On me l'a dit : il faut que je me v**enge**. » Là-dessus, au fond des for**êts** Le loup l'emporte et puis le m**ange**, Sans autre forme de proc**ès**.
genre	rime masculine	unit des mots terminés par une consonne ou une voyelle autre qu'**e** muet	La cigale, ayant chant**é** Tout l'ét**é**
	rime féminine	unit des mots terminés par un **e** muet	Se trouva fort dépourv**ue** Quand la bise fut ven**ue**

guide pratique

Imprimé en France par BRODARD GRAPHIQUE — Coulommiers-Paris HA/6119/2
Dépôt légal n° 4833-05-1987 - Collection n° 04 - Édition n° 01